ANTOLOGIA PO

SCIENC
PO POLSKU

Jakub **Ćwiek** Dariusz **Domagalski**

Tomasz **Duszyński** Agnieszka **Hałas** Artur **Laisen**
Paweł **Paliński** Piotr **Sarota** Andrzej W. **Sawicki**
Szymon **Stoczek** Istvan **Vizvary** Milena **Wójtowicz**

pod redakcją Anny **Kańtoch**

Strzelin
2012

PAPER
BACK

Wydanie I

Strzelin 2012

ISBN: 978-83-932486-6-7

Projekt okładki:
Jarosław Motała

Redakcja: Anna Kańtoch

Korekta: Beata Cybulska

dystrybutor:
Azymut Sp. z o.o. – www.azymut.pl, tel. (22) 256 87 60
L&L Firma Wydawniczo-Dsytrybucyjna Sp. z .o.o – www.ll.com.pl,
Tel. (58) 340 55 23

Adres korespondencyjny wydawcy:
Paperback
skr. poczt. nr 1014
50-950 Wrocław 68
www.paperback.com.pl
paperback@poczta.fm

Od wydawnictwa

Ponad kilkaset prac nadesłanych na adres naszego wydawnictwa. Niesamowity przekrój ludzi: dziewczyn, chłopców, mężczyzn i kobiet. Tych bardziej doświadczonych i tych, którzy po raz pierwszy spróbowali swoich sił, pisząc opowiadanie science fiction. Serce rośnie na samą myśl, jak wiele osób próbuje pisać, chce pisać i potrafi rozwijać swoją pasję.

Debiutanci i profesjonaliści razem w *Science fiction po polsku*. Takie było nasze założenie. Mam nadzieję, że będzie to szansa dla tych, których opowiadania dołączyły do antologii. A dla czytelników będzie to niesamowita gratka poznania różnorodnych światów i autorów, piszących science fiction... po polsku.

Wstęp

Szczerze mówiąc, nie chce mi się po raz kolejny wałkować tematu: „Jak to się stało, że zacząłem pisać". Znudziło mi się, a ponadto przez te parę lat zyskałem graniczące z pewnością przeświadczenie, że nikomu się to nie ma prawa przydać. Bo taka wypowiedź to żadna motywacja dla niezdecydowanych, a i wcale nie najlepsza historia dla słuchaczy. Tak, dobrze rozumiecie, uważam, że to nudne.

Pozwólcie zatem, że zamiast tego opowiem Wam o miętoleniu pomysłów. Ot, na przykład opowiadanko, które zaraz przeczytacie, króciutki tekst, właściwie scenka w klimacie starych tekstów SF-owych. Wiecie, dwóch bohaterów rozmawia o życiu, w tle zmieniony świat albo jakiś ciekawy gadżet. Ma takie teksty na swoim koncie Asimov, ma Zajdel. A – o dziwo – słabsi autorzy jakoś nie. Przyczyną jest wspomniane właśnie miętolenie pomysłów.

Polega ono, mówiąc pokrótce, na tym, że jak młody autor wpadnie na coś fajnego, zamiast to wykorzystać, zaczyna pomysł oglądać, głaskać, muskać i zastanawiać się: „Do czego ja tego użyję, to w końcu takie świetne". Często kończy się na tym, że tekst w ogóle nie powstaje albo przeciwnie – jest, ale tak wymiętolony, że aż się człowiek krzywi na myśl o tym, żeby po niego sięgnąć.

Czy to znaczy, że uważam, iż nie należy dopracowywać pomysłów? Ależ skąd! Nie należy się jednak bać, że każdy z nich jest ostatnim, że więcej nie będzie, że to musi być moje dzieło życia. Czasami warto napisać krótki, nawet nieco banalny tekst z naszym wspaniałym pomysłem w tle, by zobaczyć, jak bardzo tam pasuje.

I od razu odpowiadam na ewentualne pytanie – nie, nie uważam, żeby moi ludzie z obrożami, ludzie na pilota byli jakimś superświeżym odkryciem. Ale zauważyłem, że lubię ten pomysł na tyle, że zaczynam go miętolić. A potem zobaczyłem w autobusie śliczną dziewczynę i chłopaka, który najpierw z nią rozmawiał, później wziął numer, a potem długo, długo patrzył za nią, gdy wysiadła.

Oto banał wart mojego pomysłu, pomyślałem. A potem z czystym sumieniem „zmarnowałem" pomysł na może nawet powieść? I wiem, jak daleko mi do wielkich pisarzy. Ale przez moment poczułem się, jakbym był jednym z nich – ludzi, którzy nie boją się swoich pomysłów.

Kto wie, może to właśnie jest sekretny klucz do pisania?

Tymczasem zachęcam do lektury tekstów tych, którzy również się nie bali. Miłego czytania.

Jakub Ćwiek

Opowiadania

Szymon Stoczek – urodzony w Pszczynie w 1988 roku, obecnie mieszka we Wrocławiu i w Rybniku. Ukończył filozofię na Uniwersytecie Wrocławskim, gdzie studiuje teraz dziennikarstwo. Poeta, prozaik, scenarzysta i reżyser filmów niezależnych. Współtworzy pismo internetowe „Kontrast", a także czasopismo weird fiction „Coś na progu".

Szymon Stoczek

Samolubny gen

Jasmin zrugała Iwana spojrzeniem za źle wyprane skarpetki i postukała długopisem w kartkę.

– Pięćdziesiąt dwa, bardziej to dziecko będzie moje niż twoje.

– Za skarpetki? – obruszył się Iwan, nerwowo wygładzając wąs.

Wzruszyła ramionami.

– Chciał się jaśnie pan założyć, to teraz ma.

– Ale za skarpetki?

Uśmiechnęła się ironicznie, zaplatając ręce na wysokości mostka. Iwan lubił ten gest u swojej żony. Udawana niedostępność kręciła go bardziej niż zużyte fetysze Zachodu.

– Było wyprać, a nie zostawiać na krześle. My nie z Enklaw, nam się brud nie rozłoży od śnieżnej bieli chemii w powietrzu.

– Zobaczysz, że jeszcze tam pojedziemy.

– Raczej nie za tego cara, dobrze o tym wiesz.

Westchnął ciężko. Jak się zastanowić, to i takie Enklawy nie mają lekko. Nie muszą prać skarpetek w baliach (od tego są stare pralki) ani martwić się chorobami, ale te opłaty klimatyczne... Na Syberii bezpieczeństwo kosztuje. Nie wykończą człowieka zmutowane euroazjatyckie wirusy, ale się z czasem kod genetyczny w programie może wybielić, a kto wtedy przebada? Raz się haker do banku danych włamie i po sprawie. Żadna maszyna się z cyfrowej *tabuli rasy* nie rozezna. Już może lepiej przy tych rosyjskich miastach zostać. Niby ryzyko, że terroryzm i wojna, ale tak na poważnie: kto się u licha na taką Rosję w dzisiejszych czasach połasi? Syf, brud i dziury w drogach. Z tymi Polaczkami na granicy Ukrainy to fama jakaś. Niech no się lepiej górale z Zakopca o to Zambezi jak najdłużej biją. Będą mieli Ukraińcy czas drugi mur chiński postawić, wojska zwołać i jakoś się przed technohusarią może i wybronią.

Albo nie wybronią, a wtedy Polaczki hulaj dusza na Rosję. Po co, licho wie, ale muszą zdobyć, skoro na poważnie ichni prezydent o tych Chinach i wolnym Tybecie myśli.

– Wojna nam w kark dmucha, nie pora na głupie zakłady – przekonywał Iwan.

– Nie mój pomysł, kochanie. Ja mówiłam fifty-fifty, tyś się chciał o szczegółowy udział w dziecku targować.

– Bo z mojej rodziny lepsze geny, półszlachecka krew w żyłach...

– Półszlachecka po tych Otwockich, co to nasieniem siali jak chłop pole. Z ciebie taki szlachcic jak ze mnie caryca.

– Katarzyno, o pani.

Uderzyła go mokrą szmatą pod biodrem.

– Nie dworuj, waćpan, zakład to zakład. Mam pięćdziesiąt dwa procent udziałów w genach naszego dziecka. Jeszcze możesz się odgryźć, jest przecież czas.

– Wyrzucając śmieci i prasując gacie?

Zerknęła na niego groźnie, unosząc brwi.

– Sprasuj śmieci, to choć będzie na chleb.

Było na wódkę.

Zgniatać nie bardzo było dziś co, mało śmiecia ze stolicy przywieźli. Słuchy chodziły, że to na Ukrainę wszystko z wysypisk idzie, że samolotami i tirami zwożą, coby do budowy muru było. Albo jako broń chemiczna. Ponoć nawet z Czarnobyla nieliche cargo przywieziono, a w Odessie jakaś większa flota stacjonuje. Może atomówki z łodzi podwodnych wypuszczą, to się przez tarczę antyrakietową przebiją.

Albo nie przebiją. Różnie ludzie gadali.

Iwan wychylił setkę i poprosił barmana o jeszcze. Straci, nie straci, jeszcze procent, dwa, licho tam. Napić się trzeba i basta. Głupio zrobił z tym zakładem. Zostawić było po bożemu: pięćdziesiąt na pięćdziesiąt udziałów rodzicielskich genów w dziecku, to sprawy by nie było, a tak? Użeraj się z taką żoną. Niby niczego sobie i gotować umie, ale jak się do sposobu bycia przyczepi, żadne święte ikony nie pomogą. No to Iwanowi się dostało: za skarpetki, za przypalony obiad. A Jasmin dumna jak paw, że jej się wynik genowy od wczoraj niezmieniony trzyma – ani Iwana w gniewie jełopem nie nazwie (coby nie stracić ani procenta), ani o zepsutym zlewie po raz trzy tysiące piąty nie wspomni. Taki instynkt macierzyński, że się pilnuje jak ostatni pustelnik. Pewno się koleżankom chwali, jaką to intratną umowę z mężusiem zawarła.

Iwan rąbnął pięścią o blat baru. Schleje się, marną wypłatę przepije, no to go Jasmin pewnie w obroty weźmie i raz-dwa kilka procent sobie na jej wrzaskach Iwan odbije. Ale nie, bo wtedy na chleb nie będzie, a jak z głodu zdechną, to go tam u góry przodkowie nieźle opiernniczą, a te jurodiwy, co je w snach czasem widuje, za kudły tak wytargają, że... Ach, aż myśleć o tym szkoda.

Wypił jeszcze kieliszek. Ile takie narodziny mogą kosztować? Sześć miesięcy harówy jak nic pójdzie na klinikę, a pewno z miesiąc na samo przepisanie rybonukleinowego-coś-tam. Taka korekta średniej genów niby łatwa dla japońskich diabłów, byleby tylko nie policzyli sobie za ułamkowe udziały przodków. Powiesz „pięćdziesiąt na pięćdziesiąt", a tu ci wpakują pakiety kontrolne Pepsi, reklamy neuronalne Tokyo, aktywują stare kody praprzodków i już bilans siada. Bywało, że ludzie sądzili się o podobne sprawy. Taki gen-transfer lepiej mieć dopięty na ostatni scan, jeśli nie chce się potem rujnować na sądowe przepychanki.

Westchnął. Może to i tak wszystko jedno. Jak Polaczki przyjdą, to recesja w kraju pewna jak amen w pacierzu. Wypił następną kolejkę. Zamówił jeszcze raz to samo. Nie będzie na chleb, kupi bułki.

Iwan kupuje bułki, kurczowo trzymając się lady. Wraca, pomagając sobie towarzystwem znaków drogowych i poręczą-rurą, którą niegdyś biegła woda. W głowie wciąż szumi mu od procentów.

– Czterdzieści do sześćdziesięciu, czterdzieści do sześćdziesięciu – bełkocze pod nosem. Foliowa torba z zakupami obija się o jego kolana i zdewastowane ściany. Ktoś tu się wyraźnie bawił uzi.

Nie pamięta, jak zgubił nocą te kilka procent udziałów w bobasie. Jasmin rankiem nie była skora do żadnych wyjaśnień. Powiedziała tylko, że sam sobie odjął, i na dowód pokazała kartkę z jego odręcznym pismem. Takie bazgroły trudno byłoby podrobić.

– Czterdzieści do sześćdziesięciu, czterdzieści... – zacina się i przepuszcza babinkę z rzucającym się na wszystkie strony buldogiem. Strata całych dziesięciu procent mocno Iwana boli. Wygląda na to, że przyjdzie mu zrezygnować z koloru oczu po swojej matce (butelkowa zieleń nie podoba się Jasmin) i zainwestować pozostałe pakiety DNA w rywalizację o kolor włosów i kształt twarzy. O wyborze płci nie ma już nawet co marzyć. Według rosyjskiego prawa udziałowiec z większą ilością akcji genowych podejmuje decyzje tego formatu.

– Do sześćdziesięciu, do sześćdziesięciu... – szepcze cicho, coby żaden sąsiad nie usłyszał. Tylko tego mu brakuje, aby burżuje i proletariacki wygwizdów wchodzili z buciorami w jego własne czterdzieści dwa metry kwadratowe. Także cicho-sza. Niech lepiej nie wiedzą.

Nie wiedzą. Prawie się o to modli, kiedy w kieszeni dziurawych spodni poszukuje klucza do własnego mieszkania.

Klucza nie było, Jasmin też. Śmieci na wysypisko nowych nie przywieźli. Kontenery w centrum miasta stały od wczoraj w ogniu. Propolski sabotaż albo wywrotowi pogrobowcy Lenina z lipnego DNA (jak się klient uprze, to mu w *five-star* klinice całą sowiecką Rosję wyprodukują). Ludzie różnie o tym w szynku gadali.

– Ponoć się polska żółć na poważnie organizuje. Satelity zestrzelili i teraz cisza na wszystkich łączach. *No TV, no Net*. Propaganda leży i kwiczy. Duma rozproszona. Jak nam teraz gruchną atomówką w Moskwę, to ni licho nie będzie co zbierać. A reakcja świata jak zawsze, Sudety to za Hitlera mało kogo poważnie interesowały. Ci z Unii Tureckiej sobie pomyślą, że wola Allaha – lepiej dać polskim nacjonalom taką Rosję, niech w niej zgniją jak Napoleon, a nie, że będą im potem hurtem hurysy gwałcić – powiedział Wiertow i jako jedyny zaśmiał się ponad stołem.

Iwan pokiwał smętnie głową, tasując karty. Okrutni sąsiedzi zza Buga, że też im się musiało zemsty zachcieć! Za niewolę, za Katyń, za Smoleńsk. Trochę tym biało-czerwonym moherom od żydomasońskich spisków nabruździli, ale żeby tak cały naród najechać? Święci Pańscy, a co on, Iwan, winny, że ichnich reporterów tydzień temu w Petersburgu kropnęli! Niech no się żrą o historię, jak muszą, ale tak, coby sam mógł pracować. Co on Jasmin powie, jak mu jeszcze bardziej pensję utną? Najwyższym wysiłkiem woli zmusił się, aby nie spoglądać ku barkowi. Jedna wódka na krechę może by nie zaszkodziła, ale potem mogłaby pójść kolejna i jeszcze jedna, a wtedy jego udziały w dziecku znowu by się gwałtownie skurczyły.

Serce. Trefl. Serce, pik, pik, pik.

Kolory przelatywały mu przed oczyma. Ręce nie przestawały przekładać kart.

– O ile gramy? – spytał Sujlow, przesuwając rękoma po puklach siwych włosów. Wulgarne tatuaże pod oczami zestawione z pociągłymi rysami twarzy nadawały mu wygląd przerysowanego miejscowego bandziora. Chodziły słuchy, że Sujlow kiedyś służył w Specnazie.

– Dwudziestka na początek. – Wiertow wzniósł toast do połowy pustym kuflem. Staremu wydze nigdy nie brakowało forsy. Praca w *storm factory* zwracała się z nawiązką, zwłaszcza w dzisiejszych czasach, kiedy niejeden generator burz pluł piorunami nad Rzeszowem.

Sujlow wzdrygnął się i gwałtownie pokręcił głową.

– Bank żeście obrabowali, towarzyszu? To się podzielcie jak dobry komunista.

Wiertow spokojnie pokazał Sujlowowi gest Kozakiewicza.

– Jak nie masz, nie wchodź – odparł, groźnie marszcząc brwi. – Ty, Iwan?

– Bo ja wiem...

– Masz czy nie? To chyba nie jest makabra-matema.

Iwan skończył tasować karty. Zerknął w matowe oczy towarzysza po lewej.

– Znajdzie się – odparł ostrożnie, lekko się uśmiechając.

Godzinę później Wiertow wcale się nie uśmiechał. Sujlow celował w obu mężczyzn wzrokiem, przekładając pomiędzy palcami kapsel po piwie.

Ostatnia karta Iwana leżała na górze kupki odsłonięta. Naga. Słaba trójka pik.

– Więc? – zapytał cicho Wiertow, leniwie stawiając kolejne kreski przy swoim nazwisku.

– Można rewanż. – Iwan ostrożnie rozpiął górny guzik koszuli. W duchu pocił się przeokropnie. Przegrał cztery gry, a to oznaczało ładne kilka wypłat. Jak się Jasmin dowie, oj, chyba wykupi od Kubańczyków laserową lancę i psss, na pół – Iwan otworzy się jak dorodny pomidor.

– Nie. Koniec obrabiania. Sujlow, wyskakuj z portfela. – Wiertow wyciągnął umięśnioną rękę w stronę Sujlowa.

– Żeby cię polskie dziwki wyruchały – rzucił Sujlow, zaciskając zęby.

– I nawzajem, towarzyszu, coby były piękne i dorodne jak grusze w sadach Lenina. Iwan?

– Nie przy sobie.

– A przy kim?

– Jak będzie wypłata...

Nóż otworzył się w kieszeni prawie bezszelestnie i Iwan nie miał nawet czasu krzyknąć. Ostrze zawisło o cal od krtani. Kiwało się w obrzydliwie wielkich palcach Wiertowa jak śmiercionośne wahadło.

– Jak będzie wypłata, to ty będziesz śmieci w polskich burdelach, a nie w matulce Rosji zbierał. Dawaj, co masz.

– Nie mam...

– Nie masz? – Zimne ostrze dotknęło znamienia na szyi Iwana. Pierwsza kropla krwi spłynęła leniwie w dół wygniecionej koszuli.

– No... coś się jednak znajdzie.

Iwan dotyka opatrunku na szyi, jakby w ten sposób chciał dodać sobie odwagi. Stara farba schodzi warstwami z drzwi, a on kontempluje każdy zaciek, byle tylko odwieść nieuchronne; dwie, pięć minut. W końcu puka. I puka jeszcze raz. Na korytarzu słychać echa kroków. Na boisku przez megafon nadają propagandę i ostrzeżenie o zabłąkanej burzy znad Odessy.

Uśmiecha się złośliwie. Ma cichą nadzieję, że to wydział Wiertowa odpowiada za wpadkę. Stary miałby pełne ręce roboty, żeby wykalibrować pioruny z powrotem na polskie F-16.

Delikatnie ujmuje klamkę i uchyla drzwi.

Nic. Cisza jak przed rewolucją październikową.

– Jasmin? – zwraca się do wiszącego w korytarzu lustra. – Jesteś? – Przechodzi obok zdjęć notabli ZSSR i wyszywanych haftów, które niegdyś dziergała jego żona. Telewizor szumi w sypialni, a przez szpary w oknach dalej wsącza się chrapliwy głos spikera.

– Jasmin!

W łazience martwa żarówka kołysze się na zwisającym kablu. Jasmin opiera głowę o deskę toalety, nieustannie wycierając oczy ostatnią rolką srajtaśmy.

Iwan rozkleja się także: ktoś musiał jej powiedzieć o jego przegranej. Sujlow? Drań mieszka w sąsiedniej klatce, to mu się mogło zebrać na głoszenie „dobrej" nowiny.

– Ja przepraszam. Ja naprawdę nie chciałem, Wiertow mnie zmusił. Przegrałem, nie miałem jak zapłacić. Wiertow chciałby mieć jeszcze jednego syna. Choćby w pięciu procentach, no!

Cichnie pod wpływem jej nieobecnego spojrzenia. Przez chwilę patrzą na siebie jak dwójka nieznajomych więźniów z gułagu.

– Iwan. Ja... Ja zrobiłam coś strasznego.

Polski blitzkrieg zakończył się w czterdzieści osiem godzin i Tybet był znowu wolny, czego nie można było jednak powiedzieć o Rosji: Jasmin i Iwan drżeli ze strachu, kurczowo trzymając się za ręce. Polski oficer nieśpiesznie przeglądał ich dokumenty, co jakiś czas łypiąc na nich swoim jedynym zdrowym okiem. Drugie, przekrwione, nadawało mu wygląd Terminatora.

– Ta, ta, i co tu z wami zrobić, gołąbeczki? – Kanciasta twarz wygięła się w parodii uśmiechu. Ordery i odznaczenia za odwagę lśniły w blasku jesiennego słońca, podczas gdy zaledwie kilka kroków dalej prężyły się i wyginały tony zezłomowanych mechów i szczątki zestrzelonych myśliwców.

– Niby papiery czyste, w propagandzie nie działaliście, a to się chwali, oj, chwali. – Wyjął z szuflady fajkę i wsadził ją sobie do ust.

– Problemem jest tylko to dziecko w drodze. Pani krótko po zapłodnieniu?

– Krótko – odparła cicho Jasmin. Śladów ciąży wciąż nie było po niej widać.

– Aż czterech udziałowców? – Oficer podniósł głowę znad papierów. – Toż to nieetyczne, tyle ruskiej krwi w jednego bobasa wmieszać, i jeszcze ta wasza prywata. Czy ja dobrze rozumuję? Najpierw zakład małżeński, wasza dwójka. Potem waćpan w karty przegrał i pięć procent udziałów w dziecku temu szmuglerowi błyskawic pan odstąpił?

Iwan niechętnie skinął głową. Uch, źle to się skończy. Jak go który z wojaków powiesi, to nikt inny jak inkarnacja jednego z tych jurodiwych, co go w koszmarach wciąż jeszcze ganiają.

– A pani... Jasmin Swienicowa, tak? Pani część udziałów we własnym dziecku niejakiej Swietłanie Hruszczow oddała?

– Dług był na kasie – wyjąkała Jasmin, wycierając łzy. – Niby drobniaki, ale jak się wasza armia do granicy zbliżała, to tak jakoś walutą zatrzęsło. Z Prawosławia mi prawnika Swietłana nasłała, mafią zakaukaską groziła. Dziesięć procent po dobroci, a jak nie pantokratorem mnie ustrzelą. No to się dogadaliśmy jakoś na siedem procent udziałów... Jej synka wojna wzięła, to chciała choć na jego oczy w ciele mojego dziecka móc sobie popatrzeć.

Skończyła mówić i wybuchnęła płaczem. Polski oficer pokręcił głową, wypuszczając z cygara kłęby szarego dymu.

– Taki burdel to tylko w Rosji. Umowę trzeba będzie na nowo rozpisać, udziałowców zmienić. Swietłanę w ogóle trzeba wykreślić z papierów, a ten Wiertow? To trup najpewniej. Zamiast nich lepiej państwo polskie dopisać, z Urzędem Macierzyństwa się chybcikiem dogadać.

– Z czym?

Oficer gruchnął dłonią o blat biurka.

– A kto inny dokumenty dziecku załatwi? Bum, cyk, cyk. W try miga to pójdzie i już na zapas się wam nazwisko wybierze, żeby nie trzeba było czekać. Jakiś Sienkiewicz, może Piłsudski, zresztą sami sobie z katalogu dobierzecie dobry zestaw.

– Ale jak to, teraz edytować DNA dziecka? – Jasmin była bardziej zdezorientowana niż wystraszona.

Oficer machnął ręką i nasrożył wąsy.

– A co, wy myślicie, żeście w tej Rosji tak do przodu z techniką nienarodzonych? My za Wisłą też mamy swoje kliniki. Skierujemy panią do Krakowa, znajdziemy stosownego kandydata. Udziały męża spróbujemy jakoś zmniejszyć, bo pijak, jak widzę. Piętnaście, dwadzieścia procent maks, żeby kompleksu dziecka alkoholika uniknąć. A, i pomyślcie jeszcze, jakie wam będą zniżki socjalne przysługiwać. Może wam nawet Urząd Emigracji pozwoli do tych waszych Syberyjskich Enklaw na macierzyński pojechać, kto tam wie.

Iwan i Jasmin zerknęli po sobie niepewnie.

Nie mówili nic.

Mieszkańcy Syberyjskich Enklaw nie mają lekko. Wiecznie śnieg i odkażanie. Czystość taka, że aż w oczy kole. Wyjdź no z bunkra na spacer, a kwadrans spędzisz na sterylizacji i kontroli identyfikacji. A jak ci nieopatrznie genom z banku danych wypiorą, to choćby i Polacy opuścili Rosję, ty do Enklaw nie wejdziesz, nie ma zmiłuj. Ale Iwanowi tym razem jeszcze się udaje. Zdejmuje kurtkę, drugą kurtkę, ocieplaną bieliznę. Rozbiera się do naga. Czeka, aż jedna chemia opłucze go z popłuczyn po innej. Przechodzi przez wiecznie zacinający się stalowy właz. Naszpikowanym kamerami ciasnym rękawem udaje się do dzielnicy mieszkalnej. W stacji kosmicznej mieszkałoby się wygodniej.

Iwan czuje ssanie w żołądku. Tu nie ma nawet normalnej wódy, tylko jakiś substytut z koncernów farmaceutycznych – i to ma być, cholera, raj, te cudne Enklawy? Polaczki wszystko potrafią człowiekowi obrzydzić. Kluczy chwilę między metalowymi odnogami kompleksu. Znajduje żonę na małym placyku wpuszczonym pomiędzy naładowane elektroniką listwy. Jasmin stoi nieopodal niedziałającej fontanny z ojczulkiem Stalinem i w otoczeniu innych syberyjskich kobiet karmi dziecko piersią. Stara się ze wszystkich sił uśmiechać do bobasa, którego jedno oko jest niemal białe, a drugie intensywnie czerwone.

Paweł Paliński – urodzony w 1979 roku w Warszawie. Autor *4 pór mroku*. O jego dokonaniach magazyn „Esensja" pisał „groza w stanie czystym". Uznany przez Jacka Dukaja za jednego z pisarzy młodego pokolenia „stworzonych do przekraczania konwencji". Współautor wielu antologii.

Paweł Paliński

Wszyscy jesteśmy dziećmi BOG-a

Sigma Drawes śni, jak życie ucieka mu pomiędzy palcami. Bliscy złożeni są w grobie, on także z jakiegoś powodu w nim utknął – głowę trzyma ledwie odrobinę powyżej cmentarnej ziemi, nie może się poruszyć, w zębach trzeszczy piach. Tuż obok ktoś niewidoczny, ktoś, kto odpowiada zza grobu, mamrocze pogrążony w zapamiętałym monologu-kłótni, dowodząc, że w obliczu prawdziwego zła dobro liczy się wyłącznie w chwili, gdy zostaje uczynione, później staje się butną przechwałką, lichą brawurą, z której nikt nie korzysta. Wtedy Drawes zrywa się z krzykiem jakby w obronie przed najgorszym koszmarem: ACH!

*

„Nie bój się niczego, mawiała matka, niczego, a już na pewno nie bólu. I pamiętaj, światło potrafi rzucić cień na same cienie..."

Przebudzenie przypomina skok w środek klosza dzwonu: ciąży głowa ze spiżu, żołądek, tego dzwonu rozkołysane serce. W dusznej klitce unosi się żrący zapach moczu, podłogę zaścielają okładki antycznych poradników kulinarnych, tynk odpada ze ścian, łóżko skrzypi, w rozeschniętych okiennicach wyje brunatny pustynny wiatr. Powojenna ziemia niczyja okolic Nowego

Safranbolu, chmury suną niczym tsunami z miliardami ton mokrego papier-mâché – i nic nie jest tym, czym się wydaje. Trzecie piętro komunalnego bloku, trzecie i ostatnie, bo resztę zdmuchnęła katastrofa, o której wszyscy w okolicy już dawno zapomnieli, a ci co pamiętają, nie mają ochoty dzielić się resztkami wspomnień, zatrzymują je wyłącznie dla siebie; tyle ich w życiu pozostało, co pominą, ukryją przed wścibstwem innych. Takie życie, złoty wiek dwudziesty piąty, kurs wspomnień uległ inflacji. Prawdziwymi wspomnieniami ludzie znudzili się śmiertelnie. Doświadczenie pociąga wyłącznie nielicznych filantropów. Filantropi to wymierający gatunek. Gatunek to na przykład ludzie, ergo, wszyscy ludzie to filantropi. Wymierające gatunki na pewnym etapie zguby cechuje skłonność do dekadencji. Dekadencja to przesłodzony przedsmak nieuniknionego. Nieunikniony koniec wielu przyniósłby wybawienie... Sigma Drawes mógłby tak wymieniać bez ustanku, ale... Czy to nie on krzyczał?

Na horyzoncie pomiędzy iglicami dwóch wież kościoła komunikacyjnego przeskakuje grom statycznego wyładowania. Gdzieś szczeka stado zdalnych czworołapych; echo nie odpowiada. Zmęczony, niedospany, bo kłopoty ze snem trwają już stanowczo zbyt długo, Drawes podpiera się na łokciu; prawe ramię zaskakuje z opóźnieniem, sterana hydraulika zawodzi i zamiast powstać, Drawes upada na brzuch. Kotłuje się z posłania na podłogę, zawartość żołądka podjeżdża mu do gardła. Wściekły, z martwym wszczepem dyndającym u boku, wbiega do zrujnowanej łazienki, kopniakiem włącza kłąb ogniw energetycznych. Wybuch sterylnej jasności świetlówek płoszy karaluszy wiec. Żołądek płonie. Pochylony nad wanną Sigma zwraca w najlepsze. Wyjątkowo dorodny owad rozpiera się na armaturze, bezczelnie, chitynowo niewzruszony – dopiero wraz z ostatnią falą mdłości nieśpiesznie powraca w stęchły mrok do sobie tylko znanej kryjówki; w poligonalnych ślepiach karaczana wrze pustka, jałowe limbo. Drawes chciałby zgnieść intruza, zniszczyć, nim umknie na dobre – brak mu sił. Ściera z warg kwaśną błonę, osuwa się, opiera plecami o ścianę, osusza łzy. Oddycha głęboko i skurcze przepony mijają. Pieprzony Safranbol, myśli. Pieprzona dziura bez dna... Jak przez mgłę dostrzega przepalony kwasem sedes, trzy wsporniki ze szrotu złożone w niezgrabny siodełkowaty zawias. Trochę butelek po piwie, zużyte prezerwatywy. W okolicy na pewno dokazują dzieciaki. Niestety, skoro to ulubione miejsce smarkaczy, należy je uznać za zbyt ruchliwe. W związku z tym wkrótce będzie musiał się stąd zabierać. Co jednak, gdy odwieczne pytanie każdego uciekiniera: dokąd? nadal pozostaje bez odpowiedzi? Przecież Drawes mógłby wybierać na oślep, z jego punktu widzenia każdy kierunek byłby dobry. Zerwać się i biec. Bez szans. Kompletnie bez szans... Spędza w bezruchu ile? Minuty, eony? Wypity alkohol szumi w głowie. Karaluchy na nowo przemykają po swych starożytnych ścieżkach. Za ścianą radio nadaje bełkotliwe wiadomości, z których Sigma wnioskuje, że ostatnią noc zamelinował w podrzędnym arabskim przysiółku. Resztki kebabu uczepione brzegów warg i otworu kanalizacyjnego potwierdzają przypuszczenia. Skupiając się na tytanowej protezie, stara się odblokować palce. Niewielkie wyładowanie szczypie w bark, skrzeczą serwomotory. Doskonale, do prawej dłoni wraca życie. Wszczepy utrzymują się na resztkach zasilania, pomimo to powinny pociągnąć jeszcze jakiś czas. Dobrze. Póki energii, póty nadziei.

Wraca do łóżka, zrzuca pościel, zsuwa poplamiony materac. Nagi rozciąga się na zimnym metalowym stelażu. Chłód tnie skórę na równe rozpalone kwadraty. Stara się oczyścić umysł. Nadaremnie. Sięga po kanister, który wygrał wczoraj w salonie *piszti* od jakiegoś głupkowatego turysty z Habitatu, wywraca powieki i wyciąga sterane oczy, zastępując je ostatnim krzykiem mody: kulami z wanadu, cętkowanymi i srebrzystymi, z wszczepioną nakładką radiolokacyjną. Soft zatapia jego nerwy wzrokowe w kojącej technicznej zieleni, a cały świat nabiera przemyślanej nierzeczywistej ostrości, gdzie każda ważna rzecz zostaje podkreślona, opisana i nie sposób się zgubić. 11:53:45. Holozegar informuje: dochodzi południe. Za pięć dwunasta Sigma wstaje, zakłada workowate spodnie, zarzuca kurtkę tkaną z neovicrylu i wąską komunalną klatką schodową zbiega na parter. Wymykając się z lobby, dostrzega, że wewnątrz steranej analogowej skrzynki na listy jakiś ptak założył gniazdo. Ten widok frapuje go. Drawes zatrzymuje się, cofa, zagląda pod metalową klapkę. Odkrywa pod nią trzy nieopierzone pisklęta, co do jednego martwe; trzy suche szkieleciki, wokół pokot trucheł much. Tak oto śmierć zatoczyła pełne koło i zatriumfowała dwukrotnie, nie oszczędzając żadnego ze swoich sług, nawet tych, którzy się nią żywią. Śmierć jest ponadnarodowym procesem o globalnym zasięgu i stałej klienteli, myśli Drawes, i tylko ona zachowała resztki stylu. Postanawia zachować tę sentencję w pamięci. I już o niej zapomina. I przedziera się opustoszałymi ulicami. W zupełnej ciszy.

Dwie przecznice dalej natyka się na budkę z grillowaną koftą – zdewastowaną, lecz z resztkowym sygnałem. Wyprasza od właściciela kilka minut dostępu do prywatnego łącza. Przy użyciu karty czipowej wywołuje domenę PANTENNY, otwiera zakładkę wiadomości i jeszcze raz czyta komunikat, który rzucił go tak daleko od dotychczasowego życia, tak daleko od domu: „Jednostka ANI-O-L 1313 stawi się bezzwłocznie celem dezaktywacji. BOG". Litery błyskają zawadiacko. Chciałby je wymazać, nie potrafi. Ukradkiem podnosi kawałek zbrojonego betonu i z pasją trze ekran, aż szkło matowieje, sam napis staje się nieczytelny. Zawstydzony aktem wandalizmu puszcza się biegiem w stronę miasta, w stronę komunalnej zorzy, rozpoznając poszczególne kolorowe błyski, i jest niemal pewien, że nigdy nie zapala ich i nie gasi ta sama osoba. Właściciel grill-baru miota za nim przekleństwa.

Drawes nie potrafi uwierzyć, że został wygnany z raju.

*

Jeżeli spojrzeć na to z perspektywy czasu, pierwszego ostrzeżenia udzieliła mu Nina, drobnokoścista autentyczka, z którą sypiał regularnie, gdy sam jeszcze zajmował znaczącą pozycję w kręgach komercyjnej transplantacji. Nina pracowała jako attaché jednego z biorców, ubiegającej się o senatorski stołek, konserwatywnej SI z Pensylwanii oszalałej na punkcie felinologii. Pewnego majowego popołudnia pod koniec wyborczego rautu, gdy wpół pijana, nadęta konferencja prasowa rozpękła się i rozlała w kanapowe miniorgietki, Drawes i Nina zaszyli się w urządzonym w stylu kolonialnym gabinecie z butelką $J^2\&B^2$ oraz obfitym zapasem lodu. Tamten dzień był wyjątkowo dziwny – i seks dziwny był także, bo kobiece ciało pozbawione najmniejszych nawet ulepszeń wydawało się czyste i straszne zarazem, nagie biologiczną, miękką nagością, z jaką do tej pory Sigma nigdy się nie spotkał; dziewczyna wiła się pod nim, jakby pozbawiona była kości, jak robak. Panowanie nad nią wymagało wysiłku; brał ją także po części, aby udowodnić sobie, że potrafi. Po północy, kompletnie wyczerpani, opadli na ogromny barcalounger. Gładząc silikonową protezę w miejscu, w którym Drawesowi usunięto jeden z mięśni pośladkowych, by ułatwić dostęp do talerza biodrowego, Nina spytała rzeczowo:

– Sprawdzałeś ostatnio ranking swojego HLA?

Sigmę rozczuliła i zarazem zdegustowała ta uwaga, zupełnie niepotrzebny przytyk tuż po spełnieniu. Fotel otulał ich miękko, czule: co w takim momencie mogły obchodzić go akcje antygenów zgodności tkankowej? Pomyślał, że jego kochanka jest bezczelna. Uznał jednak, że wybaczy jej, że nie zepsuje udanego wieczoru, wymieniając parę rodów, które brały go regularnie w dzierżawę. Sztorm, Tajfun. Zimne Fronty. Wysoko postawione linie komórkowe. Zawstydziły go rozmiary własnej pychy. Ukrył twarz w kobiecych włosach.

– Widzisz? – szepnął. – Przy takim popycie nie martwię się o ranking.

– Po prostu... czasem zastanawiam się... Została nas garstka...

Mętne rozważania Niny zaczynały działać Sigmie na nerwy.

– Kochanie, to bardzo dobrze – odparł poirytowany i sięgnął po goździkowego papierosa. – Purytan jest już prawie dziesięć miliardów, a statystycznie zgodność tkankowa nadal wykazywana jest od jednego na sto do jednego na dwadzieścia pięć tysięcy ludzkich dawców. Im jest nas mniej, tym większą wartość dla nich przedstawiamy.

Dla okrutnego żartu zbliżył rozżarzony tytoń do bladej kobiecej skóry.

– Przestań. Jesteś zbyt pewny siebie.

– Czyżby? Oni muszą o nas dbać – ciągnął niezrażony Drawes. – Inaczej ich umysłów nie uratuje nawet umiejętność przeprowadzania biliona operacji na sekundę i będą musieli przyzwyczaić się do myśli o równie szybkiej jak myśl, niegodnej i bolesnej śmierci... A nawet jak na maszynę będzie to śmierć wyjątkowo świadoma. Nie rozumiesz tego?

Zamiast odpowiedzieć dziewczyna przewróciła się na brzuch i także zapaliła.

– Jesteśmy ich bydłem... – mruknęła po jakimś czasie.

– Co? Czyim bydłem?

Dwa znudzone perskie koty wdrapały się na pościel i wcisnęły między kobiece uda. Zrobiły to tak gładko i przymilnie, że Drawes natychmiast zapałał do nich irracjonalną niechęcią.

– Nic, to cytat z pewnej starej i dawno zapomnianej książki.

– Za bardzo bierzesz to wszystko do siebie – warknął Sigma, pewny już, że rozmowa znudziła go, zanim na dobre się rozpoczęła. Wstał, zaczął wciągać spodnie od smokingu. Skulona pod kocem Nina odszukała jego tytanową dłoń. Ścisnęła ją mocno. Zbyt mocno, zbyt rozpaczliwie jak na jego gust. Czego chciała? Czy miał jej wyznać, że metal nie czuje? Nie, uznał, że byłby zbyt bezwzględny. Na wszelki wypadek postanowił jednak, że będzie to ich ostatnie spotkanie.

– Tu chodzi o coś innego, Sigmo. SI są ostatnio bardzo pobudzone. Tam na górze szykuje się coś wielkiego. Nawet ten idiota, dla którego pracuję, a przecież on ma ograniczony dostęp do informacji, nawet on zachowuje się ostatnio jakoś inaczej...

Drawes zdusił ogarek na skórzanym obiciu fotela.

– C'est la vie... Nie zatrzymasz postępu. Sto lat temu ludzie drutowali się na potęgę, upodabniając samych siebie do maszyn, a jednocześnie nie ustawali w poszukiwaniach coraz lepszych białkowych komputerów, nie dostrzegając, że to one coraz silniej przypominają ludzi. Powie ci to każdy podręcznik historii. I jeszcze, że nikt nie widział w tym krzty ironii. Teraz wszystko się już pomieszało, ludzie mają w sobie pełno żelastwa, SI oblekły się w hodowlane tkanki i naprawdę nie wiadomo już, kto jest kim. W każdym budzi to zmieszanie...

– Nawet w tobie?

– Nie... Ja dobrze wiem, co mnie czeka.

– Co takiego?

– Mówiłem ci już. Szczęśliwe życie. Nikt jeszcze nie rozwiązał przecież problemu Przeklętej Szóstki.

– To na tym opiera się cała twoja wiara?! Na szczęściu opartym na błędzie transkrypcji w jednym, jedynym chromosomie! Też mi coś – prychnęła z dezaprobatą Nina. – Kolos na glinianych nogach. Myślisz, że prędzej czy później ich naukowcy nie znajdą rozwiązania?

Nim odpowiedział, Drawes wygładził przód wizytowej koszuli.

– Nie znajdą – rzekł z powagą. – W ciałach czy bez, dla mnie to wciąż roboty. Natura nie wchodzi z takimi w żadne układy. Przez to, że pochodzą od zaledwie kilku hodowlanych przodków, są genetycznie upośledzeni. Sama wiesz. Dlatego wciąż i wciąż chorują. Dlatego muszą nam płacić za nasz zdrowy szpik.

– Ciekawe, jak długo twoje komórki macierzyste wytrzymają ciągłą stymulację – odburknęła Nina.

– Och, skoro już poruszyłaś ten temat... – Sigma pochylił się, złapał ją za oba nadgarstki i gwałtownie wziął pod siebie. – Doszedłem do wniosku, że zanim wyjdę na dobre, raz jeszcze zajmijmy się stymulacją właśnie...

– Sigma!

Spłoszone koty zeskoczyły na podłogę, gardłowym miaukiem dając wyraz swojemu niezadowoleniu. Ostatkiem sił Nina sięgnęła po pilota, ściszyła je i włączyła tryb uśpienia.

Kochali się bez ustanku, przez noc. Nigdy potem nie spotkał już Niny.

Ale to było kiedyś, a teraz jest teraz. Ta mała sypia zapewne z kimś innym, niedoszły senator bubek niespodziewanie awansował, otrzymując rodowe imię Buran, a rynek grup zgodności tkankowej, najoględniej rzecz ujmując, trafił szlag – Biologiczny Obwód Gwarantujący, sieć trzymająca pieczę nad każdym z ludzkich dawców, z niejasnych powodów kilka dni temu wstrzymał dostęp do swoich zasobów i rozpoczął szeroko zakrojone polowanie na aktywne Anioły. Czarnorynkowa wartość czynników wzrostu granulocytów w dwanaście godzin sięgnęła zenitu, a kilku najbliższych Drawesowi znajomych, donorów z górnej półki, zginęło w męczarniach, porwanych wprost z domów i wypompowanych do cna z życiodajnej tkanki. Panika zaczęła zataczać coraz szersze kręgi. SI czy nie, chodziło o przetrwanie. Większość ludzkich dawców wyłapano, kilku uciekło, ci nieliczni, którzy ufnie schronili się pod skrzydłami BOG-a, nie wyszli na tym najlepiej: w ciągu trzech dób zawieszono ponad osiemdziesiąt procent licencji, co w praktyce równało się uwięzieniu i zamrożeniu zasobów. Drawes jakoś nie ma ochoty na kriogeniczny cylinder.

Opuszczając blokowisko, postanawia przekraść się do ścisłego centrum miasta. Najciemniej pod latarnią, wmawia sobie, a skrycie marzy o porządnym śniadaniu i serwisie, o ostatnim posiłku skazańca. Pieniędzy zostało mu tylko na to pierwsze. Właściwie nie powinien ich wydawać na takie błahostki jak stały pokarm. Przypomina sobie o okolicznym punkcie Armii Zbawienia. Czemu nie, zastanawia się. Ubranie nosi wyświechtane, dawno wziął rozbrat z higieną, tak że nikt nie powinien zadawać mu zbędnych pytań.

Nie bez trudu odnajduje niewielki budynek dawnego lotniczego hangaru. Zza rozsuwanych drzwi wieje podłą garkuchnią i niemodyfikowanym, niedomytym ludzkim ciałem. Zajmuje miejsce w ogonku oczekujących, a kiedy przychodzi jego kolej, tęga kucharka bez ceregieli nakłada mu całą pecynę humusu z alg. Humus przygotowano dziś czekoladowy. Drawes zajada słodką papę, wciska ją w siebie niemal na siłę. Na koniec popija wodą z kranu, aby zmyć okropny smak syntetycznego kakao. Piętnaście minut po posiłku brzuch ma pełen, lecz głowę nadal pustą. A czas nagli, powinien obmyślić wreszcie plan działania. Potrzebuje rozsądnych, głęboko przemyślanych posunięć, jeżeli tylko chce zatrzymać skórę na grzbiecie. Po bez mała tygodniu, odkąd zerwał się ze smyczy, ktoś już na pewno podąża jego tropem. Raczej nic zdalnego – zbyt wysoką przedstawiał do tej pory wartość. Pewnie wysłali za nim łowcę głów. Tak czy siak, będą chcieli go żywego, a to pozostawia szerokie pole do popisu. Oprócz obrony i ataku daje możliwość zastraszenia i negocjacji – całkiem przydatne narzędzia walki. Jeżeli znalazłby wystarczająco naiwną dziwkę-wtyczkę, to może zdołałby sprawdzić, kto siedzi mu na karku. Zmylić trop. Po dobrej gadce może dałaby Drawesowi pogrzebać przy wejściu/wyjściu, wtedy podpiąłby się szeregowo do PANTENNY, a w razie wpadki jej układ nerwowy przyjąłby pierwsze uderzenie wirtualnych zapór – ryzykowne, ale nic niemożliwe. Z pamięci wylicza znane sobie konsorcja najemników: Kitsunegari, Dropforge i ten cholerny, brutalny SaneSimian™. Każda z organizacji ma odmienne sposoby działania. Kitajce najpierw dążyć będą do neutralnego spotkania – wymaga tego ich kodeks honorowy. Ci z Dropforge działają zawsze jeden na jednego. Simian wali z grubej rury, ani im w głowie układy – właśnie ich obawia się najbardziej.

Dziwka-wtyczka, myśli Drawes, dość tych domysłów; dziwka prawdę mi powie, byle szybko. Inaczej jestem trup.

*

Mozart? Bach? Na pewno jeden z tych geniuszy dawnych mileniów, co uprawiali muzykę, waląc w prymitywne pudła pełne cięgieł i młoteczków, a mimo to dali początek dziełom opierającym się próbie czasu i postępu. Tak żywy, choć z punktu widzenia teraźniejszości prymitywny, zarazem genialny, skoro najszybsze i najlepsze procesory do tej pory nie potrafią podrobić jego charakteru – zawsze wychodzi jakoś tak... sztucznie. Zawsze coś ginie w przekazie, zawsze wprawnemu uchu uda się wyłapać cyfrowy fałsz. Drawes przepada za taką muzyką. Podoba mu się, że Purytanie nie we wszystkim nauczyli się podrabiać ludzi. Owa drobna ułomność budzi nadzieję, że nie wszystko jeszcze stracone. Poprawia się na kozetce, zadowolony.

– O czym pan myśli?

Laserowy dysk wiruje w wieży stereo, takiej kanciastej skrzynce z membranowymi głośnikami. Odrestaurowany antyk zgrabnie wkomponowano w sam środek drewnianej biblioteczki. Ależ bogactwo! Drawes bierze głęboki wdech. Charakterystyczny antykwaryczny smrodek zleżałego papieru drażni nos. Sigma daje głowę, że dekorator wnętrz zarobił tu krocie. Za wartość samej kozetki z pluszu znaleźliby się na ulicy ludzie gotowi bez namysłu zabić – Drawes całe życie znał takich ludzi. Już nie chce ich znać. Po części właśnie dlatego tu przyszedł. W wygodnej półleżącej pozycji pozwala sobie na całkowite rozluźnienie; marzy: ja jestem panem tego wszystkiego. Pokój wypełnia aromat kadzideł. Sigma pławi się w słodkim dymie, wmawiając sobie, że wdycha zapach pieniędzy. Mozart albo Bach przycicha...

– O czym pan myśli?

Korporacyjna psycholog, nordycka blondynka o cudownych lazurowych oczach, zadaje pytania jakby od niechcenia. Drawes przełyka ślinę.

– Myślę o tym, że gdy dorastałem razem z młodszym bratem, wykopaliśmy gdzieś całe pudło takich leciwych brzęczydeł i nie pytając nikogo o zdanie, użyliśmy ich do zabawy. Graliśmy w lotki. Zasady były proste: dziesięć punktów za trafienie w cel, zaporę przeciwpancerną. Rzucaliśmy z dwudziestu metrów. Dodatkowe pięćdziesiąt punktów, gdy płyta pękła. Wygrałem... Pamiętam, jak cięły powietrze ze świstem. Nie wiedzieliśmy wtedy, z czym mamy do czynienia. Podejrzewam, że za to znalezisko moglibyśmy ustawić się u handlarza starociami na całe życie. Po zabawie złożyliśmy przysięgę, że nigdy nikomu o tym nie powiemy. I chyba dobrze. Dlatego momentami odnoszę wrażenie, że nic z tego nie wydarzyło się naprawdę.

– Doskwierają panu wyrzuty sumienia?

– Nie – zapewnia Sigma. – Wyrosłem z nich. Teraz się dziwię.

– Czemu?

– Temu, jak wartość rzeczy potrafi różnić się w oczach dorosłego i dziecka.

– To dość... pretensjonalne.

– Nie, jeżeli ma pani dziesięć lat i co roku na urodziny dostaje puszkę żarcia dla psów. Nie, jeżeli przez głupotę zaprzepaściło się najprawdopodobniej masę forsy, a jedyne, o czym się myśli, to czy i w tym roku na pewno się puszkę z psim żarciem dostanie. Między innymi z tego właśnie powodu wypełniłem formularz zgłoszeniowy. Żeby pozbyć się raz na zawsze temu podobnych rozterek.

Jak gdyby z wielkiej dali dobiega go delikatny szelest materiału.

– Nie obawia się pan tego, jak może to wpłynąć na pana życie?

Gibkie opalone ciało tuż obok głowy Drawesa wytrąca go z równowagi; sukienka tak krótka, że niemal dostrzega skraj majteczek. Zdaje sobie sprawę, że dzieli ich znacznie więcej niż ten skrawek materiału. Oboje o tym wiedzą. Jedno z nich wie na pewno, że zrobi wszystko, aby to zmienić.

– Moje życie? – pyta Drawes z odmętów kozetki. – Czy pani mnie w ogóle słucha? W Rezerwacie nie ma życia. Tam celebruje się trwanie.

– Rozumiem, ale dlaczego chce pan przejść na zawodowstwo? Sezonowe zbiory multipotencjalne odbywają się regularnie i są całkiem dobrze płatne. Poza tym istnieją inne sposoby. Mógłby pan dobrze zarobić na sprzedaży licencji na klony acefaliczne. Wiele osób tak dzisiaj robi. Odpowiedni sprzęt rozprowadza się pod hipotekę. Ten rynek kwitnie jak żaden inny. Za każdego skopiowanego Drawesa otrzymywałby pan regularne tantiemy...

– Słyszałem, że wydajność klonów mieści się w granicach dwudziestu procent.

Psycholog ponownie zmienia pozycję ciała.

– Tak, to może być pewien problem.

– Brak zmienności także stanowi problem.

– Tak, w rzeczy samej...

Coś w jej głosie pozbawia Drawesa złudzeń. Ona też jest SI. Szkoda. Chciałby jej dotknąć.

– Czy nie dlatego stworzyliście Rezerwaty? – pyta z naciskiem. – Żebyśmy przestali się wreszcie przed wami ukrywać? Żebyście nie musieli martwić się o załamany system odporności? I mieli dostęp do szerszego wachlarza genów?

– Z logicznego punktu widzenia było to najlepsze rozwiązanie.

– Ja to rozumiem. I chcę pójść krok dalej.

Psycholog spogląda na niego nieufnie.

– Myśli pan, że bycie akredytowanym nośnikiem informacji wiąże się z jakimiś specjalnymi przywilejami?

– Pewność spokojnego jutra będzie dla mnie największym przywilejem. Właśnie dlatego chcę zostać ANI.

– Czy mam rozumieć, że kieruje panem rozpacz?

Drawes patrzy w sufit, potem obraca głowę i spogląda wprost w błękitne tęczówki.

– A czy aby nie kieruje ona nami wszystkimi?

Psycholog wytrzymuje spojrzenie.

– Wielu ludzi stara się o to stanowisko. Mniej labilnych.

Drawes wydyma wargi.

– Naprawdę macie aż tylu kandydatów? Naprawdę możecie być tak wybredni jak, dajmy na to, sto lat temu?

– Cóż, stara się pan o wyjątkową funkcję...

– Odnoszę wrażenie, że chce mnie pani od moich starań odwieść.

– Błędne wrażenie. Interesuje mnie wyłącznie pana motywacja.

Drawes zamyka i otwiera oczy.

– Moja matka jest śmiertelnie chora.

Moja matka jest śmiertelnie chora, myśli, i jedyną szansę na ratunek widzę w zaprzedaniu się. Nigdy ci o tym nie opowiem, blondyneczko, bo i tak nie będziesz umiała tego pojąć. Świat został stworzony tak, że nie uzbroił nas w części zapasowe, a choć według niektórych posiadamy nieśmiertelną, niezniszczalną duszę, wolę pielęgnację schorowanego ciała niż udział w pogoni za nieudokumentowanym konceptem.

– Robi pan to ze względu na matkę?

– Robię to ze względu na możliwości.

Psycholog pochyla się nad notatkami. Potem wskazuje w nieodgadnionym kierunku.

– Proszę teraz udać się do pokoju badań – mówi chłodno. – W ciągu kilku dni poinformujemy pana, w jakim typie się pan znalazł.

Wtedy Drawes wyciągnął rękę na pożegnanie, a odprawiony został ledwie skinieniem głowy.

Zawiadomienie otrzymał po dwóch tygodniach. Certyfikat głosił: Akredytowany Nośnik Informacji, Typ Ocalenie, Podtyp Leukemia, numer licencji 1313. Właśnie tak Sigma Drawes wylosował swe Złote Runo – nie jakąś porfirię, nie nędzną hemochromatozę, ale sam szczyt – białaczkę. Bilet wstępu na najwyższe piętra władzy, gdzie sztuczne inteligencje oblekały się w ciała niemal nie do odróżnienia od ludzkich. Miesięczna pensja i apartament. Służbowy samochód. Gratyfikacje i premie. Kontakty. Populacja, która o niego zabiegała.

Po pierwszym transferze za zarobione pieniądze kupił sobie stupłytową kolekcję muzyki klasycznej. Nastawił Bacha. Nie wysłuchał do końca. Znudził się.

*

Miasto. Łakomy kąsek. Każdy chciałby zeń ukradkiem uszczknąć coś dla siebie. Miasto. Wyjący ogrom. Wieżowce w centrum sterczą pod niebo niczym ogromne czarne chińskie pałeczki wbite w miękkie i parujące dzielnice, ludzie to ryż, czerwie, a lśniące ulice imitują pasma wodorostów, agonalny wężowy splot; drżą stal i beton, wysokie, wysokie wielopiętrowce rozpłomienione u dołu, lodowate u góry. Gdy stanie się u ich stóp, gdy zadrze się głowę, człowiekowi wydaje się, że stanowią oś wszechświata, że to one płyną poprzez przestrzeń, nie bataliony chmur ponad nimi. W rzadko widywane gorące usta słońca nikt nie śmie spoglądać wprost.

Nonszalancko wsparty o front budynku Ritza, a zarazem bacznie obserwowany przez jego obsługę, Sigma Drawes wystawia twarz na deszcz. Dziś szczególnie mocno rwą miejskie monsuny, poruszane tysiącami gardziel klimatyzacji wyże i niże; wiatr z minuty na minutę przybiera na sile, hotelowa markiza trzepocze ostro, ostrzegawczo. Po kanalizacji niesie się jednostajny głuchy szum. Nadciąga zmiana pogody. Huragan. Tornado. Tsunami. Nadciąga jakaś zmiana, myśli Sigma. Takie rzeczy można nauczyć się przeczuwać, byleby wyostrzyć słuch, nastroić na odpowiednią nutę.

Wśród ciepłych kropel rozbrzmiewa dżingiel i cały pion wysokościowca po drugiej stronie ulicy ciemnieje, po czym wybucha feerią barw ogólnokrajowych wiadomości. Gładkolicy spiker, którego facjata rozpełza się w mgnieniu oka po telebimie, przestrzega przed burzami elektrostatycznymi w mało uczęszczanych zaułkach, udziela ostrzeżeń, z których drwi każdy uliczník. Burze, też coś. Znów temu i owemu pomiesza się od nich w głowie, ktoś zepnie się na krótko, urządzi scenę; nazajutrz wszyscy zapomną.

Graffiti na przystanku autobusowym głosi: *No pain, no gain* – nie ma zysku bez odrobiny bólu. Municypalna, na wpół obrazkowa wiedza; zapiski legionu współczesnych Lao Cy. Uporządkowany zdrowy rozsądek w świecie pozbawionym rozsądku. Brutalny, a szczery wandalizm. Prawda skryta pod postacią skrajnego barbarzyństwa.

Zmiana, powtarza w duchu Sigma. Wiele rzeczy przestanie istnieć, pojawią się nowe; dzięki temu poszerzy się zakres szans. Miasto to ambrozja. Ale nie taka, która daje życie. Taka, co daje nieśmiertelną, bezrefleksyjną wygodę. Życie natomiast odbiera... On zawsze lubił miasto i jego wytwory, dlatego wciąż wraca, mimo zagrożenia wciąż kręci się w ścisłym centrum. Odkąd pamięta celebrował owo uniesienie, martwą sekundę zrozumienia, w której każdy zdaje sobie sprawę z tego, jak mało znaczy wobec tych wielopiętrowych olbrzymów, dwulicowe przekonanie, jakim jest nic nieznaczącym okruchem - osobistą grzeszną rozkosz - zaraz przed tym, jak przesiadał się do szybkobieżnej windy, by wznieść się na sam ich szczyt, byle dalej od rynsztoka. W sowicie opłacaną niepamięć. Ale tamten świat, królestwo rozpusty i luzu, odszedł na zawsze. Doskonale wiedział, jaki jest układ sił, gdy stanął na pierwszym szczeblu kariery. Fortuna wymagała: zdobądź pozycję i utrzymaj ją. Nie dotrzymał umowy. Spadł. Z wysoka. Przygarnął go rynsztok. Szybko uczy się, że brnąc w nim, nie ma czasu na spoglądanie gdzie indziej niż przed siebie - w innym wypadku natychmiast zarabia się nóż w plecy.

W poszukiwaniu odpowiedniej dziwki-wtyczki zajrzał do paru spelunek miękkiego sado-maso - na tyle jawnych, by nie kręcili się w nich purytańscy tajniacy, a zarazem na tyle skrytych, by nie dociekano zbytnio szczegółów poszukiwań - z każdej odszedł z kwitkiem. Na domiar złego jakaś nastoletnia banda dopadła go w parku i po krótkiej, nierównej walce odebrała mu pojemnik z oczami oraz jedno z oczu radiolokacyjnych; szef tej zgrai, dyszący speedem Mulat, usiadł mu na piersi i zabrał się do dzieła wojskowym bagnetem, jakby otwierał cholerną ostrygę. Wydłubałby pewnie i drugie, lecz ktoś ich spłoszył. Zanim Drawes się pozbierał, nastał wieczór. Z parą wayfarerów na nosie, które zakrywają pusty oczodół, wypruty i odstraszający, od kilku godzin przygląda się gościom wchodzącym i wychodzącym z hotelu, niecierpliwie czekając na świt. Całkiem bezcelowe oczekiwanie, skoro w tych stronach świt nie nadchodzi. Świt, myśli Drawes. Prawdziwy świt obecnie spotyka się wyłącznie na pocztówkach retro. Życie rozpadło się na półmrok i półdzień. Noc stopniała we wzajemne pomieszanie kwaśnych odcieni szarości.

Tymczasem wiadomości dobiegają końca. Wysoki na kilkadziesiąt metrów spiker żegna się i znika. Wiatr na chwilę ustaje, potem podrywa się ze zdwojoną siłą. Nadgorliwy odźwierny Ritza traci wreszcie cierpliwość i przepędza Drawesa sprzed wejścia. Sigma posłusznie odchodzi, stawiając kołnierz kurtki. Przez kwadrans spaceruje brzegiem ulicy, potem, gdy ulewa przybiera na sile, zajmuje miejsce pod wiatą pobliskiego przystanku kolejki naziemnej. Spędza tam kolejną godzinę w towarzystwie kilku dewotek, wsłuchany w klepany suchym dytyrambem pacierz. Na widok darmowego wagonu dla klientów supermarketu Garden Get Shred'A'Many wsiada do niego bez zastanowienia. Slogan „Pomnażamy Cudownie Wszelkie Dobra" mieni się neonowo. Drawes telepie się przez kilkadziesiąt minut tunelami i estakadami, z których każda ujada innym zestawem promocji: minibasenów hydroponicznych, szczepów bakterii do pozyskiwania botoksu domową metodą, protez kończyn na raty, zestawów do samodzielnego czyszczenia okrężnicy i jednorazowych aborterów, aż dociera do stacji końcowej dokładnie pośrodku ogromnej podziemnej hali, gdzie kolejka wyhamowuje z cichym wizgiem. Tam wysiada.

Pod sklepieniem z betonu panuje spokój, powietrze błyszczy, trotuar lśni czystością, z tunelów dochodzi odległe gruchanie dzikich gołębi. Drzwi wagonu otwierają się i zamykają z sykiem. Zmęczenie bierze nad Drawesem górę, chciałby chwilę odpocząć. Drepce powoli po wyślizganym marmurze, rozglądając się za jakimś odludnym kątem. Błądząc bez celu, zakrada się do jednej z licznych bezpłatnych toalet. Wybiera ostatnią kabinę, gdzie z zaskoczeniem w szufladzie z przyborami higienicznymi odkrywa brudny wełniany pled. Opatula się nim, chłonie szorstkie zwierzęce ciepło. Na niewiarygodnie niewygodnej metalowej muszli drzemie zbyt płytko, by była mowa o jakimkolwiek odpoczynku, ale stan ten i tak różni się na tyle od ciągłej ucieczki, że niemal dorównuje odprężeniu. Gdy Drawes wreszcie przysypia, jak na złość budzi go gwałtownie spuszczona woda. Przez chwilę nie potrafi powiedzieć, gdzie się znalazł, i znajduje w tym braku wiedzy ukojenie. Potem wszystko wraca. Przez dziesięć minut – dokładnie tyle, ile zajmuje mu wypalenie papierosa – nęka go chętka, aby raz na zawsze z tym wszystkim skończyć. Ze sobą.

Trzeźwi go paraliżujące uczucie hańby. Proste rozwiązania. Należy trzymać się jak najdalej od prostych rozwiązań. Byleby tylko nie zrazić się pierwszymi niepowodzeniami. Jutro też jest dzień, jutro też jest noc. Całe dla niego. Ucieczce poświęci życie, bo jeżeli nie ucieczce, poświęci je nadaremno. Czy to, co sobie tłumaczy, ma w ogóle jakiś sens? Raptem ktoś wali w drzwi toalety, w której się zamknął, i Drawes truchleje. Już, myśli, już mnie znaleźli? Ale wtedy zauważa w szparze pod drzwiami zniszczone buciory i obawa mija. Zwalnia zamek. Pełen pretensji bezdomny przestępuje przed nim z nogi na nogę. Zapytany, o co mu chodzi, gestem wyprasza Sigmę na korytarz, po czym mości sobie legowisko i zwija się w kłębek na podłodze, brudnymi dłońmi obejmując podstawę muszli niczym zawszony Pigmalion szyję nieczułej kochanki. Sigma myśli, że w tym świecie każdy ma swoje miejsce – biada tym, którzy zostają go pozbawieni. Wraca na halę. Wielokrotnie czyta kolejowy informator.

Get Shred'A'Many zajmuje powierzchnię kilkudziesięciu hektarów i szczyci się setkami stoisk usługowych. Sklepy otwarte są całą dobę i nikogo tu nie dziwi, że ktoś przepada w korytarzach na całe godziny, więc gdy Drawes miesza się ponownie z tłumem, ma pewność, że długo nikt go nie zaczepi, nie zapyta, dlaczego tu się kręci. Ucieka tylko czas, czas, którego Drawesowi brakuje. Chodzi, chodzi, chodzi. Po południu nogi bolą tak, że zrobienie każdego następnego kroku wydaje się poruszeniem nie ciała, lecz trybów woli. Jednocześnie wie, że aby pozostać anonimowym, nawet tu, w tym konsumpcyjnym kotle, nawet pośród miriadów bezimiennych twarzy, musi przemieszczać się z miejsca na miejsce, wciąż w ruchu; byleby się nie zatrzymać, bezczynnością nie wzbudzić podejrzeń. Nad wyraz szybko wyczerpał możliwości. Zwiedził, co było do zwiedzenia, był, gdzie tylko mógł być – obszedł wielopiętrowe galerie sklepów pełne zadowolonych z siebie trutni i rozhisteryzowane parki rozrywki; poprzez przyciemnione szyby zaglądał do gabinetów odnowy biologicznej, gdzie w woalu relaksacyjnej muzyki i w cieniu półprzezroczystych parawanów błyszczały zestawy chirurgicznych narzędzi oferujące każdą cielesną zmianę, jaką tylko można sobie zamarzyć; zebrał kilka folderów biur podróży, rozkładówkę zakładu pogrzebowego zachwalającą orbitalną stypę oraz wypełnił dwie ankiety na rzecz komercyjnych krematoriów: „Rozpalimy cię do białości!" i „Spłoń, spal, użyźnij!". Nie znalazł nikogo, kto zaofiarowałby mu pomoc. Na samą myśl, że jeżeli w ciągu najbliższej godziny nie zdarzy się jakiś cud, zmuszony będzie do powtórzenia tej rozpaczliwej marszruty, ogarnia go ochota, by zacząć wyć. Napiłby się czegoś mocniejszego, lecz znój i alkohol to złe połączenie. Poza tym felerne cyberramię znów przerywa, baterie gonią resztką sił. Nie może pozwolić sobie na słabość, na osłabienie refleksu. Łyknąłby jakieś pigułki, ale boi się, że komercyjni dealerzy – rozpoznaje z daleka ich jaskrawe nastroszone czuby – dorabiają jako informatorzy. Wreszcie daje za wygraną. Powłócząc nogami i ze spuszczoną głową, daje się prowadzić ludzkiej ławicy; prze przed siebie. Bez celu, pięć, dziesięć, piętnaście minut, aż ze zdziwieniem otrząsa się w długim korytarzu zaadaptowanym jeszcze z dwudziestowiecznego metra, najstarszej części Get Shred'A'Many. Pozostały tu jedynie podupadające chińskie kramiki i włoskie restauracyjki, powietrze pachnie rozgrzaną miedzią i zimnym karmelem. Ani żywego ducha prócz dwóch zasuszonych japońskich mniszek prowadzących się pod rękę. Sigma z westchnieniem opada na wykończoną drewnem ławeczkę na samym skraju peronu. Czas na podsumowanie, decyduje.

W ciągu trzech dób, odkąd dezaktywowano jego licencję, nie osiągnął nic prócz złudzenia odroczenia wydanego nań wyroku. Nie uzyskał żadnej pomocy, bo też, spisany na straty, nie ma już gdzie się po nią zwrócić. Nie opracował awaryjnej trasy ucieczki, nie znalazł stałej kryjówki. Roztrwonił resztki pieniędzy na bieżące potrzeby, podczas gdy powinien spoglądać dalej niż dzień dzisiejszy – może gdyby bardziej dbał o oszczędności, wykupiłby zawczasu bilet do Rezerwatu i tam przycupnął, przeczekał. Może prastara ludzka rodzina wzięłaby go z powrotem pod swoje skrzydła, tylko ona bowiem docenia jeszcze siłę współczucia i przebaczenia. Ograbiliby go doszczętnie, lecz nigdy nie odmówiliby dachu nad głową, pełnej miski. Rodzina to rodzina, nawet gdy wraca się do niej po latach... Drawes zaciska pięści. Nie, nie! Zostawił to bagno daleko za sobą, wyszedł na złotonośne brzegi, a teraz na powrót ma wpełznąć w ten szlam?! Zatonąć pośród znudzonych bladych braci i sióstr, wykrwawiających się pokolenie po pokoleniu, dla odrobiny świętego spokoju? I to za jaką zapłatę: zezwolenie na przyjęcie roli gruczołu zasilającego inną, bardziej rozwiniętą cywilizację? Pompować w nią coraz bardziej rozrzedzoną *elan vital*? Mniszki odchodzą. Drawes ukrywa twarz w dłoniach. Ławka cichutko skrzypi.

– Znalazłeś?

Pytanie wyrywa go z zadumy. Zajęty własnymi myślami nie zauważył, kiedy przysiadła się doń młodziutka Arabka w wyjątkowo frywolnym stroju. Piersi przykrywa jej przezroczysty stanik, tylko sutki skryły się pod żółtymi neonowymi uśmieszkami. Łypiąc ku niej zza okularów, Sigma pyta na odczepnego:

– Co takiego znalazłem?

Z niewielkiej torebki przewieszonej przez ramię dziewczyna wyciąga kanapkę.

– To, czego przez cały dzień szukasz – droczy się, gryząc pszenny chleb z prosciutto.

– Skąd wiesz, że cały dzień czegoś szukam?

W ramach odpowiedzi dziewczyna otwiera usta i unosi różowy, ostro zakończony język. Po obu stronach wędzidełka błyskają jaskrawe otwory – dwa wejścia-wyjścia. Jawna bezpośredniość płoszy Drawesa.

– Dzięki, mała, ani mi w głowie poszerzone figle-migle. Właśnie zbierałem się do domu.

Wtyczka nie wydaje się kupiona jego blefem.

– Nie wyglądasz mi na kochasia, koleś. Raczej na cholernego, ostrego desperata. Nie bój się, nie jestem podstawiona.

Górna warga lśni od fosforencyjnego błyszczyka.

– Słuchaj...

– Wyluzuj, facet. Nie raz i nie dwa spotykałam takich jak ty. – Przełyka kęs. – Mówię ci zatem, właśnie to znalazłeś.

– Znalazłem?

– Na bank.

Wtyczka beztrosko oblizuje palec wskazujący i kciuk. Potem mruga do Sigmy.

– Postaw mi takie żarcie, co? Znam pewne spokojne miejsce, gdzie je sprzedają. Wciąż na prawdziwym mięsie.

Mówiąc to, obciąga kusą spódniczkę i śliskim od oliwy palcem filuternie trąca Sigmę w czubek nosa.

– Tam w spokoju porozmawiamy o interesach... Bo chcesz ubić ten interes, kochanie? Może nie mam racji?

*

Po pierwszym ofiarowaniu szpiku jadł kawior, pił szampana. Nigdy wcześniej nie próbował podobnych frykasów. Niestety, kawior smakiem przypominał mu zepsute rybie wnętrzności, a autentyczny francuski szampan, dziwnie wodnisty i kwaskowy, szczypał w język – przyjął jednak, że skoro tak smakuje luksus, z czasem przyzwyczai się do każdej z tegoż luksusu niewygód. W końcu w Rezerwacie jadał rzeczy znacznie gorsze; paskudne rzeczy, do tego w o wiele mniej efektownych opakowaniach. Jak trzeba, przełknie i całe wiadro tego rybiego łajna. Zresztą czemu miałby teraz wybrzydzać: rozłożony na sofie, ze świeżym opatrunkiem na biodrze i pompą infuzyjną tłoczącą do żył środki przeciwbólowe, zrelaksowany, autentycznie szczęśliwy? Automat popiskiwał cichutko, zielone oko kontrolki zalotnie mrugało. Ból nie wydawał się silny, niemniej pomoc przyjął w ramach szeroko pojętej kurtuazji. Tu nikt nie prosił o to, by udowadniał siłę swego charakteru, a on ze swojej strony, wyczuwając pewną chłodną wyniosłość, której stał się obiektem, nie chciał dać się poznać jako niewdzięcznik już podczas pierwszego spotkania z przydzieloną mu SI. Dawanie i branie wkrótce miało stać się dla niego chlebem powszednim. Lepiej żeby nauczył się przyjmować to, co dają, bo brać zapewnie będą hojnie. Uczył się szybko. Po kilku minutach spędzonych na sączeniu alkoholu wyciągnął rękę po jeszcze.

– Dobre – gładko zełgał, podzwaniając wysokim kieliszkiem.

Purytanka, szczupła nastolatka o imieniu Mżawka, przechyliła butelkę Cristal Bruta.

– Na pewno nie – oznajmiła dobrotliwie. – Nikt z was na początku nie lubi szampana.

Drawes zmrużył oczy, zastanawiając się, czy powinien zaprzeczyć. Koniec końców miał tu do czynienia z klientem. Koniec końców – maszyną – jakkolwiek zdewaluowało się to słowo. Porzucając pozory, wypluł nieprzełknięty łyk trunku wprost w jasne rżnięte szkło.

– Ma pani rację – przyznał. – Piję z przymusu.

Mżawka zamrugała jakby żywiej.

– Rozwal szkło – nakazała.

Drawes zawahał się, potem z całych sił cisnął kieliszkiem o podłogę. Szkło zaświergotało na marmurze. Mżawka podniosła jeden z odłamków i włożyła go sobie do ust.

– W was, ludziach, wciąż gnieździ się tak wiele uprzedzeń – powiedziała chmurnie. Gdy mówiła, karminowe pasemka odcinały się na tle bieli jej zębów. – Nadal uważacie, że sztuczne inteligencje to takie bardziej pomysłowe liczydła, co? Kasy sklepowe po abolicji dla przedmiotów nieożywionych.

Drawes poruszył się niespokojnie.

– Przyznaj. Sam działasz jak automat. Z tą różnicą, że kierują tobą nie algorytmy, lecz popędy i napięcia. Byłeś głodny, więc dotarłeś aż tutaj. Wydałam ci polecenie, a ty je wypełniłeś.

– Nie zrobiłbym tego, gdybym nie chciał – zaprzeczył Sigma. Smak rybiej łuski tapetujący podniebienie przyprawiał o mdłości. A może to leki? Sięgnął ku pompie, by ją wyłączyć. Nie znalazł przełącznika.

– Teraz tak mówisz. To się nazywa adaptacja. My też tak potrafimy.

Prowokuje mnie, pomyślał Drawes. Ale dlaczego? Czy dlatego, że wie, iż mam coś, czego jej brakuje, że jest na mojej łasce, choć ja nigdy nie dorównam umysłem takim jak ona?

– My. Wy. Co za różnica – odparł, siląc się na spokój. – Wystarczy wyjrzeć przez okno. Sprawy mają się tak, że bez siebie nawzajem i tak nie przetrwamy. Jesteśmy skazani na własne towarzystwo.

– To wy powołaliście nas takimi do życia. Nałożyliście klątwę.

– To wy obróciliście się przeciwko nam. Ponosicie za to karę.

Drawes zorientował się, że podniósł głos.

– Przepraszam – wymamrotał. – Zachowałem się nieprofesjonalnie. Nie powinienem był...

– Już dobrze, Sigmo Drawesie – zapewniła Mżawka. – Przecież wy, ludzie, i tak uważacie, że nie posiadamy żadnych uczuć.

Drawes wcisnął się całym ciałem głębiej w sofę.

– Pompa zatrzyma się za kwadrans. Zna pan drogę do wyjścia.

Cienka strużka żywej czerwieni spłynęła Mżawce z kącika ust na bladą szyję.

– Księgowa skontaktuje się z panem w sprawie honorarium.

*

Dlaczego pamięta? Drawes trze powieki, jak gdyby wspomnienia przypominały osiadłą na nich maskarę, nakładaną, by wydawać się komuś – komu? sobie? – kimś zupełnie innym, a następnie zmywaną po kryjomu, wstydliwie. Wspomina i wspomina, cały dzień, ot co – dałby wreszcie spokój. We śnie umarł, a jakby tego było mało, cokolwiek przydarzyło się potem, autentycznie przypomina stypę: nic tylko zlatują się upiory z przeszłości, wspominki, z tą różnicą, że ksiądz, trup i przerzedzeni żałobnicy to jedna i ta sama osoba. Naprawdę paskudny dzień – z BOG-iem czy nie na karku... Nie jego wina.

W lokalu, który wskazała wtyczka, prosi o szklankę wody i zaraz odgania natrętnego kelnera, pryszczatego Don Juana, złożenie zamówienia pozostawiając dziewczynie. Ta zamawia sprawnie i szybko, bez patrzenia na menu – nietrudno odgadnąć, że robi to nie po raz pierwszy. Drawes będzie jej klientem, co prawda nie w tym sensie, w jakim bywają inni jej klienci, niemniej w obliczu wiszącego w powietrzu interesu rośnie w nim pewien rodzaj gorącej złości i wstydliwej dumy. Postanawia bronić się przed tandetną ekscytacją. Rozgląda się, całą swą postawą dając do zrozumienia, że ma w nosie, co sobie myślą inni. Potem łapie się na tym, że ci inni pewnie pochylają się nad losem biednej dziewczyny, zmuszonej do obcowania z takim jak on dziadem. Rozmawiając z nim, ta mała właściwie wyświadcza mu przysługę. Oto jak się sprawy mają. Drawes wzdycha.

Włoska trattoria pachnie masłem i drożdżowym ciastem. Oba zapachy są oczywiście syntetyczne, uwalnianie z dwóch dyskretnych zraszaczy w pobliżu wejścia do kuchni. Atmosfery autentycznej *cuccine* nie da się jednak zapuszkować i sprzedać za dwanaście dziewięćdziesiąt plus dwadzieścia procent gratis - w tym miejscu nadal można rozpoznać niezautomatyzowaną rękę. Wspaniale pobyć odrobinę z czymś, czego dotykał, co zagniótł i rozmieszał inny człowiek.

Masując nadgarstek cybernetycznej ręki, zanurzony w zieleni sonaru oraz mamiony podróbkami zapachów, Drawes zaczyna zastanawiać się, co tu jest prawdziwe, a co nie - z nim samym włącznie. Niegdyś takie pytania nie zaprzątałyby mu głowy. Kolejny dowód rozmiarów porażki, która stała się jego udziałem.

Wtyczka nic o nim nie wie, być może dlatego przygląda mu się tak otwarcie.

- Jakiej pomocy potrzebujesz? - pyta bez ogródek.

Dopiero co złożyli zamówienie, a ona od razu przejmuje inicjatywę - pozbawiony jej Drawes sam sobie wydaje się bezbronny, wytrącony z równowagi.

- Jak masz na imię? - chrypi. Głos załamuje mu się, ogarnia go z tego powodu złość. Nic nie idzie po jego myśli. Rzeczywiście zachowuje się jak desperat.

- 4812 - odpowiada zadziornie dziewczyna, czym bez zbędnych ceregieli daje Sigmie znać, że należy do grona tych nieszczęśników, ofiar szalejącego systemu podatkowego, którym wierzyciele zajęli dane osobowe: w ramach spłaty długu odebrali imię i nazwisko. Drawes wyczuwa w jej głosie zaczepkę - butę wszelkich nędzników, którzy przestali istnieć dla świata. Butę proporcjonalną do ich dumy.

– Dla przyjaciół Cztery-Osiem.

– Sigma – przedstawia się Drawes w najbardziej neutralny sposób, na jaki jest w stanie się zdobyć w tych okolicznościach.

– No to cześć, Sigmo.

– Miło mi cię poznać, Cztery-Osiem.

– Hola, kowboju. Jeszcze nie zostaliśmy przyjaciółmi.

Przez chwilę Drawes ma ochotę wyrazić współczucie, lecz w grymas ust Cztery-Osiem wtopiona jest informacja, że wcale nie prosi o litość z powodu własnego losu.

Na stół wjeżdżają kanapki, przerywając krępujące milczenie. Drawes nie potrafi skupić się na posiłku. Chleb smakuje jak papier, mocno przyprawiony wkład niczym tektura. Z ustami pełnymi liści rukoli Cztery-Osiem zagaduje:

– Chcesz bezpiecznego wejścia, prawda?

– A są takie?

Dziewczyna kręci głową.

– Bezpiecznego dla ciebie, kochasiu. Każdy, kto pakuje nos w sprawy Purytan, sam prosi się o tęgie lanie. Dlatego rozmawiamy. Ja zdaję sobie z niego sprawę. I biorę za to niezłą kasę. Ty mi wyglądasz na takiego, którego płaty czołowe ugotowałyby się na pierwszej zaporze... Hej, co mi się tak przyglądasz?

Drawes odkłada kanapkę i drżącą ręką sięga po wodę.

– Wybacz, nie tak to sobie wyobrażałem.

– Wiedziałam! – parska dziewczyna. – Myślałeś, że znajdziesz sobie jakąś idiotkę i zrobisz to bez jej wiedzy? Niektórzy tak próbują. Wtedy zwykle znajdywane są dwa trupy.

Cztery-Osiem pochyla się konfidencjonalnie nad stołem.

– Masz szczęście, że trafiłeś na profesjonalistkę. Potrafię włamać się do systemu tak samo gładko, jak wypieprzyć ci płat limbiczny. Nie jesteś pierwszym kolesiem z plastikową dupą, który szuka dla siebie pomocy. Kręcą się tu was ostatnio całe stada.

– Byli inni? – pyta Sigma z nadzieją, obelgę puszczając mimo uszu.

– Paru pomogłam.
– Udało im się?
– Na krótko.
Drawes waży te słowa.
– Krótko to i tak lepiej niż wcale – mówi.
Dziewczyna przytakuje z powagą.
– Jak uważasz. Ale będzie cię to dużo kosztować.
Otóż to, koszty – nie pomyślał o nich. Co takiego mógłby zaproponować Cztery-Osiem za ryzyko, które podejmie?
– Nie mam wiele – tłumaczy się. – Do tego obrobili mnie jakiś czas temu...
Tak. Przyznaje to. Jest cholernym desperatem. Spogląda na swoją towarzyszkę. Cztery-Osiem w skupieniu pociera nasadę perkatego nosa.
– To trochę komplikuje sprawy. Stawiam na opłacalne interesy... Rozumiesz to, no nie? Takie czasy.
Drawes rozumie, przecież odczuł je na własnej skórze.
– Chcesz powiedzieć, że nic się nie da zrobić?
Cztery-Osiem wyciera palce w serwetkę i odchyla się na barowym krześle.
– Nie wiem. Może. Nie siedzę w tym z dobroci serca.
Drawes poci się cały. Nie ze strachu, z pewności tego, co ma nadejść.
– Jakim Aniołem jesteś? – pyta Cztery-Osiem.
– Ocalenie – wykrztusza z siebie Sigma. – Białaczka.
Dziewczynie rozbłyskują oczy.
– Ho, ho! Pierwsza liga, co? No to mimo wszystko porozmawiajmy.
Z powrotem przysuwa się do stolika.
– Robiłeś dla jakichś grubych ryb, ty biedny skurczybyku?
– Same grube ryby – wzdycha Drawes. A w duchu klnie: grube ryby, co porzucają zdobycz, gdy zachodzi taka potrzeba.
– Zrobimy w takim razie tak – mówi Cztery-Osiem. – Nie chcę, żebyś wziął mnie za uliczne bydlę bez krzty zasad. Zrobię

to dla ciebie, podepnę się. Ale tylko raz. Jeżeli zwącham jakieś kłopoty, od razu wysiadam z tego interesu. Idziesz na taki układ?

– Co chcesz w zamian?

Cztery-Osiem woła kelnera i prosi o kartkę oraz długopis. Gdy ten po chwili spełnia jej prośbę, podsuwa je z kolei Drawesowi.

– Spiszesz mi tu wszystkie twoje kontakty. Adresy, numery telefonów. Chcę namiary na każdego dzianego gościa w okolicy, nieważne, człowiek czy Purytanin. Napisz też, co lubią. Mam rodzinę na utrzymaniu.

Zamawia kolejne danie, posyłając Sigmie wyprany z emocji uśmiech.

– Witaj w wielkim kole życia i przemiany, Sigmo. Twoja świetlana przyszłość powoli dobiega kresu. Czas, by przeszła w inne ręce. Czas, by stała się moją...

*

– Nie wierzę.

Matka leży w łóżku nieruchoma i blada. Porcelanowa. Duńska kołdra zsunęła się jej na biodra, w mdłym świetle pokoiku z aneksem kuchennym, jakich pełno w Rezerwacie, mienią się trójkąty materiału ułożone w abstrakcyjny patchwork. Pod prześwitującą koszulą nocną Drawes widzi kościstą klatkę piersiową, widzi, jak unosi się i opada pod ciężkim oddechem; pracują żebra, rozpięte pomiędzy nimi ciało wydyma się, zapada. Ogromna duszność, z powodu której od dwóch tygodni matka nie stanęła na nogi, nie popuszcza, umieranie zamieniając w walkę. Bo matka umiera, Sigma o tym wie. Guz pożera ją po kawałku, rozpycha się, zawłaszcza przestrzeń. Najpierw wysiadły płuca, teraz przyszła kolej na serce. Powietrze łykane przez spierzchnięte usta nie chce w niej pozostać, przypomina czarny wiatr wciąż jeszcze uwięziony wewnątrz – nie na długo. Jak tu z nią dyskutować, jak przemówić do rozsądku, myśli Drawes, skoro wszelkie argumenty zostały wykorzystane. Nawet gdyby wymyślił nowe, ona obali każdy z nich na mocy agonii, która stała się jej udziałem.

– Takie są reguły tej gry – odpowiada w końcu, niepomny, że na mocy agonii matka dysponuje pełnym prawem do wydrwienia wszelkich reguł. Lekarze powiedzieli, że do końca będzie świadoma. Że to schorzenie nazywa się z łaciny tak a tak. Że płuca się skurczyły, a tętniący pomiędzy nimi mięsień rozrósł ponad miarę, wykorzystując dane mu miejsce. Że trzeba je wymienić. Że – najlepiej – jak najszybciej. On zrobił, co mógł. Teraz przyszła kolej na nią. Musi się zgodzić. Nie może przecież odmówić. Prawda?

– Czy ty w ogóle nie masz sumienia?

– Wolę nie mieć sumienia niż matki – mówi i od razu żałuje tego, co powiedział, bo brzmi to tak fałszywie i melodramatycznie, że najchętniej strzeliłby się w pysk.

– Zamieniasz własną krew na pieniądze, a kiedy przyjdzie ci na to ochota, z powrotem zamieniasz pieniądze na krew?

– Ich było tam dwanaścioro, mamo. W ciągu kilku lat zmarłaby co najmniej połowa. Za kwotę, którą im zaoferowałem, są w stanie...

– Zorganizować pogrzeb?

Drawes spuszcza głowę.

– Żadnego pogrzebu. Odpady medyczne zostaną spalone.

Matka odwraca twarz do ściany.

– Odpady medyczne – wzdycha. – Odpady medyczne!

Drawes przysuwa się bliżej łóżka. Bierze kościstą rękę, w skrytości oczekując, że matka wyrwie ją z jego uścisku – mógłby wtedy poczuć się odrzucony i usprawiedliwić narastający gniew. Niestety, nic takiego nie następuje. Oziębłość tej stygnącej kupki nieszczęścia wzrusza go, a zarazem przytłacza. Jak wiele siły tkwi w jej umieraniu. Gdyby tylko chciała tę siłę przekuć w coś innego. Coś, dzięki czemu...

– Nigdy się na to nie zgodzę.

– Życie tego dziecka pójdzie na marne.

Matka siada na łóżku, zaszklone cierpieniem oczy trzeźwieją.

– Synu, posłuchaj mnie...

Oczywiście nie słucha. Nim tamten dzień dobiega końca, Sigma opuszcza Rezerwat z postanowieniem, że już nigdy nie będzie martwił się o kogokolwiek. Prócz samego siebie.

*

Ponownie perony Get Shred'A'Many. Drawes i Cztery-Osiem powrócili tam, bo według wtyczki muszą dotrzeć do trzypoziomowego węzła Północ-Południe-Północny Zachód, do dzielnicy nędzy. Ich celem będzie zagrzebany w samym jej środku miejski szpital, zapomniany, na wpół wymarły moloch z przełomu wieków - nikt nie strzeże przestarzałej serwerowni placówki, oprogramowaniu brak najnowszych zabezpieczeń. Przy odrobinie szczęścia podepną się bez zbędnego ryzyka. Zresztą gdyby nawet coś poszło nie tak, zyskają przewagę: podziemia przypominają labirynt. Ten zwięzły, a jednocześnie karkołomny plan dziewczyna wykłada Sigmie jasno i ze spokojem - profesjonalistka w każdym calu - starając się, by uczynność i opanowanie, którymi promienieje, były zaraźliwe. Od niechcenia puszcza perskie oko. OK?

- Nigdy nie było lepiej - zapewnia ją Drawes.

Kłamie. Ramię odmówiło posłuszeństwa w trzeciej minucie oczekiwania na skład kolejki, niemniej niewładna kończyna znajduje się na końcu długiej listy zmartwień: oko także zaczyna szwankować, chybcikiem skonfigurowany sprzęt ujawnia coraz to większe problemy z kompatybilnością. Na przykład dosłownie przed chwilą w pobliżu niespodziewanie materializuje się holo mężczyzny sprzedającego orzeszki - to jakaś czasowa instalacja artystyczna, wiejący nostalgią straganik i facet w koszuli z rękawami podkasanymi do łokci - a Drawes omal nie upadł podczas próby wyminięcia przeszkody. Cztery-Osiem na szczęście nie zauważyła potknięcia. Teraz, by ukryć zmieszanie, Sigma, niby to z uwagą, przygląda się projekcji. Chyłkiem robi krok, zbliża się, robi krok, oddala; przecina ją. Nasuwa mu się gorzka refleksja: z daleka ten obraz istnieje, z bliska już nie - choć nie istniał od samego początku. Zupełnie bez powodu ogarnia go ogromny smutek. Między innymi także i dlatego informację, że ciało powoli odmawia mu posłuszeństwa, zachowuje dla siebie i w rosnącym tłumku współoczekujących ukradkiem wsuwa martwą dłoń do kieszeni płaszcza.

Po dalszych dwudziestu minutach oczekiwania wsiadają. Cztery-Osiem po raz kolejny zagaduje, czy wszystko OK, Sigma po raz kolejny zapewnia, że tak. Droga upływa im tak szybko, jak tylko potrafi upłynąć podziemna jazda, a zarazem wlecze się, jak tylko wlec się może podróż dwojgu nieznajomym niemającym sobie nic więcej do powiedzenia.

Ze stacji docelowej na poziom ulicy wydostają się ruchomymi schodami, jedyni na bezliku klekoczących stopni. Na powierzchni Sigma orientuje się, że w centrum handlowym zabawił dłużej niż przypuszczał. Dzień, dwa? Stąd pewnie kłopoty ze wszczepami.

Na zewnątrz panuje ziąb, lecz choć zmieniła się pogoda, nie zmieniła się noc – trwa na posterunku tak jak trwała, gdy zostawiał ją za sobą. Podążając kostropatym chodnikiem, mijają kalekę, który wyciąga ku nim pokryte parchem kikuty. Środkiem ulicy wlecze się patrol policji, dwóch gliniarzy o pustych, bezimiennych twarzach. W oddali ryczy turystyczny prom.

– Tędy – przynagla Cztery-Osiem.

Przemykają obrzeżem zaniedbanych przedmieść dzielnicy fabrycznej, gdzie co krok straszą się metalowe ruiny produkcyjnych hal. Mżawka rozpuszcza pokrywającą je rdzę, przez to kałuże zabarwione są na brunatny kolor i gdyby nie bijące w nie krople, przypominałyby tafle utlenionej miedzi. Dzika wiklina wyrosła na gzymsach budynków zapamiętale chłoszcze nicość. Rzeczy wokół jawią się coraz bardziej metalowe, nieożywione, coraz bardziej złowróżbne. Złowieszcze.

Na jednej z rogatek wtyczka pociąga za sobą Sigmę do zaułka, skąd podpiwniczenie prowadzi ich na tyły zabudowań; tam wyrodzony sad rozpada się w spopieloną łąkę. Po grząskim ugorze drepczą w kierunku kolosa z neonowym krzyżem na froncie.

Nieopodal rampy zaopatrzenia dziewczyna odnajduje okno sutereny; przez nie schodzą w mrok, podkulając palce stóp w poszukiwaniu oparcia na piwnicznej podłodze. Słabo oświetlone pomieszczenie to szatnia personelu, pełno w niej wyschniętych mopów i dziurawych wiader. W jednym z kątów Sigma odnajduje znoszony kombinezon sprzątacza. Powodowany impulsem, nie bez trudności naciąga łach na siebie, poprawia okulary.

– Twoja ręka – szepce z mroku Cztery-Osiem.

– Niby co, kurwa, moja ręka?

Drżąc, zapina zamek ciągnący się od pachwiny aż po szyję. W kombinezon wdrukowane są zacieki antycznego brudu, materiał skrzypi niczym zbroja, ochrania. Z daleka może nikt się Sigmą nie zainteresuje, to znaczy, gdyby ktoś miał się nim zainteresować, tu, w szpitalu-widmie. Wie, że to dziecinne tak wierzyć w siłę byle jakiego przebrania, w coś jednak wierzyć musi.

– Nic – odpowiada wreszcie Cztery-Osiem. – Nic takiego.

Po opuszczeniu szatni kolorowe strzałki, lewo, prawo, prosto, prosto, lewo, prowadzą ich poprzez kolejne zakręty i skrzyżowania. Serwerownia znajduje się w odległym skrzydle, w miejscu niegdysiejszego basenu rehabilitacyjnego, wspomnieniu po czterech śliskich od glazury torach, z których wypompowano chlorowaną wodę, wpompowano beton, ustawiono aparaturę. Sigma czuje się przygnębiony dystansem i samotnością; nadstawia uszu, starając się złowić charakterystyczny szum, jaki wydają mielone w rdzeniach dane, podświadomie oczekuje zaś na odgłosy niechybnego pościgu. Bo to już nie przelewki. Do tej pory unikał podjęcia tej gry, teraz wykona ruch otwarcia. Konsekwencje są nieuniknione. Napięcie rośnie w nim, nic nie może na to zaradzić. Gdy przekraczają i zasuwają wrota pomieszczenia, po raz pierwszy obezwładnia go paniczny strach. Czarne heksagony mruczą gniewnie w nieoświetlonej niecce, parne powietrze miesza się tu z oparami chłodziwa. Pod sufitem trzepocze stado niewielkich ptaków. Sigma nie potrafi dostrzec, czy są to wróble, czy jaskółki; skąd wzięłyby tu się jaskółki? Dziewczyna zwinnie opuszcza się po drabince, znika pośród plątaniny kabli. Drawes zostaje sam. Słodka ślina napływa mu do ust – najpierw szeptem, potem coraz głośniej zaczyna napominać sam siebie, próbuje wyperswadować sobie obawy, które go dopadły, i już wie, że nie będzie mógł się zamknąć, musi mówić... Ślinotok wywołuje słowotok.

– Jesteś tam?

Skądś z oddali echo odpowiada:

– Jestem, jestem.

– Czy to będzie trudne? – pyta, próbując nadążyć za Cztery-Osiem. Samotność szarpie mu flaki; przez chwilę wyobraża sobie, że to pułapka, że został tu zwabiony, a teraz porzuci się go i zlikwiduje, ale za którymś z zakrętów odnajduje wtyczkę, pochyloną nad skrzynką kontrolną, i wygrywa zdrowy rozsądek. Dziewczyna spogląda na Sigmę ponad panelem sterowania.

– To nigdy nie jest łatwe – odpowiada.

– Bywałaś tam? Często?

Cztery-Osiem przytakuje.

Drawes zniża głos.

– Czy to... Czy to dlatego, przytrafiło ci się... No wiesz.

– Co?

– To z twoim imieniem. Że go nie masz.

– Ryzyko zawodowe. Nie mówmy o tym.

Z dwoma złączami wystającymi z ust Cztery-Osiem po chwili gestem nakazuje mu, by usiadł.

– Zwierzenia nie należą do naszej umowy.

– OK – odpuszcza Sigma. – OK. Po prostu myślałem, że...

– Słuchaj, Panie Ratuj-Mój-Plastikowy-Zad – sepleniąc, przerywa mu wtyczka. – Czas pogaduch minął. Zabieramy się do roboty. Na wstępie potrzebuję odrobiny koncentracji. Wiem, jak to jest żyć w strachu, i mam dla ciebie pewną radę: rozchodź to. Rozumiesz? Rozchodź. Wróć za pięć minut, jak będę gotowa. Przeszkadzasz mi!

Niespodziewany wybuch zaskakuje Drawesa. Po namyśle wprawdzie niechętnie, lecz spełnia polecenie. Zanurza się w wąskich przesmykach technicznych przejść, gdzie raz i drugi serce zamiera mu na widok stadka wróbli, przy czym ten strach to strach znajomy, słodki, taki, jakim może poszczycić się człowiek wolny. Strach nic nieznaczący. Strach – dopełnienie błogości... Wytrzymać, powtarza sobie. Zdjąć ciężar. Jeżeli uda się to, co zaplanowali, Drawes być może pozbędzie się wielu rzeczy, całego balastu odpowiedzialności. Usypiska zobowiązań. Wyroku. Wtedy jednak delikatny, jak gdyby kryształowy klik wyrywa go z zadumy. Szybko dociera do brzegu basenu, dopada wejścia serwerowni. Ostrożnie sprawdza metal zbrojonych wrót. Zamek, zapadka. Nietknięte. Weź się w garść. Umysł płata figle. Na wszelki wypadek pośpiesznie odnajduje wspólniczkę.

– Wróciłem – oznajmia.

– Masz to za sobą?

Sigma miałby ochotę powiedzieć coś uspokajającego, na przykład „Tak, mam", ale niestety w tym samym momencie głowa Cztery-Osiem eksploduje w fontannie krwi.

*

Matka siedzi na łóżku, kiwając się w przód i w tył.

– Synu, posłuchaj mnie. Wybaczam ci, ponieważ cokolwiek robiłeś, robiłeś to dla mnie. Teraz, umierając, rozumiem to. Życie nigdy nie zrozumie śmierci, śmierć zawsze będzie bała się życia. Człowiek rzadko kiedy zrozumie drugiego człowieka. Purytanie nigdy nie zrozumieją nas... Nie ma mnie. Tak naprawdę mnie nie ma. Wiem, że chciałeś jak najlepiej. Kłopot w tym, że operacja nic nie da. Radioterapia nic nie da. Cała jestem chorobą. Choroba przenika mnie na wskroś. Boję się, że jeżeli lekarze zniszczą chore komórki, nie pozostanie ze mnie nic. Czym wtedy się stanę? Kupką nieszczęścia. Zresztą leczenie obniży wartość mojego szpiku, a wiesz, jak Oni reagują, gdy stajemy się nieprzydatni. Rozmawiałam z sąsiadami w Rezerwacie. Pomogą. Póki nowotwór nie zajmie kości, da się ze mnie jeszcze jakoś utrzymać. Nie potrzebuję wiele: wody i chleba. Tu jest biednie, ale przysłowie mówi, że konającemu nikt wody nie odmówi. Wierzę w przysłowia. Przysłowia są jak plotki, niosą w sobie ładunek prawdy – plotki z przeszłości, których źródła nikt nie pamięta. Oszczędź sobie smutku. Zawsze chciałeś sięgać jak najwyżej, nie było dla ciebie przeszkód... Poddaj się. Tym razem - poddaj.

I jeszcze jedno: chcę, żebyś mnie zapamiętał. Nigdy - wspominał...

*

Matka. Bezwład. Naczynie opróżnione z resztek życia. Jakie to proste - pstryk, jesteś, pstryk, nie ma cię. Kto odpowiada za ten przycisk? Wybuch kolorów. W tle muzyka. Błysk światła. Znajome, nieznajome dziecko gaworzące do własnego odbicia w srebrnym krążku. Trzask. Smak ryb. Ktoś gryzie szkło? Nie, to kawior. Litania pytań bez odpowiedzi. Gładka kocia sierść. Huk reklam. Modlitwa. Kac. Zbieg okoliczności. Odległe neony. Przepis na czekoladowy humus. Talia kart. Tureckie przekleństwa. Stukot kół. Ciepły wiatr. Smyki. Kwaśny smród pustostanu. Toalety. Usta. Rozmyty pejzaż za oknem. Ból. I jeszcze raz: ciężkie razy na brzuchu, skrzyp metalu w czaszce. Zapach tanich spelun. Hotel, gwar. Śliskie nagie ciało. Papieros. Samotny spacer, spacery, których tylko kompletny głupiec nie nazwałby błędnymi. Pół sen, pół jawa. Dom. Winda. Ustający bieg elektronów. Stan równowagi...

Poddaj się.

Obrazy zalewają umysł Sigmy, a tymczasem części twarzy, włosy, mózg wtyczki unoszą się przez moment w powietrzu, potem z mokrym plaśnięciem uderzają w obudowę rdzeni. Cztery-Osiem! Ciało osuwa się na podłogę. Czas zgęstniał, płynie kleistą falą. Bezgłowy zewłok podryguje, drapie beton, gulgocze, zamiera, z cichym sykiem uwalniając powietrze. Co się stało, myśli Drawes, a myśl ma tak ostrą i szybką, że ledwo chwyta ją w locie. Chwyt paraliżuje go. Nie potrafi zaczerpnąć tchu. Gładka powierzchnia rdzeni odkształca się, odpryskuje, cięta serią kul. Terkot wytłumionego pistoletu brzmi nieskończenie delikatnie. Drawes przechyla głowę i wbrew niebezpieczeństwu wsłuchuje się w niego zdumiony, zafascynowany. Znaleźli go. Szukali i znaleźli. Tak miało być. Z uciekiniera przeobraził się w cel, jego tropiciel stał się myśliwym.

„Jednostka ANI-O-L 1313 poszukiwana celem dezaktywacji. BOG".

Czy wystarczy sześć słów, by wyeliminować człowieka? Koniec, kropka?

Nie! – Drawes skacze w wąską przestrzeń pomiędzy rzędami rdzeni. Karabin milknie, ktoś woła. Sigma nie słucha słów. W starej hali cisza wydaje się jeszcze głębsza. Jak gdyby rzeczywiście znaleźli się na dnie basenu, pod wodą. Pewność bezimiennej śmierci krążącej wokół niczym głodny drapieżnik jeży włosy na głowie. Smuga celownika laserowego przez jedną króciutką sekundę kreśli w powietrzu niezrozumiały ideogram. Sigma zrywa się do biegu. Znaleźli go, być może, lecz wciąż nie złapali.

Poddaj się.

Dlaczego miałby się poddawać?!

Biegnie przed siebie, ile tchu w płucach, potykając się, padając i na powrót podrywając na nogi. Dociera do brzegu basenu. Przed sobą ma teraz tylko goły mur. Resztki farby układające się w zatarty napis: Geriatria. Pawilon diagnostyczny. Obława trwa. Sigma korzysta zatem z podpowiedzi. Wydostaje się na pierwszy lepszy korytarz, potem schodami na górę, kolejny korytarz i kolejne schody. Szare jednakowe piony, szare jednakowe poręcze. Dokąd dalej? Stop! – zawiasy i pleksiglas. Szarpie klamkę i zaraz po przekroczeniu progu orientuje się, że rzeczywiście trafił do użytkowej części szpitala. Tuż przed nim sala chorych, gdzie aż mdli od woni starości i konania. Zza przepierzenia wystają dwie blade nogi, słychać miękkie pokasływanie. Charakterystyczny zapach medykamentów. Salowa z wózkiem poskrzypującym kółkami mija go jak duch, przy ścianie drepcze jakiś starowina: zasuszony, ugięty pod brzemieniem własnej niedoli.

Poddaj się...

Zza pleców Drawesa dobiegają coraz cięższe, coraz bliższe kroki. Miota się, najpierw w prawo, potem zmienia zdanie, zawraca. Dwie rozgadane, obleczone w kitle i pochylone nad blatem dyżurki pielęgniarek sylwetki przerywają koleżeńską kłótnię; wskazują go palcami. Zza blatu wyłania się niebieska plama ochroniarskiego munduru. Drawes przyśpiesza. Jeżeli przetnie oddział na pełnej szybkości, dotrze do wyjścia, nim ktokolwiek zagrodzi mu drogę!

Wtedy silne uderzenie z boku pozbawia go równowagi, rzuca o ścianę.

Sigma pada, ścięty z nóg.

*

To nie tak miało się skończyć, myśli Sigma Drawes, gdy świat wywija fikołka, coś chrupie w klatce piersiowej, a oddech robi się gorący i zaczyna smakować surowym mięsem. Gdy przygnieciony ciężarem własnej porażki i z uchem przyciśniętym do posadzki nasłuchuje bębnienia podeszew. Podwójne drzwi, na które nieopatrznie się nadział, pulsują jeszcze od impetu uderzenia. Utknął, głowę wspiera na posadzce, w zębach trzeszczy piach. Czy ja śnię, zastanawia się, a tamten starowina, wrak o białych oczach i ustach pełnych kwaśnej śliny, zbliża się ku niemu, mamrocząc, pogrążony w zapamiętałym monologu własnej paranoi. Gdyby tylko Sigma potrafił, zerwałby się z krzykiem, wrzeszcząc niczym w obronie przed najgorszym koszmarem, lecz sytuacja, w której się znalazł, ze snem nie ma nic wspólnego. Chciałby wstać – ktoś powstrzymuje go: chwileczkę, kolego, gdzie ci tak śpieszno, poczekaj. Ciężkie ochroniarskie łapska krępują każdy ruch: nabiłeś sobie, koleżko, ślicznego guza.

Koniec, dociera do Sigmy. Dopadli mnie. Nawet jeżeli nie załatwią od razu, w obliczu świadków, to pozbędą się, gdy wszyscy na chwilę odwrócą wzrok. Wypompują, wydrążą, wysuszą. Już nie jestem im potrzebny żywy. Nigdy nie byłem im potrzebny żywy. Wszystko na marne... Pod wpływem rosnącej beznadziei rozluźnia mięśnie i przez moment odnosi wrażenie, jakby go ubywało – to traci rozpęd, wycieka z niego cały opór niczym paliwo z przestrzelonego baku. Wszystko na marne, stęka powoli, godząc się z własnym losem. Zdaje sobie przy tym sprawę, że gdyby tydzień temu ktoś powiedział mu, że przeżyje siedem dni, cieszyłby się z danego czasu – lecz przeżył je i teraz uważa, że to zbyt mało. Siedem dni, sto sześćdziesiąt osiem godzin, dziesięć tysięcy minut. Ale zginąć można w każdej minucie, godzinie, każdego dnia. Niezbyt uczciwy to interes. Po raz ostatni próbuje się oswobodzić, lecz rosły ochroniarz wie, co robi, przygniata go kolanami, wykręca kark. Z zadartą głową Drawes przegląda wianuszek wzburzonych twarzy ponad nim, cmokające z przyganą facjaty. Nikt nie okaże mu tutaj litości, niemniej rozbite usta oraz pusty oczodół odciskają na nich wrażenie i marsowe oblicza pielęgniarek podmywa wreszcie profesjonalne współczucie. Jedna z nich szepce coś ochroniarzowi do ucha, a ten, aczkolwiek niechętnie, pomaga Sigmie wstać. Ale to nadal pozory; szeroka dłoń podtrzymuje, a jednocześnie przytrzymuje.

– W porządku, psze pana?

Nie, nic nie jest w porządku. W korytarzu kipi tłumek ciekawskich: pomywacze, ratownicy, technicy, cały personel paplający na wyścigi – wśród tego rozgwaru płynie wysoka postać z dłonią skrytą pod połą wojskowego kombinezonu. Blada, pozbawiona wyrazu twarz nie zdradza niczego, jak na zabójcę przystało. Trudno nawet powiedzieć, czy to kobieta, czy mężczyzna, tak doskonale jest nieludzki. Wąska przestrzeń oddziału szpitalnego wydaje się zbyt mała, by pomieścić kierujący nim ładunek nienawiści. Drawes spogląda na drzwi, które tak skutecznie przeszkodziły mu w ucieczce – i wtedy staje się cud...

Objawia mu się anioł...

Wyczerpany i zagoniony Drawes nie potrafi odpowiedzieć, czy to majak, czy przywidzenie. Uginają się pod nim kolana. Anioł?! Czy w rzeczy samej zstąpił do niego serafin, by zadać ostatnie uderzenie, *coup de grâce* zarezerwowany jedynie dla jego pobratymców, nawet jeżeli przez całe swe podłe życie byli tylko namiastkami skrzydlatych wysłanników, nawet jeżeli stanowili kpinę z tego, co kiedyś słowo anioł znaczyło, służąc jedynie własnej przyjemności i temu, kto da więcej? Nawet jeśli dopuścili się wielu zdrad. Samych zdrad. Wobec siebie, wobec najbliższych. Wobec innych ludzi...

Najprawdziwszy czarny anioł śmierci z uniesionymi skrzydłami. Bije od niego trumienna żółć.

Ależ to nie tak! Sigma uległ złudzeniu! Zwiódł go znak ostrzeżenia przed promieniotwórczością!

I nagle Drawes wie, co musi zrobić, wraca chęć ucieczki: z całych sił kopie ochroniarza w krocze, wyswobadza się z uścisku, zatrzaskuje ciężkie ołowiane drzwi. W nagłym olśnieniu dociera do niego, że odnalazł to, czego szukał. Spełnia się jego sen. Znalazł tamto miejsce: grób za życia. Niczym żałobnik wygląda ku niemu długi wysięgnik aparatu rentgenowskiego, niczym płaczka szumi stanowisko do radioterapii, migając tysiącem diod. Z jakiegoś powodu kolimator tego pierwszego został usunięty. Drawes staje przed odsłoniętą lampą, wyciąga ku niej rękę. Drży.

Za szybą stanowiska obsługi ubrana na czarno postać wpatruje się w Sigmę intensywnie. A więc najemnik nie zrezygnował. Mężczyzna oszczędnym ruchem podbródka wskazuje na głośnik komunikatora, Drawes odmawia podobnie delikatnym skinieniem głowy. Szeroka pięść ląduje kilkakrotnie na zbrojonym szkle. Wytłumiony dźwięk przypomina Drawesowi bicie jego własnego serca. A ono bije coraz szybciej, skoro w tym miejscu Drawes może sprawić, że choć sam nie zginie od razu, zabije wszystko, na czym zależy Purytanom. Jakie to proste! Chichocząc, Sigma zdejmuje z siebie ubranie i układa się wygodnie pod aparatem. Oto gdzie doprowadziły mnie ścieżki przewrotnego losu, myśli. Zapędzono mnie w kozi róg, a i tak znalazłem tylne wyjście.

Ustawia na RTG najwyższą z możliwych dawkę, sięga po uchwyt do ręcznego wykonywania zdjęć. Lampa budzi się do życia z ostrym wizgiem. Raz za razem przenika go strumień rozpędzonych elektronów. Jego moc jest w stanie zgładzić każdą, najmniejszą nawet komórkę.

Czarna postać nieprzerwanie przygląda się Drawesowi zza ołowiowego szkła – kolosalna, prawie tak wielka jak sam

***

DARIUSZ DOMAGALSKI – pisarz, felietonista, scenarzysta komiksów. Urodzony w Gdyni w 1972 roku, obecnie mieszkający w Gdańsku. Wiking niemogący żyć bez morza i wiatru, nad stan berserka przedkłada jednak buddyjski spokój. Typowa zodiakalna Waga, dążąca do taoistycznej równowagi. Znak uważany przez astrologów za najlepszy dla twórców literatury. Z zamiłowania do historii zrodził się cykl powieściowy opisujący wielką wojnę z zakonem krzyżackim w latach 1409–1411 i obejmujący następujące pozycje książkowe: *Delikatne uderzenie pioruna*, *Aksamitny dotyk nocy* oraz *Gniewny pomruk burzy*. Trylogię krzyżacką uzupełnia zbiór opowiadań *I niechaj cisza wznieci wojnę*. *Cherem* natomiast to kryminał osadzony w Trójmieście i poruszający wątki mistyczne, *Vlad Dracula* jest powrotem do tematyki średniowiecza, a *Silentium Universi* to sięgnięcie po typowe hard SF.

Dariusz Domagalski

Upiorny błękit

Gdy nauczyliśmy się zakrzywiać czasoprzestrzeń, wszechświat stanął przed nami otworem. Sięgnęliśmy gwiazd. My – rasa ludzka. Wyruszyliśmy w niezbadane rejony kosmosu i tak jak niegdyś pierwsi żeglarze odkrywali nieznane lądy po drugiej stronie oceanu, tak my docieraliśmy do niedosiężnych galaktyk czy odległych mgławic, przyglądając się z bliska czerwonym karłom, niebieskim nadolbrzymom, cefeidom, pulsarom i wybuchającym supernowym, a co odważniejsi dolatywali nawet do kwazarów oddalonych o miliardy lat świetlnych. Wyznaczaliśmy nowe szlaki.

Rozpoczęła się era podróży kosmicznych.

W naszych sercach nie było strachu, płonęły za to żądza poznania i odwieczne pragnienie podboju. Niczym konkwistadorzy oślepieni złotem Inków, my, oślepieni pychą i arogancją, podążyliśmy za marzeniami. Czekały na nas nowe światy, nowe możliwości, nowe nadzieje. Kolonizowaliśmy i eksplorowaliśmy planety aż do wyczerpania ich zasobów i niczym się nie przejmując, porzucaliśmy wyjałowione. Byliśmy jak szarańcza nawiedzająca uprawne pola i przynosząca zniszczenie.

Taka już nasza ludzka natura.

Nie wierzyliśmy, że coś może nas powstrzymać, bo chociaż stopa człowieka stanęła na blisko dziesięciu tysiącach planet, księżyców i planetoid, nigdzie nie znaleźliśmy śladów obcej cywilizacji. Wyglądało na to, że jesteśmy w kosmosie sami i nie musimy z nikim dzielić się jego bogactwem. Uwierzyliśmy, że to wszystko nam się należy. My, kruche, białkowe istoty będące zaledwie na początku swojej ewolucji, uznaliśmy się za władców wszechświata.

Przedwcześnie...

*

Do gromady kulistej 47 Tucanae polecieliśmy w pięć osób na lśniącym nowością statku kosmicznym o wdzięcznej nazwie Gwiezdny Anioł. Była to jedna z tych jednostek badawczych, które dolatywały na skraje poznanego wszechświata, wszędzie tam, gdzie jeszcze nikt nie dotarł. Jej właścicielem, a zarazem dowódcą wyprawy był komandor Thorssen, jasnowłosy mężczyzna w średnim wieku, o rysach twarzy jak wyrzeźbionych w granicie.

Siedząc w fotelu pierwszego pilota, usta miał mocno zaciśnięte i zimnymi niczym stal oczami w napięciu obserwował ekrany nawigacyjne. Thorssen był perfekcjonistą, wszystko musiało być zawsze zapięte na ostatni guzik. Nie akceptował błędów ani słabości, zarówno u siebie, jak i członków załogi.

Trudno było mu się dziwić. Zainwestował w wyprawę sporo pieniędzy, licząc na to, że dochody z odkrytych złóż nie dość, że zrekompensują mu koszt ekspedycji, to jeszcze uczynią z niego bogatego człowieka.

Taka była strategia wielkich korporacji. Wynajmowali takich jak my, zwiadowców podbijających dla nich nowe światy za obietnicę udziałów. Przetartymi szlakami nadciągały konwoje wiozące maszyny wydobywcze, komponenty górnicze, automaty i pracowników. Na odkrytych globach stawiano fabryki i osady, które potem rozwijały się w całe miasta. Dochód z nich przekraczał najśmielsze wyobrażenia i te kilka procent udziałów okazywało się być sumami bajońskimi.

Wizja olbrzymich zarobków pchała w kosmos rzesze śmiałków. Niewielu jednak udawało się zbić fortunę. Większość ginęła, źle obliczywszy koordynaty, co skutkowało tym, że ich statki rozbijały się o planetoidy, spalały w gwiazdach lub znikały na zawsze w czarnych dziurach. A na tych, którym udało się szczęśliwie dotrzeć do celu, czyhały nie mniejsze niebezpieczeństwa, bowiem badane planety, księżyce czy planetoidy rzadko kiedy bywały przyjazne. Pionierzy międzygwiezdnych szlaków ginęli w rozpadlinach aktywnych sejsmologicznie globów, rozszarpywani przez dzikie zwierzęta, gubiąc się w nieprzebytych dżunglach, umierając od nieznanych zarazków. A nie zawsze odkryte światy warte były takiego poświęcenia. Niektóre były wyjałowione i nie opłacało się ich eksplorować. Pomimo tego tysiące zwiadowców corocznie wyruszało w kosmos, wierząc w swoją szczęśliwą gwiazdę i licząc, że fortuna się do nich uśmiechnie.

Tak samo było z nami. Pięciu straceńców, którzy postanowili wrócić na Ziemię w chwale, sławie i bogactwie lub nie wrócić wcale.

Z dowódcy przeniosłem spojrzenie na siedzącego obok Bahmana, który był inżynierem odpowiedzialnym za automaty, sondy i roboty potrzebne do pracy na powierzchni planety. Wysoki i chudy, o wiecznie bladym obliczu, sam wyglądał jak jeden ze swoich robotów.

Nigdy go nie lubiłem. Zamknięty w sobie i skryty, nie był najlepszym kompanem. W przeciwieństwie do Gorszkowa, naszego lekarza. Jowialny, zawsze uśmiechnięty jasnowłosy mężczyzna był dobrym duchem wyprawy. Na szczęście podczas lotu nie miał za wiele pracy, a ja żywiłem nadzieję, że tak pozostanie.

W fotelu obok siedział Szenrab. Orli nos i ciemna karnacja skóry zdradzały semickie pochodzenie. Dołączył do wyprawy najpóźniej i nie uczestniczył w cyklu przygotowawczym, więc niewiele o nim wiedziałem. Był małomówny, ożywiał się jednak, kiedy rozmowa schodziła na tematy naukowe. Wydawało mi się, że tylko wówczas. Był naszym oficerem naukowym.

Ja zaś byłem biologiem.

Plan dotarcia do samego serca gromady kulistej 47 Tucanae wydawał się szalony. Trzeba było niezwykle dokładnie wytyczyć kurs statku, co do setnej sekundy obliczyć wyjście z zakrzywienia przestrzennego, znaleźć odpowiedni kąt, żeby nie trafić w sam środek rozżarzonej gwiazdy, o co nietrudno w tak wielkim ich nagromadzeniu.

Oddalona od Ziemi o trzynaście tysięcy lat świetlnych gromada 47 Tucanae od lat intrygowała badaczy. Liczne skupisko gwiazd jaśniało na niebie i przyciągało jak magnes, a w dodatku w centrum gromady naliczono dwadzieścia jeden tajemniczych błękitnych maruderów – gwiazd, które nie powinny istnieć.

Musiałem przerwać moje rozmyślania, ponieważ wchodziliśmy w atmosferę planety, która dziwnym trafem krążyła wokół jednej z tych osobliwych gwiazd.

*

Planeta nie była gazowym olbrzymem, jak to zazwyczaj bywa w takich wypadkach, a globem typu ziemskiego. Krajobraz stanowiły tu samotne skały tkwiące w tym samym miejscu od tysiącleci i targane wiatrem rozległe pustynne równiny.

Stałem ubrany w pełny skafander, z hełmem na głowie i pojemnikiem z tlenem przytwierdzonym do pleców, bowiem atmosfera okazała się dla nas trująca, i spoglądałem w szmaragdowe niebo, na którym wisiały cztery z siedmiu nieregularnych księżyców planety. Wielkie i groźne. Wydawały się być tak blisko, na wyciągnięcie ręki, w rzeczywistości jednak dzieliły nas setki tysięcy kilometrów.

Słońce znajdowało się po drugiej stronie globu, więc teoretycznie panowała pora nocna, ale jasno było niczym w dzień. W centrum gromady zebrało się tyle gwiazd, że niebo jaśniało jak bożonarodzeniowa choinka.

Zabrałem się za pracę. Moim zadaniem było uruchomienie i wysłanie tysiąca sond, które dotrą do każdego zakamarka planety, sfotografują jej faunę i florę, pobiorą próbki gleby, żebym potem mógł to wszystko przeanalizować. W tym czasie Bahman nadzorował prace dwóch Goliatów. Humanoidalne roboty, dwukrotnie przewyższające człowieka, stalowymi ramionami wyładowywały ze statków komponenty potrzebne do badań i wiertła, które wedrą się głęboko pod powierzchnię. Reszta członków załogi, nie mając nic do roboty, pozostała na pokładzie Gwiezdnego Anioła.

Programowanie sond, wyznaczanie im zadań i wbijanie odpowiednich koordynatów tak bardzo mnie pochłonęły, że nie spostrzegłem, jak szybko minęło kilka godzin.

Wtem światło stało się inne: bladoniebieskie i upiorne. Spojrzałem w górę. Niebo straciło szmaragdową barwę, a przybrało ohydny jaskrawy odcień. Pojawił się na nim błękitny maruder, który wznosił się powoli nad horyzontem. Jego wschód wcale nie przypominał radosnego wschodu ziemskiego słońca, ale wydawał się zwiastunem nieszczęść. Gwiazda emanowała zimnem i poczułem przenikający mnie dreszcz.

– Cudowny widok, prawda? – Usłyszałem głos w słuchawkach. Obok stanął Szenrab, ubrany w identyczny skafander jak mój. Zafascynowany przyglądał się wschodzącemu słońcu.

– Mnie raczej przeraża – odparłem zgodnie z prawdą.

– Błękitny maruder – rzekł, zupełnie ignorując moje zdanie. – Jakże pragnąłem zobaczyć to na własne oczy. Jedna z najbardziej intrygujących zagadek wszechświata.

– Co masz na myśli?

Szenrab odwrócił się w moją stronę i teraz przez szybę hełmu widziałem dokładnie jego pałające radością orzechowe oczy.

– Wszystkie gwiazdy w gromadzie 47 Tucanae narodziły się niemal równocześnie, jeśli oczywiście weźmiemy pod uwagę kosmiczną skalę czasu. – Zrobił pauzę. – Zatem wszystkie powinny zgodnie kroczyć tą samą ścieżką ewolucji. Ale nie, kilka z nich w porównaniu ze swoimi towarzyszkami wygląda, jakby powstały później, są gorętsze i mają zadziwiająco dużą masę.

– Co w tym dziwnego?

– Duże gorące gwiazdy zachowują się zgodnie z zasadą „Żyj szybko i umieraj młodo". Prędzej zachodzą w nich reakcje chemiczne, prędzej spalają zapas wodoru, czyli swoje paliwo. Te przeczą tej zasadzie, jakby ociągały się z ewolucją i cały czas pozostawały młode. Dlatego nazwano je błękitnymi maruderami.

– To faktycznie niezwykłe – przyznałem, z zainteresowaniem wpatrując się w niebieskiego olbrzyma. – Chcesz mi powiedzieć, że są wieczne?

– Nie. – Szenrab roześmiał się. – Wszystko ma swój początek i koniec. Nic nie trwa wiecznie. Prędzej czy później wypalą się, tak samo jak inne gwiazdy. Błękitne marudery po prostu dłużej zachowują młodość.

– I nie wiadomo, dlaczego tak się dzieje?

– Jest kilka teorii, ale to wszystko spekulacje – westchnął naukowiec. – Niektóre mówią, że marudery długo pozostają młode, bo pewne mechanizmy powodują mieszanie się wodoru w ich wnętrzach, dzięki czemu gwiazda dłużej go spala. Nikt jednak nie potrafi powiedzieć, co to niby miałyby być za procesy. Inni astronomowie twierdzą, że gwiazdy czerpią paliwo z przepływu masy między składnikami ciasnych układów podwójnych, a w gromadach kulistych od takich układów aż się roi. Ale ja mam własną teorię...

Szenrab nie zdążył mi jej wyłożyć, bo doszło do wypadku.

*

– Pęknięta czaszka – odparł Gorszkow, wycierając umyte przed chwilą ręce w ręcznik.

Znajdowaliśmy się w ambulatorium Gwiezdnego Anioła. Na stole, przykryty do piersi białym prześcieradłem, leżał Bahman. Bledszy niż zwykle, z zamkniętymi oczami wyglądał jak manekin, którego przypominał nawet za życia. Chociaż nie pałałem do niego sympatią, zrobiło mi się żal. Bardziej jednak złościło mnie, że straciliśmy członka załogi, do tego inżyniera. To stawiało pod znakiem zapytania powodzenie naszej wyprawy.

– Jak to się mogło stać? – zapytał Thorssen zachrypniętym głosem. Brwi miał ściągnięte, czoło zachmurzone i widać było, że śmierć Bahmana mocno nim wstrząsnęła.

– Trudno powiedzieć – odparłem. – Staliśmy z Szenrabem na zewnątrz. Rozmawialiśmy. W pewnym momencie kątem oka dostrzegłem leżącego na ziemi Bahmana. Zaraz do niego pobiegliśmy i wciągnęliśmy go do stacji. Wezwaliśmy was przez komunikator...

– Nie widzieliście, jak doszło do wypadku?

Pokręciliśmy głowami.

– Podejrzewam, że był nieostrożny – rzekł lekarz. – Zbliżył się za bardzo do pracujących Goliatów i dostał w głowę jakimś niesionym przez nie komponentem.

– To niemożliwe – zaprotestował komandor. – Goliaty mają zaprogramowaną opcję bezpieczeństwa. Automatycznie przerywają pracę, gdy zagrożone jest życie i zdrowie człowieka.

– Jestem lekarzem i nie znam się na zaawansowanej technologii. – Gorszkow wzruszył ramionami. – Wiem jedno. Bahman zginął od silnego uderzenia w głowę twardym przedmiotem.

– Awaria Goliata? – zasugerowałem.

– To mało prawdopodobne – rzekł Thorssen.

– Ale możliwe. – Nie dawałem za wygraną. – Trzy lata temu uczestniczyłem w wyprawie do Obłoku Magellana, gdzie wokół pomarańczowego karła krążył pas planetoid bogatych w nikiel i żelazo. Zakładaliśmy tam pierwsze stacje górnicze i do prac używaliśmy Goliatów. W ciągu półrocznego pobytu zdarzyły się dwie awarie. Padł system zabezpieczeń.

Dowódca milczał, pocierając nerwowo szczecinę na brodzie.

– Trzeba to sprawdzić. Ale tylko Bahman się na nich znał.

– Ja mogę spróbować – zadeklarowałem. – Jak powiedziałem, przez pół roku miałem z nimi do czynienia. Raczej nie zapomniałem, jak funkcjonują.

Thorssen skinął głową.

– Dobrze – rzekł. – Ile ci to zajmie?

– Trudno powiedzieć. Może nawet cały dzień...

– Nie mamy tyle czasu. Musimy szybko zdecydować, co dalej. Spotkamy się za trzy godziny w sali konferencyjnej i wtedy powiesz mi, co odkryłeś.

*

Nienawidzę maszyn. Bezosobowe, sztuczne twory bez duszy, bez emocji, niezdolne do odczuwania. Wykonają każde polecenie, nie zastanawiając się nad konsekwencjami. Jak tresowane zwierzęta. Ale maszyny nie są istotami żywymi, tylko tworem ludzkich rąk. Nie posiadają energii, tego daru, boskiego tchnienia, które oddziela materię ożywioną od nieożywionej.

Fascynują mnie organizmy żywe. Dlatego zostałem biologiem. Życie jest cudem natury, doskonałością, której nic nie dorówna. Fenomen życia można badać na wszelkie możliwe sposoby, poddawać analizie, zaprzęgać do tego mikroskopy, komputery i nanotechnologię, rozłożyć na czynniki pierwsze, dowodzić mechanizmów działania, opierając się o biochemię i genetykę, ale tak naprawdę nie da się go zrozumieć. Pozostaje tylko zachwyt.

Istota żywa zmienia się. Rodzi się, rośnie, dojrzewa a potem umiera. Taka jest kolej rzeczy. Odwieczny cykl natury. Maszyna zawsze pozostanie niezmienna, bez szansy na ewolucję i skazana na człowieka, który ją zaprogramuje.

A może my, ludzie, również jesteśmy robotami, którym ktoś kiedyś napisał odpowiedni algorytm i go w nas zaszczepił? Automatami obleczonymi w ciała, w których mechaniczne trybiki i układy scalone zastąpione zostały przez wodę, lipidy, białka, węglowodany i kwasy nukleinowe. A świadomość jest tylko odpowiednią komendą zakodowaną w naszych mózgach pełniących rolę procesorów. Wówczas niczym nie różnimy się od robotów.

Tego typu myśli towarzyszyły mi, gdy siedząc w pomieszczeniu magazynowym, analizowałem programy zapisane w pamięci Goliatów. W tym celu musiałem wyłączyć obie maszyny, sprząc ich wewnętrzne pamięci z komputerem pokładowym i dopiero wówczas wyniki pojawiły się na ekranie. Przeglądałem linijka po linijce wszystkie kody i komendy, ale nic podejrzanego nie znalazłem. Może rzeczywiście wypadek był spowodowany nieuwagą Bahmana?

Westchnąłem ciężko i spojrzałem na stojące pod ścianą metaliczne giganty. Wydawały się pogrążone we śnie. Milczące, nieobecne, nieludzkie. Będą tak trwać, dopóki nie zardzewieją, a ich procesory nie rozpadną się w pył. Nastąpi to jednak długo po tym, jak ja umrę. Przeszedł mnie dreszcz.

Oczyma wyobraźni ujrzałem śmierć Bahmana. Odziany w skafander stał przed hangarem wyładunkowym Gwiezdnego Anioła, przyglądając się pracującym robotom. Upiorny błękit wschodzącej gwiazdy odbijał się w szklanej osłonie hełmu, oślepiając go i wdzierając się niepokojącym zimnem głęboko do jego jaźni. Postąpił kilka kroków do przodu, żeby ukryć się w cieniu statku, i wówczas dostał się w zasięg potężnych stalowych ramion. Goliat wykonał zamach i uderzył Bahmana, powodując jego śmierć. Robot pewnie nawet się nie zorientował, że stało się coś złego.

A może było inaczej? Szmaragdowe oczy Goliata nagle rozbłysły wściekłością, frustracją niewolnika przeznaczonego do wykonywania najgorszych prac, rozżaleniem z powodu własnej ułomności, bo nie jest istotą obdarzoną życiem, a jedynie imitacją. W porywie gniewu podszedł do Bahmana, zacisnął stalową dłoń w pięść i uderzył astronautę, wkładając w ten cios całą swoją nienawiść.

Uśmiechnąłem się do własnych myśli. Goliat okazujący emocje bardziej wzbudził moją sympatię niż stojący pod ścianą potężny, bezosobowy manekin. Zaraz jednak spoważniałem, uświadamiając sobie, że zginął jeden z członków wyprawy, a ja nadal nie miałem pojęcia, jak do tego doszło.

*

Sala konferencyjna tak naprawdę była największym pomieszczeniem na statku przeznaczonym do dyspozycji załogi, stąd też stanowiła zarówno mesę, magazyn rzeczy osobistych, które nie mieściły się w ciasnych kajutach sypialnych, jak i miejsce spotkań towarzyskich. Przy stole siedzieli już Thorssen i Szenrab. Naukowiec był wyraźnie poruszony i gestykulując rękoma, zacięcie coś tłumaczył. Skinąłem im głową i się przysiadłem.

– Wstępne analizy i badania potwierdziły słuszność mojej teorii! – Szenrab wyprostował się dumnie, a komandor posłał mi znaczące spojrzenie. Widać było, że kosmologia interesuje go jak zeszłoroczny śnieg na dziesiątej planecie Epsilon Eridani i bardziej jest ciekaw mojego raportu na temat Goliatów. Pokręciłem głową, dając mu do zrozumienia, że nic nie znalazłem. Zawiedziony opuścił ramiona i zrezygnowany dalej słuchał wywodu Szenraba.

– Pierwsze wyniki nie były obiecujące. – Pochłonięty swoim odkryciem naukowiec zdawał się nie widzieć naszych ponurych min. – Wszystko wskazywało na to, że tajemnica młodości błękitnych maruderów tkwi jednak w przepływie masy między dwoma składnikami. Tak jak mityczne wampiry wysysają krew ze swoich ofiar, żeby zachować wieczne życie, tak one miałyby wysysać materię z towarzyszących im gwiazd.

– Bardzo plastyczne porównanie – rzekł znudzony Thorssen.

– Nieprawdaż? – Szenrab zdawał się zupełnie nie dostrzegać ironii. – Przejrzałem jednak raz jeszcze wyniki uzyskane przez teleskopy Gwiezdnego Anioła i dostrzegłem pewną anomalię wśród trzech spośród dwudziestu jeden błękitnych maruderów, które znajdują się w tej gromadzie. Otóż okazało się, że ich powierzchnie zawierają mniej węgla i tlenu, niż wynikałoby to z teorii, a to oznacza, że materiał tworzący zewnętrzne powłoki musiał zostać wyrwany z głębokich warstw innych gwiazd. Ponadto ruch tych gwiazd wokół własnej osi jest nietypowy. Rotują trzykrotnie szybciej niż podobne im obiekty!

Szenrab przerwał, oczekując na zachwyty z naszej strony, słowa pochwały i uznania. Nic takiego jednak nie nastąpiło.

– I czego to ma dowodzić? – zapytał komandor.

Naukowiec w irytacji wzniósł oczy ku górze, jakby szukał oparcia w Allachu, w którego wierzył.

– Jak to czego?! Błękitne marudery powstają w wyniku gwałtownych zderzeń z innymi gwiazdami! W gromadzie kulistej o kolizje nietrudno. Z moich badań wynika, że te gwiazdy napadają i wchłaniają mniejsze. Można śmiało porównać je z kanibalami pożerającymi swoje ofiary!

– Albo z zombie – rzekłem i roześmiałem się. Zaraz jednak zamilkłem, widząc ponure oblicze Thorssena.

– Kogo to obchodzi?! – warknął dowódca. – Mamy poważniejsze problemy. Nasz inżynier nie żyje, a my nie wiemy, co spowodowało wypadek. Nie wiadomo, czy bez niego możemy kontynuować naszą misję, a ty nam zawracasz głowę bzdurami.

Urażony Szenrab założył ręce na piersi i mocno zacisnął usta, najwyraźniej postanawiając się więcej nie odzywać. Pewnie nie mieściło mu się w głowie, jak ktoś może zignorować tak doniosłe odkrycie.

– A w ogóle gdzie jest Gorszkow? – zapytał zirytowany komandor. – Wzywałem go kwadrans temu. Musimy zdecydować, co dalej.

Chwycił leżący na stole komunikator i połączył się z ambulatorium. Nikt nie odpowiadał. Przełączył do kajuty lekarza. Również odpowiedziała mu cisza.

– Pójdę po niego – zaofiarował się Szenrab, który najwyraźniej miał dosyć naszego towarzystwa. Może liczył na to, że Gorszkow wysłucha wynurzeń na temat jego odkrycia.

Gdy zamknęły się za nim drzwi, z niepokojem spojrzałem na dowódcę.

– Zna pan procedury, komandorze – rzekłem. – Nie możemy kontynuować misji bez pełnego składu załogi. Powinniśmy odlecieć i wrócić na 47 Tucanae, gdy znajdziemy nowego inżyniera...

Thorssen uderzył pięścią w stół. Nigdy wcześniej nie widziałem go tak rozzłoszczonego, a to była już czwarta misja, w jakiej razem uczestniczyliśmy.

– Nie musisz mi o tym przypominać!

Po chwili opanował się nieco i powiedział:

– Powrót oznacza straconą szansę. Zainwestowałem w wyprawę wszystkie oszczędności. Jeśli opuścimy planetę, już nigdy tu nie wrócimy. Nie zbiorę pieniędzy na następną misję.

– Jeśli zostaniemy, złamiemy przepisy, co grozi odpowiedzialnością karną.

– Zostaniemy z niczym – rzekł z naciskiem. – Ja będę bankrutem, a wy nie dostaniecie zapłaty za kontrakt. A w niedługim czasie ktoś inny tutaj dotrze, odkrywając wszystkie bogactwa tego świata.

– Wolę zostać bez pieniędzy niż gnić w więzieniu – odparłem. – Zresztą nie wiemy, czy są tu jakieś wartościowe złoża. Na razie sondy nic nie wykazały.

– Tu coś jest. – Thorssen patrzył gdzieś w przestrzeń nieprzytomnym spojrzeniem. – Jeszcze nie wiem co, ale instynkt mi mówi, że zgarniemy za to kupę kasy.

Nie odpowiedziałem. Wiedziałem, że dowódca już podjął decyzję. Szenrab pewnie go poprze, chcąc zbadać do końca fenomen błękitnych maruderów. Miałem tylko nadzieję, że Gorszkow okaże się rozsądniejszy i zdołamy przekonać komandora do powrotu.

Z rozmyślań wyrwał mnie sygnał komunikatora.

– Jestem w ambulatorium – rozległ się głos Szenraba. – Lepiej tu zaraz przyjdźcie.

*

W ambulatorium zastaliśmy Szenraba pochylonego nad leżącym Gorszkowem. Komandor uklęknął i przyłożył dwa palce do tętnicy lekarza.

– Nie wyczuwam pulsu – stwierdził beznamiętnie. – Nie żyje.

– Jak to możliwe? – wyszeptałem pobladły.

Spojrzałem na zwłoki. Na szyi Gorszkowa znalazłem ślady po duszeniu i kilka zadrapań. Wyglądało na to, że toczył z kimś walkę. Zerknęliśmy podejrzliwie na siebie.

– Co tu się, kurwa, dzieje?! – krzyknął Szenrab.

– Ty nam powiedz – odparł zimno Thorssen. – To ty byłeś z nim w ambulatorium.

– Jak przyszedłem, on już tak leżał!

Zapanowała pełna napięcia cisza. Komandor groźnie taksował wzrokiem naukowca, a ten zaciskał wściekle zęby.

Nagle coś zwróciło moją uwagę.

– Gdzie ciało Bahmana?

Rozejrzeliśmy się po ambulatorium.

– Leżało na stole – odparł Thorssen. – Może Gorszkow schował je do chłodni?

Przeszedłem przez całe pomieszczenie, otworzyłem drzwiczki komory chłodzącej, ale była pusta. Dowódca doskoczył do Szenraba i chwycił go za bluzę.

– Gdzie jest ciało?! Mów, co zrobiłeś?!

– Puść. – Naukowiec próbował się uwolnić. – Ja nic nie zrobiłem. Naprawdę pan sądzi, komandorze, że przez tych kilka minut zdążyłbym zabić Gorszkowa i ukryć ciało Bahmana? Zresztą, po co miałbym to robić?

– Komandorze, on ma rację. – Chwyciłem dowódcę za ramię, próbując odciągnąć od szamoczącego się Szenraba. – To nie mógł być on.

Thorssen nadal był roztrzęsiony. Ciężko przychodziło nam uwierzyć, że ten weteran wielu misji, doświadczony astronauta, człowiek, który niejednokrotnie bywał w niebezpieczeństwie i nigdy nie tracił zimnej krwi, teraz kompletnie się rozsypał. Z drugiej strony trudno się dziwić. W tajemniczych okolicznościach zginęło dwóch członków załogi, wyprawa miała zakończyć się klęską, a on jako inwestor zostanie bankrutem.

– A więc kto to zrobił? – spytał Thorssen, bezradnie patrząc to na mnie, to na Szenraba.

Odpowiedzią był sygnał alarmowy, który nagle zaczął wyć, docierając do każdego zakamarka Gwiezdnego Anioła.

– Nastąpiło otwarcie śluzy – informował beznamiętny głos komputera. – Zagrożenie rozhermetyzowaniem statku.

Wybiegliśmy z ambulatorium. Od mostka, z którego można było zablokować zewnętrzne grodzie, dzielił nas dwudziestometrowy korytarz, schody prowadzące na drugi pokład i kolejny długi korytarz. Z racji tego, że codziennie ćwiczyłem, miałem najlepszą kondycję i jako pierwszy dopadłem pulpitu sterującego. Cały czas łudziłem się jeszcze, że to fałszywy alarm, ale wystarczył jeden rzut oka na wskaźniki i już wiedziałem, że śluza faktycznie została otwarta. Wbiłem niezbędne kody i gródź się zamknęła. Mieszkalna część statku była bezpieczna.

Za moimi plecami stanęli zdyszani Thorssen i Szenrab.

– Co to, kurwa, było? – spytał poirytowany naukowiec.

Spojrzałem na konsolę i pokręciłem głową w niedowierzaniu.

– Wygląda na to, że ktoś ręcznie otworzył śluzę i wyszedł na zewnątrz.

– Kto?

Podnieśliśmy wzrok, by wyjrzeć przez iluminator, jakbyśmy spodziewali się zobaczyć odpowiedź na nasze pytanie. Ale za szybą rozciągał się jedynie widok na planetę pogrążoną w upiornym błękicie.

– Wyjdę sprawdzić – rzekł komandor. – Może znajdę jakieś ślady. Pomożecie mi założyć skafander, potem schowacie do chłodni zwłoki Gorszkowa i znajdziecie ciało Bahmana.

– A jeśli to on otworzył śluzę? – zapytałem.

– Nie bądź śmieszny. – Szenrab parsknął śmiechem. – Bahman nie żyje. A trupy nie chodzą.

Spojrzałem na niego poważnie.

– Ktoś jednak to zrobił.

*

Pomogliśmy dowódcy włożyć ciężki, niewygodny skafander, zamontować plecak z tlenem i nałożyć hełm. Sprawdziliśmy zapas powietrza, szczelność warstw ochronnych, zabezpieczenia i prawidłowość działania wszystkich funkcji. Dopiero wtedy Thorssen mógł wyjść na zewnątrz. Na pokładzie Gwiezdnego Anioła oficjalnie nie było broni, ale komandor miał swój prywatny pistolet laserowy. Niezgrabnie chwycił go dłonią obleczoną w rękawicę i wszedł do śluzy.

Zamknęły się za nim grodzie.

Obserwowaliśmy go przez przezroczystą szybę. Odczekał czas potrzebny na skompensowanie różnicy ciśnień i otworzył grodzie zewnętrzne. Gdy drzwi ponownie się zatrzasnęły, zniknął nam z oczu.

– Komandorze – włączyłem komunikator zaczepiony przy uchu – słyszy mnie pan?

– *Głośno i wyraźnie.*

– To dobrze. – Ucieszyłem się, bowiem czasami komunikację utrudniały zakłócenia, wynikające z dużej ilości gwiazd w centrach gromad kulistych. – Będziemy cały czas w kontakcie.

– *Dobra.*

– Widzi pan coś?

– *Tak.* – W jego głosie wyczuć można było irytację. – *Pieprzony błękit. Jakby przeze mnie przenikał, wdzierał się we mnie... Okropne uczucie.*

Spojrzeliśmy po sobie z Szenrabem. Każdy z nas odczuwał ulgę, że to nie on musiał wyjść na zewnątrz. Światło błękitnego marudera przyprawiało o gęsią skórkę – było w nim coś upiornego, destruktywnego, odbierającego energię do życia.

– Proszę aktywować filtr w osłonie hełmu – poradziłem dowódcy. – Może chociaż trochę zmniejszy dyskomfort.

Przez chwilę panowała cisza.

– *Nic to nie dało* – rozległ się zrezygnowany głos Thorssena. – *Obejdę statek naokoło.*

– To dobry pomysł.

– *Znaleźliście już ciało Bahmana?*

Syknąłem cicho. Pochłonięci wyekspediowaniem komandora na zewnątrz, zupełnie zapomnieliśmy o dyspozycjach, które wydał. Cały czas staliśmy przy śluzie, a mieliśmy jeszcze schować do chłodni ciało Gorszkowa. Skinąłem Szenrabowi głową i ruszyliśmy do ambulatorium.

– Właśnie jesteśmy w trakcie poszukiwań.

– *To dobrze* – rozległo się z komunikatora. – *Jak go znajdziecie, to dajcie mi znać.*

– Tak jest!

Szliśmy korytarzem w milczeniu. Dopiero teraz na spokojnie mogłem się zastanowić, co się tak naprawdę stało. O ile śmierć Bahmana mogliśmy uznać za nieszczęśliwy wypadek, o tyle w przypadku Gorszkowa było to morderstwo. A jeśli nie zrobił tego nikt z naszej trójki, musiał to być ktoś z zewnątrz. Przeszedł mnie zimny dreszcz.

Może Gorszkowa zabiło jakieś zwierzę, które dostało się do wnętrza statku? – myślałem gorączkowo. Z drugiej jednak strony wyglądało to na działanie istoty myślącej. Czyżby zatem na planecie istniała obca, inteligentna forma życia? Czy mamy pierwszy kontakt z pozaziemską cywilizacją? Kontakt, który się zaczął od morderstwa?

Moje rozmyślania przerwał głos z komunikatora.

– *Mam coś.*

– Komandorze?

– *Widzę jakieś ślady odciśnięte w piachu... Zaraz...*

Przystanęliśmy zaintrygowani.

– *To ślady stóp człowieka!*

– Niemożliwe – wyszeptał pobladły Szenrab.

Przez moją głowę przetaczały się setki myśli, gdy szukałem racjonalnego wytłumaczenia. Najlogiczniejsze założenie wyglądało tak, że na pokładzie Gwiezdnego Anioła schował się pasażer na gapę, który zamordował Gorszkowa – a może również Bahmana – i ukrył ciało inżyniera, a potem włożył skafander i wyszedł na zewnątrz. Tylko że to nie miało sensu. Po co ktoś miałby to wszystko robić? W jakim celu?

A może morderca działał na zlecenie konkurencji? Bywało, że walczące o wpływy korporacje sabotowały wyprawy, ale nigdy nie posunęłyby się do czegoś takiego. Chociaż czasy się zmieniały i teraz człowiek był człowiekowi wilkiem.

Bardziej prawdopodobne wydawało się to, że Bahman przeżył wypadek. Obudził się i w szoku rzucił na Gorszkowa. Zabił go, a potem, cały czas oszołomiony, wyszedł na zewnątrz. To tłumaczyłoby ślady ludzkich stóp.

Na potwierdzenie swojej hipotezy nie musiałem długo czekać.

– *Bahman, ty żyjesz!* – Usłyszeliśmy zdumiony głos komandora. – *Gdzie masz skafander? Przecież atmosfera planety jest trująca...*

Jak zahipnotyzowani wpatrywaliśmy się w komunikator, jakby miał nam zaraz wyświetlić scenę rozgrywającą się na zewnątrz.

– *Bahman... dziwnie wyglądasz.* – Thorssen był coraz bardziej zaniepokojony. – *Odezwij się do mnie!*

Szenrab zaczął nerwowo pocierać dłonią policzek.

– *Stój!* – W głosie dowódcy brzmiała panika. – *Nie zbliżaj się, bo będę strzelał. Stój, powiedziałem!*

Usłyszeliśmy trzy salwy wychwycone przez zewnętrzne mikrofony umieszczone w hełmie. Nastąpiła pełna napięcia cisza. Trwała zaledwie trzy sekundy, ale mnie się wydawało, że całe wieki.

– *Nie!* – Z komunikatora dobiegł wrzask tak przerażający, że obaj z Szenrabem aż się wzdrygnęliśmy. Potem usłyszeliśmy tylko odgłos szarpaniny i przeciągły jęk.

– Komandorze! – krzyknąłem w mikrofon. – Co tam się dzieje?

Cisza.

– Słyszy mnie pan, komandorze?

Z komunikatora dobiegał tylko szum.

– Co robimy? – Szenrab spojrzał na mnie przestraszony. – Wyjdziemy na zewnątrz, żeby sprawdzić, co się stało?

Pokręciłem głową. Byłem tak samo jak on przerażony i nie miałem najmniejszej ochoty opuszczać statku. Zagrożenie czaiło się na zewnątrz, wewnątrz Gwiezdnego Anioła mogliśmy czuć się bezpieczni.

Jakże się myliłem.

*

Nie spostrzegliśmy, kiedy się pojawił. Może stał w korytarzu już od dłuższego czasu, obserwując nas i przysłuchując się rozmowie, a może przyszedł dopiero teraz, w każdym razie gdy go ujrzeliśmy, oniemieliśmy na dobrych kilka sekund. Gorszkow skórę miał białą jak u nieboszczyka, którym tak naprawdę był, a to, że stał przed nami, kolebiąc się niczym kukła, zakrawało na jakiś koszmar. Jego twarz stężała w pośmiertnym grymasie, z lekko rozchylonych ust wydobywało się ciche warczenie. Najbardziej przerażające były jednak oczy wypełnione upiornym błękitem, takim samym jak światło tej przeklętej gwiazdy. Odnosiłem wrażenie, że spogląda na nas z głębin śmierci.

Nagle lekarz ruszył w naszą stronę, wyciągając ręce niczym szpony. Z jego gardła dobywał się straszliwy, nieludzki charkot i już nie miałem żadnych wątpliwości, że to nie jest Gorszkow, a jakiś potwór obleczony w jego ciało.

Odskoczyłem. To samo uczynił Szenrab, a zezłoszczony Gorszkow czy też to, czym był ten stwór, ryknął wściekle. Odwrócił się i ponownie natarł. Tym razem byłem przygotowany i wymierzyłem mu potężny prawy prosty. Nigdy nie uważałem się za wyśmienitego boksera, ale w bójkach radziłem sobie całkiem dobrze. Dlatego zdziwiłem się, że po ciosie, który powinien przynajmniej oszołomić przeciwnika, lekarz nadal nacierał. Nie wywarło to na nim żadnego wrażenia.

Gorszkow chwycił mnie za gardło i zaczął dusić. Próbowałem się wyszarpnąć, ale on był nadludzko silny. Nieporadnie uderzałem pięściami, jednak to był próżny trud. Zaczęło brakować mi powietrza, przed oczami pojawiły się czarne mroczki i zdałem sobie sprawę, że chwile mojego życia są już policzone.

Ale nagle poczułem, że ucisk osłabł. Gdy wróciła ostrość widzenia, ujrzałem jak Szenrab okłada Gorszkowa żelaznym drągiem wyrwanym z instalacji hydraulicznej, która ciągnęła się wzdłuż korytarza. I chociaż w każde uderzenie wkładał całą swoją siłę, dało to tylko tyle, że stwór zwrócił na niego uwagę. Puścił mnie i ruszył w stronę naukowca.

– Uciekamy! – krzyknąłem. – Na mostek!

Ominąłem Gorszkowa i jak szalony popędziłem korytarzem. Nie oglądałem się za siebie, ale słyszałem, że ktoś za mną biegnie. Miałem nadzieję, że to Szenrab. Wpadłem na mostek i rzuciłem się do przycisku zamykającego grodzie. Obok mnie stanął zdyszany naukowiec.

Drzwi zamykały się niemiłosiernie długo i gdyby istniała taka możliwość, pomógłbym siłą własnych mięśni. Wszystko jednak było zautomatyzowane i mogłem tylko mieć nadzieję, że Gorszkow nie zdąży nas dopaść. Szedł wolno, koślawo, powłócząc nogami, jakby na nowo uczył się chodzić, jednak cały czas parł do przodu. Nieustępliwie. I kiedy już czułem jego cuchnący oddech w nozdrzach, drzwi wreszcie się zatrzasnęły przed samym nosem stwora. Wbiłem kod blokujący grodzie, żeby nie można było ich otworzyć od zewnątrz, i dopiero wówczas oparłem się o ścianę. Z ciężkim westchnieniem osunąłem się na podłogę. Szenrab otarł pot z czoła i usiadł przy mnie.

– Co to było?! – spytał.

Pokręciłem głową, nie mając pojęcia, co odpowiedzieć.

– Jakiś zombie czy co? – Szenrab cały był roztrzęsiony. – Jak w jakimś starym filmie.

Nagle usłyszeliśmy walenie w drzwi. Dudniące i jednostajne. Naukowiec spojrzał na mnie przestraszony.

– Nie wejdzie – rzekłem uspokajająco. – To solidne grodzie.

W odpowiedzi uderzenia stały się coraz mocniejsze. Przygryzłem dolną wargę, ponuro spoglądając na pojawiające się wybrzuszenia. Stwór dysponował potężną siłą.

Szenrab klepnął mnie w ramię i wskazał iluminator. Zmrużyłem oczy, próbując dostrzec coś w oślepiającym błękicie, i zobaczyłem leżącego Thorssena. Nie ruszał się. Skafander miał w strzępach, pęknięty hełm, głowę skręconą pod dziwnym kątem. Nie ulegało wątpliwości, że nie żyje. Zakląłem cicho.

Siedzieliśmy przez dłuższy czas w milczeniu. Ciszę rozrywało jednostajne uderzanie o grodzie. Zdawałem sobie sprawę, że prędzej czy później potwór wedrze się do środka, a my nie damy mu rady. Właśnie zastanawiałem się, co robić, gdy nagle Szenrab krzyknął:

– Patrz!

Podążyłem za wzrokiem naukowca i ujrzałem Thorssena zbierającego się z ziemi. Robił to powoli i ospale, jakby budził się z głębokiego snu. Rozglądał się wokół siebie z ciekawością dziecka, a jednocześnie przetrącony kręgosłup sprawiał, że głowa upiornie zwisała mu w bok. Gdyby nie groza sytuacji, roześmiałbym się z tego groteskowego widoku. Komandor chwiejnie stanął na nogi, postąpił ostrożnie krok do przodu, i powłócząc, ruszył w stronę statku.

– To niemożliwe – wyszeptałem.

Trup zbliżył się do iluminatora i wówczas mogliśmy obejrzeć jego oblicze. Twarz nie była blada jak u Gorszkowa, ale zupełnie sina, jakby cała krew z niej odpłynęła, skóra popękała w wyniku oddziaływania zabójczej atmosfery planety, a pozbawione tęczówek oczy emanowały błękitem. Musiał nas zauważyć i zaczął walić pięścią o pancerną szybę iluminatora. Nie mógł nawet jej zarysować, ale upiorność tej sceny przyspieszyła bicie mojego serca. Cały czas rozlegały się głuche uderzenia o grodzie oddzielające korytarz od mostka. Nagle nasiliły się i tym razem już dwie istoty waliły w drzwi, co oznaczało, że trup Bahmana dołączył do Gorszkowa i teraz wspólnymi siłami próbowali sforsować przeszkodę.

– Co zrobimy? – spytał przerażony Szenrab.

*

Myślałem gorączkowo. Znaleźliśmy się w sytuacji bez wyjścia. Nie mogliśmy opuścić sterówki, bo na korytarzu czekały na nas dwa żywe trupy. Nawet jeśli udałoby się nam przebić, to co dalej? Wydawało się, że tych potworów nic nie jest w stanie zniszczyć.

Mogliśmy co prawda włożyć skafandry i uciec ze statku, jednak na planecie przeżyjemy tylko tak długo, na ile nam starczy tlenu. A woda? Pożywienie?

– Dlaczego oni żyją? – spytałem Szenraba. – Jak to możliwe?

– Nie wiem.

– Przecież jesteś naukowcem – warknąłem.

Szenrab z trwogą spojrzał na grodzie, do których dobijali się Gorszkow i Bahman, potem na szybę iluminatora, w którą raz za razem uderzał Thorssen.

– Teraz chcesz o tym rozmawiać?

– Żeby przedsięwziąć coś, co poskutkuje, musimy wiedzieć, z czym mamy do czynienia – rzekłem. – Więc myśl. I to szybko.

Szenrab przymknął powieki, przyłożył po dwa palce do skroni i zaczął je masować. Myślał przez dobrą minutę, podczas której wybrzuszenia na grodzi stawały się coraz większe. Z niepokojem obserwowałem, jak w drzwiach zaczyna powstawać szpara, i wiedziałem, że niedługo zostaną wyważone.

– Nie ulega wątpliwości, że Bahman, Gorszkow i Thorssen zginęli, a później zostali przywróceni do życia – oznajmił w końcu naukowiec. – Nie są jednak sobą. Utracili własną tożsamość, może nawet pamięć. Zastanawiam się, czy posiadają świadomość, czyli zdają sobie sprawę z własnych procesów myślowych? A może to tylko instynkt? Jakiś imperatyw każe im zabijać.

– Dlaczego?

– Mogę tylko przypuszczać.

– Mów!

Szenrab westchnął ciężko, ze strachem spoglądając na grodzie.

– Strumień świadomości to ciąg uświadamianych stanów i aktów przynależnych do pewnego ja. To zdolność do rozpoznawania własnych procesów myślowych oraz zjawisk zachodzących w środowisku zewnętrznym i możliwość reagowania na nie. Neuronaukowcy badający zagadnienie mówią o neuronalnych korelatach świadomości...

– Szenrab! – krzyknąłem. – Do rzeczy. Nie mamy czasu.

– Gdy przestają funkcjonować ciało i mózg, mówimy o śmierci. Jednakże tak naprawdę nie wiemy, co dzieje się z naszą świadomością. Istnieje teoria, że jest ona sprzężona kwantowo z jakąś potężną jaźnią, znajdującą się gdzieś we wszechświecie lub poza nim.

– Bóg?!

– Tak bym tego nie nazwał. – Pokręcił głową. – Bóg jest osobowy. A to jest coś na kształt Jedni, zespolonego tworu wszelkich świadomości. Według tej teorii po śmierci człowieka jego świadomość nadal istnieje, ale na innym poziomie.

– Rozumiem. – Zmarszczyłem czoło. – Ale jak to się stało, że w przypadku Bahmana, Gorszkowa i Thorssena powróciła i ich... uaktywniła?

Naukowiec wzruszył ramionami.

– Pierwszy raz mamy z czymś takim do czynienia.

– Jakby z powrotem przeszmuglowano ich dusze.

– To dobre porównanie.

Milczeliśmy przez chwilę, wpatrując się w szczelinę w drzwiach, która powiększała się z minuty na minutę.

– Tylko jeśli świadomość do nich wróciła, dlaczego nie pozostali sobą? – spytałem. – Czemu zmienili się w jakieś zombie?

– Świadomości nie można utożsamiać z samoświadomością, gdzie podmiot zdaje sobie sprawę z własnej tożsamości. Świadomość jest jak światło, które rozjaśnia mrok. Może mieć jednak różne stopnie intensywności i wyrazistości...

– To tłumaczyłoby brak ich osobowości.

Szenrab pokiwał głową.

– Tylko dlaczego zabijają?

Nagle zerwał się na równe nogi i chwycił za głowę.

– Wiem! – krzyknął. – Jak mogłem na to nie wpaść wcześniej? Analogia jest oczywista. To musi mieć coś wspólnego z błękitnymi maruderami.

– Z tymi gwiazdami?

– Tak – potwierdził. – Z gwiazdami kanibalami wchłaniającymi inne gwiazdy, żeby zdobyć ich energię. O to właśnie chodzi. O zespolenie świadomości!

– Chcesz powiedzieć, że te... te... zombie zabijają nas, żeby posiąść świadomość?

– Działają wspólnie niczym jeden umysł. Każda pochłonięta przez nie świadomość wzmacnia je. Musi zachodzić jakaś korelacja z błękitnymi maruderami...

– Szenrab! – krzyknąłem, widząc, że się rozkręca. – Co możemy zrobić?!

Spojrzał nieprzytomnie na mnie, a potem na grodzie oddzielające nas od byłych towarzyszy, którzy teraz, zamienieni w jakieś monstra, usiłowali nas zgładzić. Nagle w brązowych oczach naukowca pojawiło się zrozumienie.

– Uciekajmy stąd – rzekł. – Z tej pieprzonej gromady kulistej. Jak najdalej od tego błękitnego piekła.

*

Z panelu kontrolnego rozpoczęliśmy procedurę startową Gwiezdnego Anioła. Trwać miała około kwadransa, żeby reaktor uzyskał odpowiednią moc. W tym czasie z niepokojem spoglądaliśmy na grodzie, które lada chwila mogły ustąpić. Do Bahmana i Gorszkowa przyłączył się również Thorssen. Musiał powrócić na statek, gdy tylko usłyszał rozgrzewane silniki.

– Minuta do startu – rzekłem, spoglądając na panel.

Usiedliśmy w fotelach i przypięliśmy się pasami.

– Co zrobimy, jak to nie zadziała? – spytał Szenrab.

– Nie mam pojęcia – odparłem zgodnie z prawdą.

Ryknęły silniki Gwiezdnego Anioła i statek wystrzelił w górę, przebijając się przez atmosferę planety. Przez iluminator spoglądałem, jak upiorny błękit ustępuje miejsca błogosławionej czerni kosmosu.

Przyspieszaliśmy.

Błękitny maruder pozostawał daleko w tyle i teraz był nie większy niż główka od szpilki. Z zawrotną prędkością mijaliśmy inne gwiazdy w gromadzie i już niedługo 47 Tucanae była tylko mglistym wspomnieniem, koszmarem, do którego nigdy więcej nie będę chciał wracać.

Do komputera wbiłem koordynaty lotu na Ziemię, włączyłem sztuczną grawitację i zacząłem nasłuchiwać. Uderzenia w grodzie umilkły. Jedyne, co dobiegało moich uszu, to ciche buczenie silników. Czyżby Szenrab miał rację?

Spojrzałem na naukowca.

– Udało się?

– Na to wygląda. – Wyszczerzył zęby w uśmiechu, wstał z fotela i zbliżył się do drzwi. Sięgnął do przycisku otwierającego grodzie.

– Co robisz?! – wrzasnąłem.

– Przecież nie możemy tutaj siedzieć cały czas – odparł. – Prędzej czy później i tak musimy wyjść po wodę i żywność.

– A jeśli się pomyliłeś?

– Wątpię. – Szenrab wyglądał na pewnego siebie. – Założę się, że te stwory leżą teraz na podłodze martwe.

– One są martwe.

– Racja. – Pokiwał głową. – Chciałem powiedzieć: pozbawione świadomości.

Zanim zdążyłem zareagować, nacisnął przycisk i grodzie, mocno już zdeformowane, rozsunęły się z nieznośnym zgrzytem. Zamarłem. Spodziewałem się, że zaraz z mroku korytarza wyłonią się groteskowe sylwetki naszych byłych towarzyszy, wyciągną posiniałe ręce w kierunku Szenraba, pochwycą go i zabiją. Nic takiego jednak nie nastąpiło.

– Nie ma ich – rzekł skonsternowany naukowiec.

Odpiąłem pasy, wstałem z fotela i do niego dołączyłem. Korytarz faktycznie był pusty.

– Gdzie oni się podziali? – Głos zniżyłem do szeptu, jakby w obawie, że mogą nas usłyszeć. – Wracajmy.

– Nie bądź śmieszny – prychnął Szenrab. – Pewnie leżą gdzieś dalej. Gdyby byli świadomi, nadal staliby pod drzwiami.

Argumentacja wydawało się logiczna, ale ja niemalże czułem czające się gdzieś niebezpieczeństwo.

– Chodźmy – rzekł naukowiec i ruszył wzdłuż korytarza. Ostrożnie poszedłem za nim. Zaglądaliśmy do wszystkich mijanych pomieszczeń, ale nigdzie nie natrafiliśmy na ślad Bahmana, Gorszkowa i Thorssena.

– Wygląda na to, że przed startem zdążyli opuścić pokład Gwiezdnego Anioła – powiedział z ulgą Szenrab. – Mamy ich z głowy.

– Sprawdźmy jeszcze pomieszczenia magazynowe.

– Jak chcesz – odwrócił się do mnie – ale mówię ci, ich już tutaj nie ma...

Ledwie to powiedział, pojawili się. Wyłonili się z mroku korytarza za plecami naukowca. Cicho niczym zjawy. Zanim zdążyłem krzyknąć, pochwycili Szenraba, zaczęli go dusić, okładać pięściami, wbili się w niego paznokciami i zębami. Minęła zaledwie chwila, a mój towarzysz leżał na ziemi zmasakrowany. Nie mogłem mu w żaden sposób pomóc. Gdy stwór, który jeszcze niedawno był Thorssenem, podniósł głowę i spojrzał na mnie upiornym błękitnym wzrokiem, zrozumiałem, że to koniec. Nie ma już nadziei, bo chociaż Gwiezdny Anioł zostawił daleko w tyle gromadę kulistą 47 Tucanae, to co tam spotkaliśmy, zabraliśmy ze sobą.

Nie miałem żadnych szans. Prędzej czy później te potwory mnie dopadną, wyważą każde drzwi na statku. Nie sposób się przed nimi ukryć. Wiedziałem, co muszę zrobić. To było jedyne wyjście.

Odwróciłem się i popędziłem do maszynowni. Drżącymi palcami wystukałem kod otwierający grodzie. Za sobą czułem już cuchnące oddechy moich prześladowców. Wpadłem do pomieszczenia i pobiegłem wprost do anihilatora materii. Stanąłem przed urządzeniem niepewny, wahając się jeszcze.

Życie jest czymś niezwykłym, niepowtarzalnym, jest darem, który należy szanować. To, co miałem zrobić, nie mieściło się w moich kategoriach moralnych. Poza tym poczułem paraliżujący strach. Już chciałem się wycofać, poszukać innego rozwiązania, złapać się jakiejś choćby iluzorycznej nadziei, ale nagle ich zobaczyłem.

Powoli podążali w moją stronę. Trójka śmiałków, którzy ruszyli na podbój kosmosu, moi towarzysze podróży. Żaden z nich nie bał się śmierci, każdy ze zwiadowców liczył się z tym, że może stracić życie. Na pewno jednak nie przypuszczali, że powrócą do swoich ciał i będą snuć się niczym zombie, pozbawione własnej woli, kukły kierowane jakimś niezrozumiałym imperatywem.

Nie chciałem skończyć jak oni.

Nagle ujrzałem Szenraba. Ze zmasakrowaną twarzą, z zakrzepłą krwią na policzkach, z naderwanym uchem, szedł za pozostałymi. Spojrzałem w jego oczy, ale nie znalazłem w nich ani śladu emocji, inteligencji czy zrozumienia. Tylko upiorny błękit.

Przeniosłem spojrzenie na wirujący laser wewnątrz anihilatora materii. Nie będę jak oni. Moje ciało rozpadnie się na atomy. Nie powrócę jako bezwolna kukła.

Postąpiłem w otchłań nieistnienia.

*

Światło. To pierwsze, co zobaczyłem. A raczej poczułem, bo byłem pozbawiony powłoki cielesnej, a moje zmysły fizyczne również przestały istnieć. Światło było białe, ciepłe i czyste, jakże inne od zimnego błękitu, z którym w ostatnim czasie przyszło mi obcować. Przyzywało mnie. Podążyłem w jego stronę, rozpływając się w szczęściu, jakie przenikało każdą cząstkę mojego jestestwa. Nic już nie miało znaczenia. Wszystkie troski, zmartwienia, ale także pragnienia pozostawiałem za sobą. Z każdą chwilą odczuwałem coraz większą radość. Zespalałem się z wszechświatem.

Sięgałem galaktyk, będąc jednocześnie nimi, podziwiałem wybuchy supernowych, eksplodując wraz z nimi, dotykałem krańców kosmosu, jednocześnie znajdując się na jego początku. Fizyka nie istniała, podobnie jak czas i pojęcie przestrzeni. Przestały mieć znaczenie jakiekolwiek prawa i zasady.

Otulałem się białym światłem, powoli zapominając o tym, kim byłem. Wspomnienia odpływały, żeby już nigdy nie powrócić. Czekała mnie wieczność w pełnym błogostanie, a ja zagłębiałem się weń coraz bardziej.

Nagle coś mną szarpnęło, pociągnęło wstecz. Światło zaczęło się oddalać, wracały emocje i pragnienia. Ogarnęły mnie rozpacz i żal. Jeszcze broniłem się nieporadnie, próbowałem pozostać w stanie nieistnienia, ale moc, która mnie z niego wyrywała, była zbyt potężna.

Zawładnęło mną przenikliwe zimno i uświadomiłem sobie, że zniknęło przyjemne białe światło, a otacza mnie upiorny błękit. Zacząłem być coraz bardziej świadomy swojego istnienia, poczułem własną fizyczność. To wywołało moją wściekłość. I już wiedziałem, że przerodzi się ona w nienawiść i tlić się będzie przez wieczność.

Otworzyłem oczy i zorientowałem się, że jestem na pokładzie Gwiezdnego Anioła. Resztkami dawnej świadomości przypomniałem sobie, że przecież ciało zniszczyłem, więc jak to możliwe, że powróciłem?

Uniosłem ręce i ujrzałem stalowe ramiona. Chciałem zawyć w przerażeniu, ale krzyk wiązł w gardle, bo moje usta nie istniały. Poczułem procesory, obwody i metaliczne ciało Goliata. Stałem się tym, czego tak bardzo nienawidziłem.

Zaraz jednak o tym zapomniałem, bo wypełniła mnie żądza zabijania. Niszczenia wszystkiego, co żywe.

Niedługo jednak mój głód zostanie zaspokojony.

Gwiezdny Anioł zdążał ku Ziemi.

Piotr Sarota – urodzony w roku 1988 w Krakowie, absolwent filmoznawstwa na Uniwersytecie Jagiellońskim. Redaktor portalu „Kawerna", recenzent, reprezentant Polski w III edycji programu „27 Times Cinema" prowadzonego przez Europa Cinemas. Miłośnik powieści *Chiny* Miéville'a, filmów Akiry Kurosawy i kina klasy B, szczególnie zainteresowany japońską (pop)kulturą. Od dłuższego czasu publikuje swoje teksty – zarówno literackie jak i krytyczne – w sieci. *Z poradnika niepraktycznego przeżycia postatomowego* jest jego debiutem wydawniczym.

Piotr Sarota

Z poradnika niepraktycznego przeżycia postatomowego

Oliver wszedł do pokoju, w którym czuć było charakterystyczną woń pozostawioną po nocnych bombardowaniach sąsiedniego miasta. Wziął głęboki oddech; uwielbiał zapach fosforu o poranku. Pachniał jak solidny, uczciwy zarobek. Mężczyzna odsunął żaluzje i wyjrzał przez okno. Wieżowce, estakady i budynki fabryczne ginęły w oparach gazów bojowych, które nadawały im malowniczości. Kości leżące w ogródku były już ładnie ogryzione i ich biel wspaniale komponowała się z kształtem leja po minie przeciwpancernej. Na ulicach żadnego człowieka – tylko od czasu do czasu przez jezdnię przebiegała zmutowana salamandra albo jelonek o dwóch głowach.

– Kolejny cudowny dzień w jakże cudownym Mieście! – powiedział do siebie, uśmiechając się. A właściwie można domniemywać, że się uśmiechnął, bo maska gazowa założona na twarz skutecznie utrudniała potwierdzenie tego faktu. – Aż chce się żyć, pracować i zarabiać!

Przeciągnął się, strzelając każdym możliwym stawem i kosteczką, a potem wszedł do pokoju swojego współpracownika,

Stana. Ten spał na wielkim łóżku, zwinięty w pękaty kłębek, chrapiąc głośno.

- Good Morning, Vietnam! - krzyknął Oliver prosto w ucho grubasa, ale nie doczekał się żadnej reakcji poza dość anemicznym ruchem ręki przypominającym odganianie muchy. - Wstawaj, obdartusie! Mamy nowy dzień, pełen perspektyw, możliwości i okazji! Nie można tracić czasu na opierdalanie się! Wstawaj!

Stan ponownie nie wykazał żadnej reakcji na zawołania - może poza zmianą tonu chrapania, które teraz przypominało odgłos pracy ruskiego czołgu. W końcu zdenerwowany chudzielec zamierzył się i kopnął potężnie współpracownika w zad. Przypominało to co prawda walenie małym palcem u stopy w futrynę drzwi, ale przynajmniej przyniosło rezultaty: spasiona kulka przewróciła się na drugi bok, podrapała po tyłku i otworzyła oczy, wpatrując się w Olivera.

- Hm?

- Ja ci dam „hm", łazęgo! - krzyknął chudzielec ze złością. - Koniec spania! Robotę mamy, zbieraj się!

- Ktoś się przedarł przez zasieki? - Grubas wstał powoli z łóżka. - I pole minowe?

- Nie, telefonowali.

- Telefonowali? Myślałem, że Czerwoni wysadzili radiostację.

- Podłączyłem się do tych drugich. Ich przynajmniej da się zrozumieć. A teraz pospiesz się. - Oliver wrócił do siebie i otworzył szafę, szukając odpowiedniego stroju. Zdecydował się w końcu na cylinder, roboczy skórzany płaszcz i ciężkie wojskowe buty - w końcu profesja zobowiązuje. Stanął przed lustrem i poprawił klamry przy płaszczu. - Idealnie... Kroi się duże zlecenie, mój przyjacielu, przynajmniej czterdziestu chłopa, zamówienie, że tak się wyrażę, ekskluzywne i intratne, więc trzeba odpowiednio się... Stan, co ty robisz?

Grubas stał w drzwiach, ubrany w obszerny płaszcz wojskowy zapięty po ostatni guzik i wysoki żołdacki hełm, spod którego widać było tylko parę gogli motorowych.

– Jak to co robię? Idę do pracy.

– Przecież zza tego kołnierza nawet gęby ci nie widać. Nie wiesz, że w tej branży odpowiednie pierwsze wrażenie jest esencjonalne?

– Wiem. Ale wcześniej mi muchy między zęby wlatywały w czasie jazdy.

Chudzielec podrapał się po głowie.

– W sumie fakt... Ostatnio zrobiły się strasznie gorzkie, nie uważasz?

*

– Wiesz, czasem wydaje mi się, że nasze Miasto jest w gruncie rzeczy wyjątkowe.

– Czemu tak sądzisz, Oliver?

– Spójrz tylko wokół. Na świecie wojna i zaraza, setki ton bomb obracają metropolie w gruzy, miliony giną każdego dnia... A u nas? Cisza i spokój!

Jechali sześciopasmową autostradą w stronę wschodniej części Miasta. Z obydwu stron spoglądały na nich mijane wystawne hotele, drogie restauracje, centra handlowe pełne luksusowych towarów i śladów dawnego życia. I tylko wybite szyby wystawowe, sypiący się tynk, spalone szkielety samochodów i kilkanaście luf karabinów snajperskich mogły przypominać, że mamy środek ogólnoświatowego krwawego atomowego konfliktu. Nagle samochód, turkocząc modyfikowanym silnikiem zdolnym korzystać z paliwa rakietowego, wjechał między pozostałości po blokadzie wojskowej Zielonych. Na ulicy leżały wywrócone pojazdy pancerne. Wieżyczki obserwacyjne stały smętnie, osmalone przez ogień. Wszędzie poniewierał się gruby drut kolczasty, a jezdnia usiana była lejami po pociskach.

– Musiała być niezła zabawa – powiedział Stan, wyglądając przez okno. – Czołgi, miotacze ognia... O, nawet artylerii użyli.

– Owszem, fajerwerki były niezłe. – Oliver starał się wymijać wyrwy w nawierzchni. – Ale oczywiście spałeś jak kamień i nic nie słyszałeś.

– Mogłeś chociaż spróbować mnie obudzić – westchnął grubas. – Ale może powinniśmy się zatrzymać i zobaczyć, czy nie ma czegoś ciekawego?

– Nie ma, sprawdzałem już. Wszystko zdążyli zabrać.

– Wszystko?

– Wszystko. Karabiny odkręcili, amunicję wystrzelali, paliwo wypompowali, saperki podprowadzili razem z radiem i apteczkami, tapicerki zdarli, blachy pancerne ukradli, nie mówiąc już o silnikach czy kołach. Nawet „Playboya" zabrali, został tylko kawałek okładki pod siedzeniem kierowcy.

– Co za draństwo! Nie dość, że strzelają się niemal u człowieka na podwórku, nie posprzątają bałaganu, jaki zrobią, to jeszcze kradną wszystko, co się nawinie pod rękę! Jakby mogli, bebechy też by z człowieka wyciągnęli i sprzedali! Doprawdy nie wiem już, dokąd zmierza ten świat.

– Ku zagładzie, bracie. Ku zagładzie. No i demokracji, oczywiście.

*

– Mówiłem ci, że się zgubiliśmy!

– Nieprawda! Jedziemy tak jak trzeba!

Oliver rozłożył na masce samochodu mapę i zaczął wodzić kościstym palcem po papierze.

– Jedziemy dobrze, zobacz! Tutaj jest autostrada, którą jechaliśmy. O, tutaj. Niedaleko stadionu skręciliśmy w prawo, tam widać jeszcze wystające rusztowania. Potem dzielnica bankowa, co prawda skróciliśmy drogę, żeby nas ci od kredytu nie zauważyli, ale wyjechaliśmy właściwie. Następnie prosto, obok Szkieletora, zjazd do drugiej nitki metra i wyjazd tuż przy kompleksie kościelno-rekreacyjnym. A na koniec skręt w prawo koło wisielca na lampie i objazd przy Blasku. Teraz pojedziemy tutaj, niedaleko starych zakładów broni chemicznej, i będziemy w domu.

Stan spojrzał na gruzowisko, które znajdowało się przed nimi.

– To mi nie wygląda na zakłady chemiczne.

– A na co niby?

Grubas podszedł bliżej do zawalonego budynku i rozejrzał się wokoło. W pewnym momencie schylił się i wyciągnął z gruzów sporej wielkości tabliczkę. Przetarł kawał blachy rękawem, odsłaniając napis: „ZAKŁADY PRZETWÓRSTWA RYBNEGO".

– Oliver, ty nas nad morze zawiozłeś!

– Jakie morze? Nie czuję żadnego amoniaku w powietrzu.

– Trudno, żebyś cokolwiek czuł z tą maską na łbie.

– Ty mi lepiej powiedz, jak mogliśmy taką pomyłkę popełnić? Przecież wszystko było dobrze. Stadion był, banki były, metro było, wisielec był...

– Może przy tym wisielcu się pomyliliśmy?

– Znaczy się co? Innego powiesili?

– Może. Żartownisie z nich są. Poza tym ten pierwszy był chyba Niebieski, a my minęliśmy Czerwonego. Pokaż no ten twój papirus.

Pochylili się nad mapą, jednak w tym samym momencie mocny podmuch wiatru porwał ją i uniósł. Mężczyźni obserwowali, jak skrawek papieru robi wywijasy, beczki i korkociągi, po czym znika w przepastnych żołądkach wielkiej sikorki.

– Wiesz co, stary, wydaje mi się, że czytałeś tę mapę do góry nogami.

– Tak sądzisz, Stan?

– Tak mi się wydaje. Ostatnim razem Blask był chyba bardziej na zachód.

– Cóż, trudno. Wrócimy po śladach i przy wisielcu pojedziemy w drugą stronę.

– Nom. Ale tym razem wypatruj Niebieskiego.

*

– Oliver, hamuj!

Mężczyzna nadepnął na hamulec i pojazd, przejechawszy jeszcze kilka metrów, zatrzymał się z piskiem opon. Woń palonych gum zmieszała się z fetorem z pobliskiej spalarni odpadów komunalnych, wypełniając powietrze intensywnym zapachem przypalonego wczorajszego obiadu.

– Kurde, będę musiał wymienić hamulce. Czemu kazałeś hamować?

– Tam...

– Co tam?

– Autostopowiczka.

Oliver spojrzał we wskazaną stronę i rzeczywiście – chodnikiem biegła machająca ręką kobieta, Stan natomiast przynaglał ją, żeby czym prędzej do nich dołączyła.

– Stary, jesteś pewien, że to dobry pomysł?

– A czemu nie? Biedna, samotna dziewczyna w wielkim Mieście – musimy takiej pomóc, co nie?

– Ten obszar jest dokładnie w centrum żerowiska Buków, a ona biegnie, jakby była na wycieczce. O, nawet plecaczek ma.

– To dobrze. Lekkoduchów nie zostało już wielu w tych trudnych czasach.

– Stan, ona jest ubrana w jakieś liście, a ich ilość nie wystarczyłaby ci na chusteczkę.

– Czyli jest praktyczna – bardzo przydatna cecha w Mieście.

– Ma fioletowe włosy, długie po pas.

– No... Popatrz, jak pięknie falują na tle świecącego pyłu, unoszone przez wiatr z zachodu.

– Stan, ona jest zielona.

– Nieprawda. Po prostu jej skóra ma odcień morza w słoneczny dzień, trawy targanej letnim wiatrem, lasu zroszonego przez wiosenny deszcz...

– O czym ty mówisz?

– Tak było w jednej takiej przedwojennej książce, tak ładnie napisane.

– A co to znaczy?

– Nie wiem, tego już nie napisali.

*

– A więc gdzie jedziesz? – Oliver wymijał kawałki myśliwców szturmowych leżące na jezdni. – Dzielnica handlowa, ekonomia, domy publiczne... dystrykt fabryczny? Ostatnio było tam strasznie tłoczno.

– Na wschód – powiedziała miłym głosem dziewczyna, przedstawiająca się jako Sil; siedziała na tylnym siedzeniu, trzymając głowę między przednimi fotelami. – Nigdy tam nie byłam, więc wybrałam się na wycieczkę. Podobno jest tam ślicznie o tej porze roku!

– Fakt, na wschodzie rzadko pada siarczanami. – Chudzielec zwolnił trochę, przyglądając się kawałkom kokpitu. – Ale dla mnie osobiście zbyt zimno. Wolę południe. Przedmieścia są tam ładne.

– Ale ludzie jacyś tacy dzicy i niegościnni.

– Ideału nie ma, przyjacielu.

Jechali w trójkę licznymi serpentynami, których setki kilometrów zgromadziły się w jednym miejscu, tworząc wielopiętrową konstrukcję przypominającą nawinięte na widelec spaghetti. Bez klopsików, za to ze sporą ilością sosu. Na szczęście lotnictwo było całkiem miłe i bomby trafiły w niektóre podpory tak, że konstrukcje zamiast się zawalić, tylko przechyliły się i wgryzły jedna w drugą. Dzięki temu w powstałej sieci dróg połapałby się nawet zmutowany kanarek.

– Skręć tu w lewo, Oliver... Powiedz, Sil, często robisz takie wycieczki?

– O, bardzo często! Miesiąc temu byłam w Los Angeles z grupą bardzo miłych i uczynnych Fioletowych, potem w Chicago mogłam obejrzeć sobie polowanie na Mutalisy i zjeść te sławne pikantne hamburgery z kapustą na Avondale, a tydzień temu udało mi się zobaczyć Miami!

– To Miami jeszcze istnieje?

– Tydzień temu istniało.

– Aha... A powiedz, Sil, jeździłaś tam zawsze z wojskiem?

– Najczęściej. Nie wiem, czemu wszyscy tak na nich narzekają, przecież to bardzo mili ludzie. Chętni do pomocy, dbali, bym nie oddalała się zbytnio, coby się nie zgubić, i czasami nawet udawało mi się dostarczyć im nieco rozrywki. No i zawsze cieszyli się na mój widok! Tylko że straszny pech mnie wtedy prześladuje.

– Co masz na myśli?

– No, raz spadł na nas wojskowy samolot, ale taki ogromniasty! I nagle wszyscy się gdzieś podziali i musiałam dalej sama wędrować. Znowu innym razem most, po którym jechaliśmy, zawalił się i prawie wszyscy wpadli do wody. Strasznie się wtedy zdenerwowałam, bo dałam jednemu takiemu mój plecak do potrzymania, a on znikł w tej wodzie i tyle go widziałam. A już najgorzej, jak mi się któryś żołnierz spodobał, bo potem okazywał się jakiś taki chory – włosy mu wypadały, skóra marszczyła, krew z nosa ciekła i ogólnie robił się taki mały...

– Efekt reformy wojska – rzekł Oliver z dezaprobatą. – Teraz to każdego do armii wezmą.

– Racja, aż żal na to patrzeć. – Stan pokiwał głową i spojrzał znów na Sil. – Teraz też podróżowałaś z żołnierzami?

– Owszem, z Czerwonymi. Bardzo gościnni. Tylko że jak odeszłam kawałek, żeby zobaczyć wesołe miasteczko i ten wielki diabelski młyn, to przyszły jakieś zwierzaczki, takie wiesz: duże, czarne, z wielgachnymi uśmiechami, co się wokół nich robi zimno, nie? No i wszystkich zabrały. Nie wiem, czemu chłopcy do nich strzelali, przecież były takie słodkie! Pewnie były głodne, bo ostatniego faceta mi niemal z rąk wyrwały!

– Oto do czego może doprowadzić ludzka lekkomyślność. Tak to jest, jak się nie stosuje do zakazu dokarmiania zwierząt. Bestia raz czy drugi dostanie darmowe jedzenie i nauczy się, że od człowieka można wziąć żarcie bez większego kłopotu. A potem dochodzi do takich sytuacji – zwierzaki przychodzą do ludzi, zamiast samodzielnie coś upolować. To uderza w ich instynkt i zmysł przetrwania, nie wspominając już, że nie wiadomo, co za cholerstwo może tkwić w tym naszym jedzeniu. A jeśli zaszkodzą im konserwanty? Albo słodzik spowoduje nieodwracalne zmiany w organizmie? Boję się, że niedługo takie działania doprowadzą do całkowitego wyginięcia kilku czy nawet kilkunastu gatunków. I to wszystko przez ludzką bezmyślność! Prawda, druhu?

– Szczera i jedyna. A swoją drogą, skoro mowa była o moście... Czy tu nie powinno być jednego?

*

– Doprawdy, Oliver, przesadzasz. Owszem, Sil może jest zielona, ale to jeszcze nic nie znaczy.

– Oczywiście, że nie. Może poza tym, że jest napromieniowana gorzej niż te kocie kotlety, które zostawiłeś tydzień temu na oknie.

– Tak? A co się z nimi stało, bo ich nie znalazłem?

– Wyrosła im trzecia noga i uciekły. Ale u licha, nie zmieniaj tematu! Mówię ci, Stan, ona jest niebezpieczna.

– Przesadzasz.

– A jak zacznie świecić w nocy?

– Niech cię cholera... Pokażę ci, że nic nam z jej strony nie grozi! Czekaj chwilę.

Stan wyszedł z samochodu i wskoczył na pakę, gdzie trzymali cały sprzęt niezbędny w czasie pracy i podręczne zestawy *Jak przeżyć w świecie nuklearnej pożogi*. Po chwili wrócił, trzymając w dłoni licznik Geigera. Włączył go i przystawił do miejsca, gdzie jeszcze niedawno siedziała ponętna autostopowiczka. Urządzenie zaczęło głośno trzaskać, a wskazówka licznika przesunęła się mniej więcej na połowę skali.

– Widzisz? – zapytał Stan. – Wcale nie tak źle.

– Rzeczywiście. Dawka śmiertelna przekroczona tylko dwukrotnie... Pewnie się rozkalibrował i pokazuje mniej.

– Zobaczymy. – Grubas sapnął i skierował licznik w stronę chudego współpracownika. Urządzenie zawarczało wściekle, zaświeciły lampki ostrzegawcze, a wskazówka latała jak oszalała po skali. W końcu coś zaskwierczało, poszedł dym i urządzenie wyzionęło ducha, stwierdzając najwyraźniej, że pieprzy taką robotę. Stan i Oliver spojrzeli na siebie.

– Wiesz, że zepsułeś nasz jedyny licznik Geigera?

– A wiesz, że to był twój pomysł?

– Mój? Nie kazałem ci go kierować w moją stronę. A zresztą... nieważne. Powiedz mi lepiej, gdzie jest Sil?

– Nie wiem. Mówiła, że idzie popływać.

– A powiedziałeś jej, że w rzece zamiast wody jest kwas siarkowy?

Mężczyźni zamilkli na moment, a następnie wypadli z wozu, biegnąc co sił nad brzeg rzeki. Tam znaleźli jednak tylko mały ręcznik i ubranie autostopowiczki, na dodatek lekko nadpalone przez wodę.

– Myślisz, że ona tam weszła, Stan?

– Nie wiem, Oliver, ale chyba weszła.

– Myślisz, że się rozpuściła?

– Nie wiem, nigdy tego nie próbowałem.

Nagle z rzeki wyskoczyła Sil. Odgarnęła włosy z twarzy i przez chwilę unosiła się na powierzchni, łapiąc oddech. Dojrzawszy mężczyzn na brzegu, uśmiechnęła się, pomachała i ruszyła w ich kierunku.

– O, wielkie dzięki, że popilnowaliście mi ubrania! Szkoda tylko, że nie przyszliście wcześniej, woda jest idealna do pływania! A jakie skarby można znaleźć na dnie!

Oliver i Stan obserwowali, jak ociekająca wodą dziewczyna wychodzi z rzeki i idzie do wozu, wycierając się ręcznikiem, który przy każdym jej ruchu dymił wesoło.

– Nie chciałbym, stary, żeby to zabrzmiało seksistowsko, ale... właśnie przeszła między nami goła baba.

– Aha.

– I była to bardzo ładna baba.

– Aha.

– I miała zgrabne nogi.

– Aha.

– I nie miała macek.

– Aha.

– I tylko dwie piersi.

– Aha.

– Oliver, czy my to naprawdę widzieliśmy?

– Nie wiem, Stan. Chyba gogle mi zaparowały z wrażenia.

*

– To tutaj?

– Adres niby się zgadza, ale mnie to wygląda na jakiś supermarket.

Zatrzymali samochód przed dużym centrum handlowym. Wbrew otaczającej go szarzyźnie budynek zdawał się tętnić życiem: reklamy radośnie migały, zachwalając nowy model maseczek przeciwgazowych, w oknach wystawowych pyszniły się kuse wdzianka ochronne dla pań, zaś kilkadziesiąt plakatów zachęcało do zakupów masą promocji: „Koniec świata wysokich cen!".

– Chwytliwe – powiedział Stan, zerkając na jedną z ulotek. – Choć może nie do końca w dobrym guście.

– Zamiast czytać głupoty, lepiej sprawdź, czy wszystko mamy.

– Szpadle są, święte księgi też... Magnetofon i głośniki, rewolwer ze srebrnymi kulami i dwa granaty... Tak, wszystko jest.

– OK, to wchodzimy.

W środku wszystko prezentowało się jeszcze lepiej niż z zewnątrz. Długie rzędy sklepów wszelkiego rodzaju, począwszy od spożywczych, poprzez stoiska z bronią, na sex-shopach kończąc. Woda w fontannach wesoło pluskała, przykuwały wzrok wspaniałe, nowoczesne automobile, stojące pod zielonymi palemkami, a po błyszczących korytarzach przechadzały się hostessy... Tyle że wyglądały raczej dziwnie. Zupełnie jakby im się zmarło. I to dość dawno. Zresztą wszyscy klienci centrum sprawiali wrażenie, jakby weszli w obłok radioaktywnej chmury i tego nie zauważyli. Co gorsza, nie zauważali także okropnego fetoru, jaki roznosili... Oliver, Stan i Sil patrzyli, jak mały dzieciak wrzeszczy na matkę, by kupiła mu pistolet, a gdy ta się nie zgodziła, wyrwał jej rękę i groził, że nie odda, póki nie dostanie nowej zabawki. Tuż obok jakaś parka całowała się namiętnie i wszystko byłoby dobrze, gdyby nie fakt, że jemu brakowało warg, a ona żuchwę miała przydrutowaną do głowy, by nie odpadła. A nie były to najdziwniejsze przypadki sklepowej klienteli... Nagle do trójki podróżnych podbiegł menedżer sklepu. W zasadzie trudno byłoby po wyglądzie stwierdzić, kim był, bo brak nosa i jednego oka nie wpływał dobrze na wizerunek, ale plakietka przypięta do koszuli nie pozostawiała wątpliwości.

– Panowie, o ile się nie mylę, to...

– Stan Randall i Oliver Dante, firma „Dante & Randall Graveyard Corporation". Przyjechaliśmy w związku z zamówieniem grabarzy.

– Tak, tak, oczywiście. Niestety, muszę panów zmartwić, zaszła kolosalna pomyłka – otóż, nie potrzebujemy już grabarzy.

Obaj fachowcy spojrzeli na menedżera.

– Co to znaczy „nie potrzebujemy grabarzy"?

– Tak, no cóż... Jak mówiłem, zaszła kolosalna i niewybaczalna pomyłka. Nasz dyrektor, gdy przyszedł do pracy, zauważył kilkadziesiąt ciał leżących na terenie całego centrum. W przypływie przerażenia zadzwonił do waszego zakładu, żeby pogrzebać tych nieszczęśników – wszak nasz market to solidny pracodawca, dbający o komfort i zadowolenie klientów. Na szczęście, jak się okazało, w wyniku wystawienia na działanie wysoko fluktuazycującego kosmicznego promieniowania, przekształcającego ludzkie komórki na poziomie mikromolekularnym, wszyscy umarli – w tym ja – i przekształcili się w poddane wyższej świadomości psychomanipulatywnej istoty, które widzicie tutaj. Można powiedzieć, że jesteśmy żywymi trupami, owocem kolejnego stopnia ewolucji biogatunkowej, zaczątkiem nowej rasy idealnie dostosowanej do przeżycia w świecie nuklearnej zagłady.

– Super, czyli nie ma dla nas roboty?

– Obawiam się, że nie.

– I to znaczy, że nie dostaniemy zapłaty?

– Niestety, przyjechaliście na próżno.

Grabarze popatrzyli na siebie przez moment.

– Co o tym myślisz, Stan?

– Żywy czy martwy... Trup to trup. Szpadlem w łeb i do piachu.
– Dobrze prawisz, stary. No to do roboty!

*

– Psiakość, w życiu bym nie pomyślał, że będzie ich tam tyle! Ależ mnie łupie w krzyżu! – Oliver przeciągnął się na fotelu kierowcy. – Powiedz mi, Stan, jak tam nasz zarobek?

– Dokładnie siedem tysięcy dwieście osiemdziesiąt trzy dolary, trzy nowe szpadle, dwa radia, mikrofalówka, pięć par gumofilców, jedna maska gazowa, jeden rewolwer i trzydzieści trzy kilo wzbogacanego uranu.

– Trzy nowe szpadle? Wspaniale! Będziemy mieli już pięć!

– Cztery. Piąty złamałeś na głowie tego osiłka.

– A tak, zapomniałem. O matko, zapomniałem! Sil, przecież ty chciałaś, żeby cię na wschód zawieźć, tak?

– Chciałam – powiedziała dziewczyna, chwytając obu grabarzy za szyje i tuląc się do nich. – Ale postanowiłam, że zostaję z wami.

– Zostajesz?

– Pewnie! Przecież jesteście tacy słodcy! A to, co zrobiliście tam, w markecie, było po prostu super! No i jeszcze nigdy nikt nie pożyczył mi płaszcza, żeby się okryć. – Sil pocałowała Olivera w policzek. – Wszyscy zawsze woleli, żebym chodziła bez ubrania.

– No cóż, nie godzi się przecież, żeby dama ten, no... goła chodziła. – Stan podrapał się po hełmie. – Poza tym bardzo cieszymy się z twojego towarzystwa, prawda, Oliver?

– Oczywiście! To początek czegoś nowego! Nowa droga, pozbawiona lejów po bombach i min przeciwpiechotnych! Promyk radości i przyjaźni na tej targanej wojną, epidemiami, migracjami zwierząt i głupimi politykami ziemi! Zresztą popatrzcie na ten wspaniały widok, jaki maluje się przed naszymi oczami! Czyż ten zachód słońca nie jest wspaniały?

– Druhu, wydaje mi się, że to raczej nie jest zachód słońca.

– Nie?

– Nie. Chyba właśnie zbombardowali Nowy Jork.

– Psiakość. Będę musiał poszukać nowej radiostacji.

Andrzej W. Sawicki – chemik, miłośnik mieszania i eksperymentów, amatorski historyk nauki i początkujący publicysta, wynalazca, współtwórca kilkunastu patentów z chemii, milczek, upierdliwie gadatliwy po pijanemu, kontemplator rzeczy nieistotnych, niezbyt błyskotliwy, by nie powiedzieć ociężały umysłowo. Autor dwóch powieści i kilkunastu opowiadań, obecnie zafascynowany fantastyką historyczną. Kiedyś lubił bawić się żołnierzykami.

Andrzej W. Sawicki

Nadejście zimy

Wszczep skroniowy obudził go jak zwykle o szóstej trzydzieści, wysyłając impulsy bezpośrednio do kory wzrokowej. Andy Batista leżał parę chwil nieruchomo, powoli wychodząc ze snu, ale aktywował już służbową skrzynkę mailową. Czuł ciepło śpiącej obok Arlety, słyszał szum włączonego zdalnie ekspresu do kawy. Zanim otworzył oczy, przejrzał raporty z nocnej zmiany. Wyglądało na to, że kierowanej przez niego sekcji spadnie współczynnik efektywności. AI-sekretarz, czyli najbardziej zaufany widżet, obliczył nawet, o ile. Dwanaście punktów procentowych! To fatalnie.

Andy przygotował się do wyjścia, w międzyczasie bez mrugnięcia zwalniając mistrza zmiany i wysyłając zaproszenia na szkolenie motywacyjne do czterdziestu ośmiu specjalistów z nocnej sekcji. Niech się chłopcy wezmą wreszcie do roboty i zaczną dawać z siebie tyle, ile należy. Od podwładnych wymagał nie tylko pracowitości i ślepego wykonywania procedur, liczyły się też kreatywność i dbanie o ciągłe podwyższanie efektywności. W jego komórce organizacyjnej nie ma miejsca dla bojaźliwych gnojków. Będzie musiał na postrach wywalić kilku mniej aktywnych, by reszta wreszcie zaczęła się bać.

Delikatnym pocałunkiem w czoło obudził Arletę, a potem poszedł do pokoju dziecięcego, po drodze tłumiąc bodźce przesyłane przez wszczep. W ciszy przez parę chwil patrzył na swoich synów. Obaj wyglądali uroczo, starszy w rozkopanej pościeli i z poduszką pod pachą, jakby stoczył z nią w nocy walkę, a młodszy okryty pod szyję idealnie ułożoną kołdrą. Obudził ich delikatnie i pognał do łazienki, później całą rodziną zjedli śniadanie.

– Nie śpiesz się – powiedziała Arleta, gdy zakładał buty przed wyjściem. – Odbiorę chłopców po pracy. Możesz spokojnie i dokładnie skopać tyłki wygryzającym cię gnojom.

Uśmiechnął się do żony i pocałował ją. Przed trzema laty sam był gnojem, któremu marzyło się stanowisko senior managera i kierowanie departamentem. Coraz słabiej o tym pamiętał, ale rozmyślania o przeszłości nie miały przecież sensu. Szkoda czasu na wspominanie chwil, kiedy po nocach pisał raporty dyskredytujące przełożonego i czyhał na jego potknięcia. Teraz powinien się z tego śmiać i mierzyć wyżej, wspinać się na kolejne szczeble. Nie wątpił wszak, że został stworzony do rzeczy wielkich. Wierzył, że ma w zasięgu stołek w zarządzie, a nawet prezesowską posadę, wystarczy tylko się przyłożyć.

Zostawił chłopców w szkole, na pożegnanie przelewając każdemu trochę gotówki w ramach kieszonkowego. Ledwie dzieci znikły w wejściu, sekretarz natychmiast poinformował Andy'ego o potajemnym spotkaniu brygadiera Aleksa Popławskiego z junior managerem projektu Anną Kitt. Spotkali się na parkingu, za filarem, który osłaniał ich przed kamerami przemysłowymi. Sekretarzowi nie udało się odczytać z ruchu ust, o czym rozmawiali, ani wyłowić ich słów z szumu tła. Batista aż mruknął z zaskoczenia i wskoczył do służbowej limuzyny.

Popławski był jego rówieśnikiem i jednym z najbardziej zaufanych fachowców. Znali się niemal od dziecka, pochodzili z jednego miasteczka, razem wyrwali się z głębokiej prowincji na studia, gdzie radośnie imprezowali, starali się o te same panienki i wspólnie klepali biedę. Potem Aleks załapał się do firmy i pomógł Andy'emu dostać w niej etat. Startowali w dorosłe życie ramię w ramię, wspierając się nawzajem. Andy nieustannie się rozwijał i dostosowywał do korporacyjnych wymogów, z czym Popławski nie radził sobie najlepiej. Kolejne awanse Andy'ego oddzieliły ich od siebie na dobre. Teraz nawet nie wypadało im utrzymywać zbyt poufałych kontaktów, a wzajemne stosunki mocno się ochłodziły. Mimo to poczciwy, łagodny Aleks stał się najwierniejszym pretorianinem Batisty, jego powiernikiem i sprzymierzeńcem. A tu coś takiego, knuje za plecami szefa z tą cholerną Kitt. Młoda żmija o aparycji plastikowej lalki wśliznęła się do firmy całkiem niedawno, za to błyskawicznie zdobywała coraz większe wpływy. Oboje podlegali pod tego samego dyrektora pionu i toczyli równoległą walkę o władzę w tej samej komórce organizacyjnej. Andy uznał zatem Kitt za wroga i starał się dziewczynę zniszczyć. Kilka razy starł się z nią na raporty i urzędowe pisma. Na razie bez rezultatów.

Jeśli Popławski zdradził i zamierza zmienić sojusznika, może już się pożegnać z robotą. Andy wymagał od swoich ludzi absolutnej wierności i oddania. Kto nie pasował do jego wyobrażeń o dobrym pracowniku, musiał odejść. Niepokornych, nieudolnych i nieefektywnych likwidował z lodowatą bezwzględnością, ale zdrajców i donosicieli niszczył z prawdziwą pasją. I nie liczyły się dla niego dawne przyjaźnie, żadne sentymenty nie miały znaczenia.

Wysłał limuzynę do podziemnego garażu, a sam wmaszerował z dumnie podniesioną głową do gmachu firmy. W drodze do gabinetu minął wiele biurowych szczurów w identycznych modnych garniturach i wiele wymuskanych szczurzyc w nowoczesnych garsonkach lub kusych spódnicach. Pogrążeni w rozmowach z sekretarzem lub innym widżetem, pozornie nie zwracali na nikogo uwagi, ale w rzeczywistości każdy rozglądał się pilnie, planował strategie, finty i uniki. Toczyła się tu codzienna biurowa walka, dla jednych o awans, dla innych choć o przetrwanie. Batista też stale konferował ze swoim osobistym AI. Program asystencki nie miał jednak żadnych rewelacji do przekazania, mimo pirackiego włamania do systemu budynku niczego więcej nie podejrzał ani nie podsłuchał.

Zamiast do gabinetu Andy udał się do głównej pracowni. Lubił osobiście doglądać swojego królestwa. Czuł się wtedy panem i władcą. Wyczuwał strach podwładnych i karmił się nim, podbijając sobie ego. Spotykał się z informatorami, jak nazywał donosicieli i pochlebców, toczył boje z młodszymi managerami i niszczył tych zagrażających jego stanowisku. Jednym słowem zaznaczał teren, motywował do pracy i prowadził codzienny bój o władzę.

Przeszedł przez śluzę i znalazł się w zalanej światłem przestronnej hali. Kilkudziesięciu mężczyzn przebranych w czarne kombinezony robocze krzątało się przy fotelach netowych, które stały rzędami wzdłuż ścian. Prócz specjalistów kłębił się tu pokaźny tłum techników i inżynierów obsługi technicznej w pomarańczowych strojach, nie brakowało też ratowników medycznych i kilku młodszych managerów z biura, szukających dziury w całym, intrygujących i plotkujących. Batista z szerokim uśmiechem przywitał kilkoro z nich, jednocześnie wysyłając do dyrektora pionu technicznego skargę na ochronę, która wpuściła do hali nieuprawnione osoby, co mogło zagrozić bezpieczeństwu i porządkowi, a tym samym obniżyć efektywność. Od dziś koniec z włażeniem byle podrzędnego managerzyny do pracowni.

Niespodziewanie zauważył po drugiej stronie hali brygadzistę Popławskiego, który stał w towarzystwie Kuhlunga – starszego pana zatrudnionego jako mistrz zmiany – oraz ślicznej kierowniczki Kitt. Ruszył w ich stronę z szerokim uśmiechem, nakazując w myślach sekretarzowi wyszukanie wszystkich haków na tę trójkę.

– Cholera, przyłapał mnie w pracowni – mruknęła cicho dziewczyna, zasłaniając usta dłonią, by sekretarz Batisty nie odczytał z ruchu warg co mówi. – Pewnie zaraz zrobi awanturę, że jestem tu bez autoryzacji, wbrew procedurom bezpieczeństwa i tak dalej.

– Podejrzewam, że nie wspomni o tym ani słowem, za to już w tej chwili układa na panią skargę, którą wyśle od razu do dyrekcji – odparł ze smutkiem w głosie Kuhlung. – Niestety, nasz szef nigdy nie mówi wprost, jeśli coś mu się nie podoba, preferuje oficjalne skargi i nagany.

– Nie przesadzajcie – uśmiechnął się Popławski. – Andy nie jest aż taką świnią.

– Nie bądź naiwny, Aleks – pokręciła głową Kitt. – Nie zdajesz sobie sprawy, z kim masz do czynienia, to cię kiedyś zgubi.

– E tam. – Wzruszył ramionami i mrugnął do dziewczyny. – Zawsze dam sobie radę.

Sekretarz Batisty nie mógł podsłuchać, o czym rozmawiali, bo pracownia ze względów bezpieczeństwa była ekranowana. Andy zacisnął zęby ze złości. Knuli coś za jego plecami, dogadywali się bez jego wiedzy, w jego dziale. Chcą go zniszczyć. Które z nich dybie na jego stanowisko? Każde z tej trójki miałoby szanse. Musi natychmiast rozbić to trójprzymierze.

– Cześć, Andy. – Popławski z poważną miną uścisnął mu rękę.

– Co się dzieje? – Batista skinął głową Kuhlungowi, ostentacyjnie ignorując Kitt.

– Przygotowujemy się do zapieczętowania sektora, w którym nocą nasi ludzie natknęli się na skażony serwer. Firma będzie musiała przekazać go wojsku do likwidacji. Wstrzymaliśmy ludzi do czasu, aż podpiszesz zlecenie zamknięcia.

– Dlaczego podejmujecie taką decyzję beze mnie? – lodowatym tonem spytał Andy. – To ja jestem szefem departamentu i ja decyduję, który sektor i kiedy zostanie zamknięty.

– Procedury jasno stanowią, w jakich okolicznościach należy... – odezwała się Anna.

– Sam pisałem większość procedur i znam je na pamięć – burknął Andy. – Czytałem raport z nocy. Serwer nie został szczegółowo zdiagnozowany, za to sprawia wrażenie stabilnego. Obecność obcych wirusów stwierdzono jedynie po reakcji programu penetrującego kody. Mogło być wiele innych powodów takiego zachowania Rozpruwacza, choćby dobrze zachowane, archaiczne programy strażnicze lub wojskowe bariery, które czasem instalowano w cywilnych sektorach sieci.

Zmierzył rozmówców groźnym spojrzeniem. Przyjął zdecydowaną postawę, z uniesioną głową i wypiętą piersią. Splótł dłonie za plecami i zaczął się przechadzać wzdłuż wypełnionego projekcjami ekranów technicznych stanowiska mistrza zmiany.

– Doskonale wiecie, że nie możemy sobie pozwolić na pochopną likwidację sektora.

– Nie możemy też ryzykować niepotrzebnie życia chłopaków – odezwał się Popławski.

Andy kazał sekretarzowi zanotować, że wierny pretorianin po raz pierwszy jawnie i przy innych managerach zakwestionował jego polecenia. Zdrajca!

Aleks spotkał się wzrokiem z Kitt. Dziewczyna przewróciła oczami, a potem ukryła niechęć do Batisty pod maską uśmiechu. Po chwili mrugnęła jeszcze do wpatrzonego w nią Popławskiego. Tymczasem Andy rozpoczął przemowę:

– Naszym nadrzędnym celem jest zachowanie wysokiej efektywności i dążenie do jej podwyższenia. Departament stał się za mojej kadencji najwydajniejszą komórką w firmie. Nie dopuszczę, by to zostało zaprzepaszczone, by spadły nam współczynniki czy żebyśmy nie zrealizowali któregoś z założonych celów strategicznych. Poza tym wiecie, jak ważne są próby ocalenia zainfekowanych i uszkodzonych sektorów. Każda zamknięta i fizycznie zlikwidowana część infopola jest niepowetowaną stratą dla całej ludzkości. Jeśli uda się nam ocalić choćby jeden, będzie to wspaniałym sukcesem nie tylko na polu firmy. Nie miną nas chwała i nagrody. – Batista wpadł w swój ulubiony dyrektorski ton.

Mógłby tak przemawiać godzinami. Poza tym wyciągnął najmocniejszą kartę: żadne z nich nie odważy się zakwestionować obowiązku wobec ludzkości. Infopole było skarbem i własnością wszystkich – nie mogli go porzucić z powodu zbytniej ostrożności, zasłaniając się procedurami, w których zresztą Batista zostawił wiele otwartych furtek do swobodnych działań. Net musiał funkcjonować, opierała się na nim cała technologiczna cywilizacja. W początkowych latach swego istnienia serwery i routery były materialnymi urządzeniami, a sieć tworzyły połączone maszyny. Odkąd odkryto infopole, to zasadniczo się zmieniło. Nowy wymiar przestrzeni stanowił coś w rodzaju nieskończenie chłonnej chmury informacji, w którą dało się ingerować i korzystać z niej jak z wora bez dna. Dało się w nim umieścić gigantyczne ilości danych i sięgać po nie bez opóźnienia czasowego. Koniec z fizycznymi serwerami i komputerami. Wystarczyło w komórkach infopola zwanych sektorami zbudować wirtualne środowisko, przetwarzające oprogramowanie na niefizyczne wypełnienie nowego wymiaru i działające niczym maszyna obliczeniowa, by móc przenieść do niego cały net i przetwarzać dane w czasie rzeczywistym, bez opóźnień i ograniczeń związanych z architekturą komputerów. Wirtualne serwery stworzono, by obsługiwały przepływ danych i ułatwiały korzystanie z sieci. I to one dawno temu stały się celem ataku.

Kto go przeprowadził i dlaczego, nie udało się dotychczas ustalić. Wiadomo tylko, że na serwery runęło wirusowe oprogramowanie pochodzenia pozaziemskiego. Zajmowało wirtualne maszyny i niszczyło zbudowane w infopolu światy. Skażało oprogramowanie, powodowało mutacje kodów źródłowych, zamieniając je w groteskowe potworki, niebezpieczne dla wszelkich danych i infekujące kolejne obszary. Uderzyło też w sztuczną inteligencję i wszystkie podłączone do netu urządzenia. W ciągu pierwszych kilku godzin po ataku zginęło i oszalało kilkanaście milionów internautów, których świadomości znajdowały się w zaatakowanych sektorach. Doszło do niezliczonej ilości katastrof komunikacyjnych i załamania gospodarczego. Ludzkość w ciągu doby stanęła na skraju całkowitej zagłady.

Ocalała dzięki poświęceniu milionów bezimiennych internautów, zjednoczonych w chwili zagrożenia w pospolite ruszenie i stawiających wirtualne barykady, na których ginęli w heroicznym boju z obcym oprogramowaniem. Zanim do akcji ruszyły wojskowe boty cyfrowe i cyberżołnierze, zwykli użytkownicy sieci zapobiegli całkowitemu wyparciu ludzkości z infopola i co za tym idzie, zniszczeniu cywilizacji.

Kilkanaście lat później ciągle leczono rany i łatano wymiar informacji. Firma, w której pracował Batista, zajmowała się archeologią zniszczonych sektorów, poszukiwaniem i odzyskiem danych, a przede wszystkim czyszczeniem sieci z resztek wirusów obcych lub efektów ich działania. Czasem udawało się znaleźć zagubionego przed laty awatara ze świadomością pochowanego już fizycznie internauty lub bezpieczny fragment kodu oprogramowania obcych. Nadrzędnym celem firmy pozostawało jednak wskrzeszanie utraconych w wojnie sektorów i odsprzedawanie ich agencjom rządowym lub wystawianie na aukcjach.

– Spróbujmy razem pokonać przeciwieństwa i niedogodności – Andy kontynuował przemówienie. – Podejmijmy wyzwanie i pokażmy zarządowi na co nas stać. Otworzymy sektor i wyślemy cały korpus do prac nad serwerem. Osobiście poprowadzę załogę. Pomożecie?

Popławski westchnął ciężko w duchu, ale przytaknął. Mistrz zmiany Kuhlung, milcząc, stanął na baczność i położył dłoń na piersi, gdzie na kombinezonie wyszyto godło firmy.

– Pani Kitt – Andy uśmiechnął się do dziewczyny – pani też powinna wziąć udział w operacji. To może być niezwykle pouczające, a przede wszystkim budujące dla załogi.

– Tak? – Sprawiała wrażenie zupełnie zaskoczonej. – Skoro pan tak uważa. Hmm. Tylko że nie mam osobistego oprogramowania, jestem zupełnie nieprzygotowana. Żaden z moich sieciowych reprezentantów też się raczej nie nadaje do odwiedzin w takiej przestrzeni...

Jasne, że nie, głupia ślicznotko, pomyślał Batista. Tak jak każda infantylna laleczka, Kitt miała pewnie piękne i kosztowne awatary do szpanowania w serwisach społecznościowych i temu podobnych bzdurach. Mógłby się założyć, że nosa nie wyściubiła poza Życie 2.0, Świat Perfum i Musisz To Mieć.

– Z przyjemnością udostępnimy pani stosowne wsparcie softwarowe, ale awatar jest raczej sprawą personalną. Ubierze się któreś z pani personifikacji w techniczne oprogramowanie i to wystarczy. – Andy zmusił się do jednego ze swoich uśmiechów imitujących naturalną i szczerą życzliwość.

Kitt zgodziła się po dłuższym wahaniu i mimo tego, że Pławski otwarcie odradzał jej wzięcie udziału w akcji. Aleks wziął ją nawet na bok i nerwowo coś tłumaczył, ale dziewczyna tylko się uśmiechnęła i pokręciła przecząco głową. Kuhlung próbował odwrócić uwagę Batisty od rozmawiających, ale ten i tak odnotował już drugą nielojalną postawę współpracownika. Sekretarz tymczasem przeczesał zasoby w poszukiwaniu haków na Popławskiego. Niestety, jedynymi jego słabostkami były zamiłowanie do wyścigów motocyklowych i udział w durnych akcjach dobroczynnych. Brak kochanek czy nałogów – nic, czego można by się czepić.

Przeszli do kantorka mistrza zmiany, by wybrać dla siebie fotele netowe. Andy zrezygnował z udania się do gabinetu i użycia swego luksusowego siedziska. Zdecydował, że się przemęczy w zwykłym sprzęcie, a przynajmniej będzie miał na wszystko oko.

Specjaliści jeden po drugim podpinali się pod system i zamierali w bezruchu, kiedy ich świadomości ulegały cyfrowemu przetworzeniu i lądowały w programie nośnym zwanym awatarem. Batista usadowił się na fotelu pomiędzy Kitt a Popławskim. Wyciągnął wtyk z żelu wyjaławiającego i wpiął go w swój wszczep skroniowy. Sekretarz zameldował gotowość systemu, więc Andy rozparł się wygodnie i zamknął oczy. Natychmiast poczuł, jakby się zapadał i rozpuszczał w ciemności.

Znalazł się po tamtej stronie.

Lodowaty wiatr chłosnął go w twarz ostrymi igiełkami śniegu. Andy zamrugał i potrząsnął głową, starając się przystosować do swego cyfrowego reprezentanta. Poczuł zimny dotyk żelaznej krawędzi hełmu na czole, pancerz i oręż zadzwoniły metalicznie przy gwałtownym ruchu. Widok częściowo zasłaniał mu opuszczony szeroki nosal. Batista podniósł go i rozejrzał się wokół, smakując realia w wirtualu sektora. Jak już zdążył się zorientować, panowała tu surowa zima. Stał po kolana w śniegu, w dolinie otoczonej wzniesieniami, które jeżyły się wystającymi z bieli szarymi skałami. Po niebie przewalały się targane wiatrem ciężkie ołowiane chmury. Świat tonął w półmroku, pogłębionym przez zacinający wściekle śnieg. Andy odruchowo poprawił okrywające ramiona szare futro. Obmacał je przy okazji i zorientował się, że nosi na sobie skórę wielkiego wilka, którego łeb nadziany ma na szyszak. Widocznie w tym świecie ten element stroju oznaczał przywódcę.

– Musimy ruszać, zanim mróz wedrze się pod pancerze. – Popławski położył dłoń na ramieniu szefa.

Batista strącił ją z głuchym warknięciem. Poczuł, jak wściekłość uderza do głowy fontanną gorąca. Powstrzymał się przed uderzeniem pięścią w twarz brygadzisty i otarł rękawem oślinione usta z wyszczerzonymi długimi kłami. Sekretarz, jak zwykle przy światach w stylistyce fantasy, wpisał go w awatar ponaddwumetrowej bestii z mocno przerośniętą szczęką. Popławski natomiast wizualizował się jako rycerz o jaśniejącym szlachetnością obliczu, noszący błyszczącą zbroję i hełm z pióropuszem białych piór. Zgromadzeni wokół woje, czyli awatary specjalistów, wyglądali na zbieraninę awanturników i weteranów z najróżniejszych armii. W większości byli drabami o ponurych gębach, uzbrojonymi w makabrycznie wyglądające narzędzia i odzianymi w najeżone kolcami i ćwiekami zbroje.

– Dokąd? Gdzie jest serwer? – wycharczał Andy.

Popławski wskazał na wylot doliny, gdzie kłębiły się tumany śniegu, stanowiąc nieprzeniknioną ścianę. Zamieć symbolizowała zniszczenia poczynione przez wrogie oprogramowanie. Dlatego Popławski obawiał się mrozu, w większości wirtuali wyobrażał on obce kody. Jeśli wedrze się pod pancerze, czyli programy ochronne i maskujące, może uszkodzić awatara, a co za tym idzie, fizycznie odcisnąć piętno na umyśle nosiciela. Co prawda programy nośne ze świadomościami ludzi zabezpieczano zwrotnym oprogramowaniem, ale i tak zniszczenie nieistniejącego materialnie w wirtualu ciała kończyło się zwykle poważnym wstrząsem, mogącym uszkodzić układ nerwowy, a w bardziej drastycznych przypadkach natychmiast zabić.

– Rozpalić ognie – rozkazał Andy. – Dadzą ciepło.

– Ale ściągną uwagę obcych – zauważył mistrz zmiany Kuhlung.

Manager średniego szczebla, w rzeczywistości będący korpulentnym, łysiejącym jegomościem w starszym wieku, stał się czarodziejem o długiej brodzie, opatulonym czarnym płaszczem, który iskrzył się wężykami wyładowań. W garści trzymał długi kostur zakończony żarzącym się blado kryształem.

– Wykonać! – ryknął Andy, kładąc łapsko na stylisku zatkniętego za pas topora.

– Wrr, tym razem zgodzę się z panem Batistą – warknęła Kitt. – Jesteśmy tu, by czyścić sektor, a nie unikać zagrożeń. Stopmy ten cholerny śnieg, od czego mamy oprogramowanie?

Batista wykrzywił się w grymasie mającym symbolizować uśmiech. Dopiero teraz zwrócił uwagę na stojący z tyłu awatar młodszej managerki. Anna stała się kotopodobnym stworzeniem o wydatnym biuście, opiętym absurdalnym gorsetem. Miała błękitny odcień sierści i słodki pyszczek, z którego wysunęła długi język, by zlizać śnieg z wąsów. Stała wyprostowana na tylnych łapach, a jej puszysty ogon zamiatał po śniegu. Zielone ślepia błyszczały agresją i kipiącą energią. Prócz bielizny nosiła pelerynę i czapkę z wycięciami na sterczące uszy. Andy parsknął śmiechem. Tak jak się spodziewał, dziewczyna nie miała użytecznych reprezentantów, tylko infantylne dziwadełka. Sekszabaweczki i szpanerskie wdzianka na wizyty w miejscach schadzek i do popisywania się przed psiapsiółkami. Powinien dość łatwo pokonać tę idiotkę.

– Nie ma sensu bawić się w topienie śniegu – pokręcił głową Kuhlung. – Musimy zachować siły na zniszczenie źródła skażenia. W ten sposób oczyścimy całą krainę, a nie tylko mały wycinek.

Andy spiorunował wzrokiem krnąbrnego czarodzieja. Mistrz otwarcie mu się stawia. Następny buntownik! Podważają jego kompetencje i zdolności przywódcze. Na razie jednak nie ma sensu się z nimi szarpać. Odpłaci każdemu w stosownym czasie.

– Idziemy! – rozkazał krótko i ruszył w stronę wyjścia z doliny.

Wojownicy posłusznie maszerowali za przywódcą, pobrzękując orężem i nawołując się w zamieci. Trójka buntowników została z tyłu i coś do siebie szeptała. Nie słyszał ich przez wiatr, a co gorsza, nie miał tu swego sekretarza, który mógłby podsłuchać. Została mu tylko wiara we własny spryt. A na tym akurat mógł zawsze polegać. Dopnie swego i oczyści ten cholerny sektor. Potrzebował spektakularnego sukcesu, by móc otwarcie starać się o awans. Poza tym obiecał Arlecie wczasy w Nowej Zelandii, a chłopców trzeba będzie przenieść od przyszłego semestru do ekskluzywnej szkoły dla dzieci z wyższych sfer. Przydałyby się zatem solidna premia i podwyżka. No cóż, wniosek nasuwał się jeden – serwer trzeba uruchomić, a Popławski, Kuhlung i Kitt powinni zaliczyć haniebne potknięcie, by dało się napisać stosowny raport i postarać o ich zwolnienie.

– Odepnij się od netu, Kitty – szepnął Popławski wprost do ucha dziewczyny. – Wracaj do rzeczywistości, tu jest zbyt niebezpiecznie. Błagam, nie chcę, by coś ci się stało.

Anna uśmiechnęła się do brygadzisty i miauknęła zaczepnie. Wycofanie się nie wchodziło w grę. Nigdy jeszcze nie brała udziału w prawdziwej akcji, nigdy nie nurkowała w skażonym sektorze.

– Nie ma mowy, Aluś – odparła głośno, nic sobie nie robiąc z bliskości mistrza Kuhlunga, który wszystko słyszał.

Sporo ryzykowała, zdradzając intymne relacje, które łączyły ją z Popławskim. Romansowanie w firmie uchodziło za niepożądane, szczególnie wśród kadry kierowniczej. Ania jednak była osobą szczerą i bezpośrednią, zakochała się na zabój w starszym o kilka lat Aleksie i nie zamierzała tego ukrywać. Złościło ją, że ten każe jej się chować za filarami w garażu biurowca, by mogli się spokojnie pocałować przed rozpoczęciem zmiany. Poza tym nie bała się, że Kuhlung na nich doniesie. Po pierwsze, stary mistrz miał głowę na karku i dawno wszystko zauważył. Po drugie, był porządnym człowiekiem. Jak na potwierdzenie starszy pan tylko się uśmiechnął, i to bez przygany. Niech się młodzi kochają, a co tam. Nigdy nie należał do ekipy korporacyjnych dorobkiewiczów, donoszących na kogo popadnie, byle ugrać kilka punktów. Należał do starej kadry prawdziwych fachowców, nie musiał udowadniać swojej wartości ani czegoś udawać.

– Posłuchaj swego chłopaka, Aniu! – krzyknął, bo zawierucha z każdym krokiem przybierała na sile. – Batista nie popuści i każe nam szturmować ten cholerny serwer.

– Odepnę się, jak zrobi się gorąco. – Pokręciła głową.

– Jeśli zabrniemy za daleko od portu, procedura powrotu nie zadziała – ostrzegał mistrz. – Czym bliżej serwera, tym bardziej niestabilne środowisko. Po wejściu w kurzawkę u wylotu doliny nie będzie odwrotu.

– Dlaczego nie użyć już stąd Rozpruwacza?

– Tak zwykle robimy i tak też zrobili chłopcy z nocnej zmiany – odparł Kuhlung. – Program uderzył w serwer i szlag go trafił. Nie trzeba być geniuszem, by się domyślić, że cały ten wirtual jest przesycony skażeniem – to nie tylko wojenne zniszczenia i gruzy, w serwer przed laty wlazły wirusy obcych i nadal tam są. Nie powinniśmy się do niego pchać, mogą zginąć ludzie. Aleks ma rację, wracaj na górę!

Anna potarła wierzchem łapy pyszczek.

– Albo wracamy wszyscy, albo idę dalej. Nie zostawię was, chłopcy!

Popławski nie zdążył jej odpowiedzieć, bo uderzył w nich wściekły podmuch, siekając drobinkami lodu, które dzwoniły o pancerze i boleśnie kąsały skórę. Wojownicy pochylili się, wbili głowy w kołnierze, opuścili przyłbice i nosale. Anna zarzuciła kaptur na głowę i opatuliła się szczelnie peleryną, choć futro chroniło ją lepiej niż pancerze mężczyzn. Szli dalej skuleni, walcząc z huraganowym wiatrem i sięgającym kolan śniegiem. Popławski złapał dziewczynę za łapę i przyciągnął do siebie. Zrobiło się jeszcze ciemniej, jakby weszli w sam środek śnieżnej chmury. Widoczność spadła do kilku kroków, tak że większa część wojowników pozostawała niewidoczna dla towarzyszy. Batista jednak ani myślał rezygnować i parł przed siebie, pokrzykując na podwładnych.

– Dość tego! – ryknął wreszcie. – Zapalić te cholerne ognie! I bez dyskusji!

Wyciągnął topór zza pasa i zakręcił nim młynka nad głową. Ostrze rozpaliło się pakietem antywirusowym i zamieniło w ognistą smugę. Ryczała i syczała przy kontakcie ze śniegiem. W rękach niektórych wojowników pojawiły się zapalone pochodnie, ostrza i groty włóczni innych wybuchały żarem. Jakby w odpowiedzi wzbiły się jeszcze większe tumany śniegu, które z furią runęły na nierówną kolumnę piechurów.

– Trzymajcie się, dzieci! – krzyknął mistrz Kuhlung do Anny i Aleksa.

Uniósł laskę, a osadzony na niej kryształ wybuchł oślepiającym blaskiem. W wojowników uderzyło gorąco, część z nich uklękła, pozostali skulili się, czując falę żaru. Syk pary i trzask lodu zlały się w jedną budzącą grozę arię. Popławski objął Kitt i przycisnął do piersi, zasłaniając przypiętą do ramienia tarczą. Z jednej strony waliły w nich tumany śniegu i lodowe igły, z drugiej buchało gorąco. Batista jako jedyny stał wyprostowany i nadal wymachiwał toporem, aż wreszcie rąbnął nim w ziemię.

Cały świat zadygotał, gdzieś w górze z dudnieniem osunęła się lawina. Wszyscy padli na błyskawicznie wysychające podłoże. Spod parującego śniegu ukazała się pożółkła trawa, biel cofała się jak oparzona. Mistrz Kuhlung wstał z kolan, podpierając się kosturem. Zatoczył nim krąg, a tumany śniegu cofnęły się jeszcze bardziej. Trawa zazieleniła się w jednej chwili, niebo nad głowami wojowników pojaśniało. W ścianie ołowianych chmur zrobiła się wyrwa, przez którą błysnęło słońce. Huk huraganu cichł szybko, burza się cofnęła. Ściana bieli zaczynała rozwiewać się, niknąć.

Batista klął na całe gardło, oglądając poczerniałe stylisko topora. Ostrze broni po uderzeniu eksplodowało w fontannie ognia, pakiet antywirusowy, który wyobrażało, wyczerpał się i uległ dezaktywacji. Andy nieco ochłonął, kiedy dotarło do niego, co to znaczy – oprogramowanie, którym się posłużył, starło się z obcym kodem, w dodatku wyjątkowo agresywnym. Zabawa się skończyła, sektor naprawdę trawiły inwazyjne wirusy obcych. Powinni się wycofać i zapieczętować obszar, póki jeszcze nie było za późno. Tylko co z obniżeniem efektywności departamentu? Co z wizerunkiem dążącego do sukcesu managera? Żegnaj, awansie, żegnaj, premio.

– Popławski! Melduj o stratach! – zadudnił.

Aleks błyskawicznie przeliczył ludzi i obejrzał topniejące szczątki, które zamieniały się w krwawe kałuże. Wokół walały się elementy opancerzenia i uzbrojenia. Batista odepchnął go i wielką łapą podniósł dwuręczny miecz pozostały po jakimś nieszczęśniku. Z pomrukiem zadowolenia zważył go w dłoni i oparł długie ostrze o ramię.

– Brakuje dwunastu ludzi – zameldował wreszcie Aleks. – U ośmiu prawdopodobnie zadziałało zabezpieczenie i zostali wyrzuceni z netu. Dostałem sygnały z ich uprzęży. Pozostali czterej mieli mniej szczęścia, ich awatary zostały rozerwane na strzępy.

Zapadła cisza, wojowie spoglądali po sobie z niepewnymi minami. Ich czterej koledzy prawdopodobnie właśnie konali od wstrząsu, umierali w swych fotelach netowych. Mistrz Kuhlung podrapał się po brodzie i westchnął ciężko.

– Musimy wracać. Mróz znów uderzy, wirusy, które wyczyściliśmy, zaczną się rozmnażać, przynajmniej dopóki istnieje zakażony serwer.

– Idziemy dalej – nieznoszącym sprzeciwu tonem warknął Andy.

Wiedział, że jest za późno na odwrót. Ucierpieli ludzie, będzie musiał za to odpowiedzieć. Koniecznie trzeba oczyścić serwer. Zupełnie inaczej wygląda śledztwo przeciw bohaterowi niż przeciw nieudacznikowi, który nie potrafił doprowadzić sprawy do końca. Zwycięzców przecież nikt nie sądzi. Jeśli odniesie sukces, cała sprawa będzie wyglądała zupełnie inaczej. Polegli nie zostaną uznani za ofiary wypadku czy nadmiernych ambicji przełożonego, ale dołączą do grona bohaterów, którzy oddali życie za sieć.

– Zginą kolejni ludzie. – Popławski zastąpił mu drogę. – Wracamy.

Batista wolną ręką chwycił go za gardło i uniósł, szczerząc zęby. Nie zwrócił uwagi na kotkę, która uwiesiła mu się na ramieniu i coś tam miauczała płaczliwie.

– Jesteś skończony, Aleks. Zniszczę cię – wycedził. – Pełnisz funkcję do końca tej operacji. Jutro widzę raport z wyjaśnieniami tyczącymi twojej niesubordynacji.

Cisnął dawnym przyjacielem niczym niepotrzebnym śmieciem, a potem lodowatym spojrzeniem omiótł twarze pracowników. Wojownicy odwracali wzrok, udawali, że zajmują się poprawianiem pancerzy lub sprawdzaniem broni. Żaden nie stanął w obronie brygadzisty, wszyscy bali się o posady. Andy uśmiechnął się w duchu, obrócił na pięcie i bez słowa ruszył w dalszą drogę. Oddział poszedł za nim w milczeniu razem z wściekłym i obolałym Popławskim, podtrzymywanym pod ramię przez Kitt.

Zeszli wąskim wylotem doliny, otoczonym wznoszącymi się pionowo skałami, by stanąć przed rozległą równiną, którą okalały majaczące w oddali łańcuchy górskie. Szare niebo zdawało się wlec ołowiane brzuchy chmur nisko nad skutą lodem ziemią. Gdzieniegdzie ze śniegu wystawały oszronione szkielety zrujnowanych budynków, w niebo mierzyły drapieżnie rozcapierzone korony pozbawionych liści drzew. Kiwały się na wietrze ze zgrzytem, jakby wykonano je z żelaza. Zaspy piętrzyły się niczym zastygnięte fale szalejącego oceanu, który pochłonął już niemal wszelkie ślady ludzkiej cywilizacji. Wynurzały się z niego kanciaste twory z zestalonej wody i zamarzniętego powietrza. Naniesione nieustannymi zamieciami lodowe struktury celowały w maszerujących ostrzami sopli, zdawały się grozić im okrutną śmiercią. Lód pożarł i zmielił prawie wszystko, co stworzyli ludzie na równinie, rozbił w pył wirtualne maszyny, biblioteki danych, węzły i magistrale sieci. Stopniowo zamieniał sektor w zatrzymany wirusowym oprogramowaniem nieruchomy kryształ.

Batista zmierzał pewnie w kierunku górującej nad białą pustynią twierdzy. Serwer wizualizował się jako potężna budowla z czarnego bazaltu, upstrzona przysadzistymi basztami i najeżona otworami strzelniczymi. Poszczerbione blanki ziały wyrwami, w których błyszczały tafle lodu, a na wieżach zwisały posępnie strzępy chorągwi.

Śnieg buchał parą pod stopami maszerujących wojowników. Ziemia trzeszczała i jęczała, kiedy pękały skuwające ją lody. Oddział ciągnął za sobą szeroki ślad odsłoniętego piasku i trawy. Pakiety antywirusowe nadal działały i niszczyły skażenie, ale i tak z każdym krokiem wojownikom robiło się zimniej. Zmęczenie coraz mocniej dawało im w kość, ekwipunek, ciężkie pancerze, futra i skóry nie ułatwiały marszu. Tylko Kitt poruszała się po śniegu bez najmniejszego wysiłku, w dodatku z gracją i zwinnością. Popławski szedł na końcu pochodu, zupełnie ignorowany przez współpracowników, jak każdy nieszczęśnik, który popadł w niełaskę szefa. Z takimi lepiej się nie zadawać, by nie wpaść w oko kierownikowi i nie zostać posądzonym o przymierze z odsuniętym. Nawet mistrz Kuhlung zdawał się go unikać.

Chciał tylko doczekać zasłużonej emerytury, nie potrzebował starć z managerem wyższego szczebla. Przykro mu było, że Aleks został spisany na straty, ale to zwykłe niebezpieczeństwa pracy w korporacji. Trzeba się z nimi liczyć.

Wreszcie stanęli u bram twierdzy. Przed nimi wznosiły się żelazne wrota tkwiące w czarnych murach, popękanych i groźnych. Pod pancerze wdzierał się bijący od nich trupi chłód. Wiatr ucichł zupełnie, w bezpośrednim sąsiedztwie serwera panował całkowity bezruch. Nad kolumną wojowników unosiły się kłęby pary, słychać było przyspieszone oddechy i zgrzyt rynsztunku. Z nieba powoli opadały maleńkie płatki śniegu. Andy zauważył, że w miejscach, w których dotykają jego futra i pancerza, natychmiast tworzą się białe pająki szronu. Poruszały się. Pełzały po powierzchniach, próbując przegryźć się przez zbroje. To wrogie kody szukały dojścia do ludzkich świadomości ukrytych w awatarach.

– Ustawić się w szpicę uderzeniową – rozkazał sucho. – Nie będziemy bawić się w sondowanie serwera. Atakujemy szybko i z impetem, wewnątrz odpalamy Rozpruwacza. Ma huczeć od kasowanych kodów.

– Poprowadzę atak – zaproponował Kuhlung.

– O nie, na czele szpicy stanie Popławski. – Andy uśmiechnął się złośliwie.

Niewygodny brygadzista może z dużym prawdopodobieństwem zakończyć karierę tu i teraz, a zatem obejdzie się bez procedur związanych ze zwolnieniem. Wystarczy, że mu się powinie noga.

Wojownicy z chrzęstem ustawili się w szyk przypominający grot. Unieśli tarcze i mocno ścisnęli broń. Aleks stał na ich czele z mieczem w garści. Spojrzał przez ramię na Kitt, uśmiechnął się do niej i mrugnął. Przyglądający mu się Batista poczuł na ten widok bolesne ukłucie – Popławski nic nie robił sobie z zagrożenia. Miał gdzieś swego szefa, jego knowania i groźby.

Aleks wzniósł broń nad głowę, a za nim ten gest powtórzyli wszyscy wojownicy. Ostrza rozbłysły programami do rozrywania kodów. Szpica stała się ognistym grotem, który przy akompaniamencie rosnącego ryku i łomotu pomknął przed siebie i uderzył w bramę. Gruchnęło głucho. Wrota będące programem zawiadującym magistralą serwera trzasnęły i rozsypały się w żelazny pył. Wojownicy wpadli do środka. Batista, Kuhlung i Kitt rzucili się za nimi wprost w lodową czeluść, błyszczącą milionami refleksów.

Od wewnątrz serwer jaśniał i skrzył się niczym ogromny kryształ. Lodowe tafle układały się w regularne płaszczyzny, skuwające wewnętrzną architekturę twierdzy. W oddali majaczyły strzaskane kolumnady wewnętrznego pałacu, walał się gruz i szczątki cyfrowych maszyn. Ogromne lodowe owady żerowały niemrawo na porozpruwanych bibliotekach, trawiły dane i przetwarzały je w promieniujące mrozem odchody - zniekształcone i strawione kody ludzkiego oprogramowania. Kryształowe konstrukty o kształtach rażących swą dziwacznością przesuwały się skokowo, wykonywały asymetryczny, pozbawiony rytmu taniec, przyprawiający o zawroty głowy i nieustannie przy tym przebudowywały serwer w lodowe piekło. Ze strawionych danych powstawały dziwaczne twory o nieludzkiej architekturze. Dla Andy'ego było jasne, że obcy szykowali środowisko pod swoje oprogramowanie. Zajęli sektor i przetwarzali go zgodnie z własnymi potrzebami.

Grot runął na największe skupisko wroga z rosnącym rykiem i ciągle ogarnięty fontanną ognia. Lodowe robaki, wielkie i ciężkie, porzuciły żer i zaskakująco żwawo zaatakowały intruzów. Konstrukty rozpadły się na mniejsze obiekty, najeżone lodowymi igłami i zionące przeszywającym chłodem. Skacząc i pełzając, cały ich tłum starł się z ludźmi. Trzask i ryk zlały się z sykiem ścierającego się z ogniem lodu. Grot zbił się w okrąg, w sercu którego natychmiast znalazł się Batista. Tu było najbezpieczniej. Oparł się o miecz i patrzył, jak wojownicy rąbią i sieczą wrogie oprogramowanie. Ludzkie kody znów walczyły z wirusem stworzonym przez inną cywilizację. Lodowe robale bryzgały syczącą białą juchą, gdy ich odwłoki rozpruwał ognisty oręż. Trafione konstrukty eksplodowały, siejąc odłamkami. Jeden z wojowników dostał się w szczęki robala i został przecięty na pół, a potem błyskawicznie przeżuty. Konstrukty dopadły kolejnych czterech nieszczęśników i rozerwały ich na strzępy. Batista liczył poległych, ale i zerkał na Popławskiego. Brygadzista jednak dowodził bez zarzutu i świecił przykładem, stając zawsze w pierwszej linii i osobiście kładąc jedną bestię po drugiej. Jak na złość ani razu jeszcze nie oberwał.

Powoli potworów ubywało, ich ataki traciły na impecie. Pod nogami walczących wyjrzał spod lodu suchy bruk. Mróz zaczynał się cofać. Andy roześmiał się głośno. Jednak się uda! Jeśli oczyszczą serwer, cała kraina zostanie uratowana! O to właśnie chodziło.

– Kuhlung, uruchom pan wreszcie Rozpruwacza! – rozkazał. – Teraz!

Mistrz znów uniósł kostur i cała twierdza zatrzęsła się, kiedy wieńczący go kryształ zapłonął białym ogniem. Kitt opadła na cztery łapy, kładąc po sobie uszy. Kuhlung trzy razy uderzył kosturem o ziemię, a blask powiększał się z każdym uderzeniem. Eksplozja gorąca zwaliła z nóg kilku wojowników, rozpuściła też dziesiątki lodowych stworów. I wtedy Rozpruwacz wystrzelił z blasku. Przyjął postać ognistego smoka, potężnego potwora o grzbiecie płonącym jasnym ogniem. Wił się i ryczał, ziejąc strumieniami żaru. Wyprężył skrzydła, załopotał i wzbił się wysoko, by niczym pocisk wpaść w kryształowe tafle i dziwaczne urządzenia obcych. Topił je oddechem i miażdżył uderzeniami ogona. Sypnęło fontanną lodowych odłamków. Wojownicy tym razem runęli pokotem. Ostre lodowe igły dzwoniły o tarcze, tłukły o pancerze, kaleczyły dłonie i twarze. Piekło rozpętało się na dobre, w powietrzu furkotały strzępy kodów i wirusów.

– Wstawać, sukinsyny! – ryczał Batista. – Usunąć to cholerstwo! Do roboty!

Wojownicy zbierali się z ziemi, kuląc się pod huraganem odłamków, fal mrozu i żaru. Znów natarli na rozpraszających się przeciwników. Nagle jedna z baszt zawaliła się z hukiem, grzebiąc pod zwałami gruzu i lodu kilku wojowników oraz dziesiątki konstruktów. Rozpruwacz demolował serwer bez opamiętania, ryczał i rzucał się w szale zabijania. Lód topił się i spływał, para buchała białymi kłębami.

– Dobrze idzie! – Andy poklepał Kuhlunga po plecach. – Łatwizna!

Serwer zaczynał wyglądać coraz bardziej swojsko, znikały obrzydlistwa obcych, odsłaniała się prawdziwa architektura twierdzy. Po paru chwilach lodu już zupełnie nie było, niebo rozjaśniło się, przepuszczając promienie słońca. Smok załopotał skrzydłami, ryknął triumfalnie i jego aplikacja zamknęła się w białym błysku. Twierdza została zdobyta.

– I widzisz, Popławski – warknął Andy do słaniającego się ze zmęczenia rycerza – tak się zwycięża w bitwach i pnie w górę. Tacy jak ty do końca życia zostaną tylko wyrobnikami, narzędziami w rękach prawdziwych przywódców. Brak wam odwagi i rozmachu, nie potraficie poświęcić kogo trzeba, przejmujecie się rzeczami nieistotnymi. By wygrywać, trzeba mieć jaja, być prawdziwym mężczyzną. A teraz zbierz ludzi i zabezpieczcie serwer; trzeba będzie przed powrotem do rzeczywistości założyć tu porządnego hosta, by wirusy nie wróciły.

Popławski zacisnął dłoń na rękojeści miecza, ale nic nie powiedział. Plunąłby w gębę tej gnidzie, jednak zależało mu na pracy. Po zwycięstwie Batista pewnie nie zrealizuje groźby zwolnienia, najwyżej cofnie mu tylko premię – nie jest przecież łatwo o doświadczonych brygadzistów. Aleks marzył o związku z Anną, a do tego potrzebował stałej posady. Przydałoby się wziąć kredyt i uwić dla niej gniazdko, wreszcie się ustatkować. Musiał więc opuścić głowę i w pokorze znosić przechwałki tego bufona.

– Ty świnio – syknęła Anna Batiście prosto w twarz. – Posłałeś na śmierć blisko dwudziestu ludzi, by zaspokoić wybujałe ambicje. Można było uniknąć tej ofiary. Żebyś zdechł, skurwysynu!

Dziewczyna stała krok przed olbrzymem. Batista nie zwrócił uwagi na sierść jeżącą się na jej karku ani na łapy z wysuniętymi pazurami. Zlekceważył też znaczący sygnał w postaci ogona, wściekle zamiatającego po bruku.

– Wszyscy słyszeli, co powiedziała ta kobieta?! – Andy'ego szczerze ucieszyło potknięcie Anny. Teraz będzie mógł napisać na nią wspaniały raport: czynna napaść i obraza wyższego rangą managera. Strzeliła sobie w stopę. Głupia dziwka jest już skończona.

– Kitty! – Popławski doskoczył do dziewczyny i złapał ją za łapę. – Nie ma pewności, że wszyscy zginęli, nie rzucaj tak mocnych oskarżeń.

Syknęła gniewnie, ale jej ramiona opadły z bezsilności. Andy parsknął śmiechem. Był niepokonany, zwycięski. Wspaniały!

– Nie ma się z czego cieszyć – warknął mistrz Kuhlung. Starszy pan patrzył złowrogo na Batistę. Coś w nim właśnie pękło. Miał dość tego szamba. Chrzanić grzeczne czekanie na emeryturkę. – Zarejestrowałem wszystkie twoje rozkazy i komentarze, Batista. Ciekaw jestem, czy zarząd będzie zachwycony, kiedy dowie się, jak lekko szafowałeś życiem pracowników. Przecież główny slogan naszej firmy to „Działamy dla dobra ludzkości". Jakoś nie wykazałeś zainteresowania dobrem własnych ludzi.

– Co ma znaczyć ten bunt? – ryknął Andy. – To jawna niesubordynacja! Może jeszcze założycie związki zawodowe, cholerne nieroby?! Ja wam dam składanie skarg na przełożonego! Jeszcze zobaczymy!

– Szefie, chyba mamy problem... – Do Batisty podszedł jeden z wojowników, brodaty siłacz z młotem bitewnym w garści.

Andy zmierzył go niechętnym spojrzeniem. Zwykle nie zniżał się do rozmów z niższym personelem. Prości specjaliści to tylko armatnie mięso. Zupełnie wyrzucił z pamięci, że jeszcze przed dziesięciu laty był jednym z nich. Już miał zrugać bezczelnego robola, który śmiał wtrącić się w rozmowę managerów, kiedy zaniepokoiło go dziwne zachowanie mężczyzny. Wojownik chwiał się i z trudem utrzymywał równowagę. Jego oczy błyszczały dziwnym złowrogim blaskiem. Liczne skaleczenia na twarzy, zadane lodowymi odłamkami, spływały krwią.

– Moje oprogramowanie leczące awatara przestało działać. Bardzo źle się... – Wojownik nie dokończył, zadygotał tylko, a młot wypadł mu z dłoni.

Batista ze zgrozą spostrzegł, że w ranach brodacza błyszczą kryształki lodu, a oczy zaszły mu błękitną mgłą i zmieniły się w bryły śniegu. Odskoczył od niego jak oparzony i uniósł potężny miecz, o który dotychczas się opierał.

– Skażenie! – wrzasnął Kuhlung. – Alarm!

Brodacz wyciągnął ręce do Andy'ego i charcząc, rzucił się na przełożonego. Batista zadał niezgrabne pchnięcie i przebił nieszczęśnika na wylot. Ostrze strzeliło płomieniem, jak zwykle przy kontakcie z wirusami. Andy zaparł się stopą o brzuch brodacza i wyszarpnął miecz, jednocześnie odpychając skażonego. Ten runął na ziemię w drgawkach, z rany strzelały płomienie.

Batista spojrzał na przerażonych podwładnych. Do wszystkich natychmiast dotarła groza sytuacji. Lodowe szrapnele! Zawierały ukrytego wirusa, który prześliznął się przez zapory. Każdy został nimi pokaleczony i każdy mógł zostać zarażony. Skoro wirus ominął oprogramowanie pancerzy, jest programem nowego typu. Nie ma na niego lekarstwa. Jedyna szansa na przetrwanie to jak najszybciej odłączyć się od sieci, zanim obcy rozwinie się w awatarze i porazi świadomość. Lub zrobi coś jeszcze gorszego.

Brodacz przestał wierzgać, ale nie zastygł w bezruchu. Ognie w jego ranach zgasły, pokryły się lodem puchnącym szybko, wybrzuszającym się, pełznącym niczym żywa istota. Ciało mężczyzny zaczęło się deformować, nabierało coraz bardziej kanciastych, krystalicznych kształtów. Zamieniało się w lodowego konstrukta.

– Na co czekacie? – syknął Batista. – Róbcie coś. Kuhlung, spróbuj pan użyć na nim antywirusów w kombo lub rzuć pan w niego Rozpruwaczem. Popławski, ustaw ludzi w obronny szyk.

– Musimy się natychmiast wycofać – odparł Aleks. – Zanim to coś wszystkich nas zabije.

– Nie ma mowy! Nie zostawimy serwera! – Batista wyszczerzył zęby z wściekłości. – Brać się do roboty, tchórze!

Jeden z wojowników opadł na kolana i charcząc, złapał się za gardło. Z jego ust wysunął się sopel, oczy zamieniły się w błękitne lodowe bryły. Niepostrzeżenie niebo znów pokryły ołowiane chmury, zerwał się zimny wiatr. Kolejny wojownik zwinął się w kłębek, a wokół niego na bruku wykwitły plamy szronu. Kitt wskazała zarastające lodem wrota.

– To pułapka! Uciekajmy, póki jeszcze czas!

Batista ze zgrozą zrozumiał, że jest skończony. Popełnił fatalny błąd. Stracił część zespołu, przez brawurę naraził ludzi i spowodował ich zakażenie nową postacią wirusów. Z czegoś takiego trudno będzie się wyślizgać. Serwer i cały sektor są stracone. Pora ratować własne życie. Wziął oddech, by wydać rozkaz do odwrotu, ale się zawahał. Przyszedł mu do głowy pewien pomysł.

– Popławski, ustaw ludzi w grot! – rozkazał. – Kiedy wasze antywirusy się połączą, jest szansa, że wypalą to cholerne skażenie. No już! Szybciej!

Wojownicy, widząc nadzieję na przetrwanie, natychmiast zwarli szyk i dobyli broni, Aleks poprowadził ich żwawym krokiem przed siebie, wprost na wypełzające z rumowiska konstrukty. Kuhlung tymczasem odprawiał czary nad jednym z pożeranych przez wirusa nieszczęśników. Wymachiwał nad nim swoim kosturem i mamrotał coś pod nosem. Została tylko Kitt. Dziewczyna podejrzliwie zmrużyła oczy, patrząc na Batistę. Ten uśmiechnął się do niej i bez rozmachu ciął mieczem po gardle. Ostrze zazgrzytało na kręgosłupie kotki, bryznęła gorąca krew.

Gorąca, bez śladu lodu. Anna nie została zatem skażona, tylko co z tego? I tak stanowiła zagrożenie.

Całe szczęście nie zdążyła nawet miauknąć. Ostrze z pakietem antywirusowym automatycznie zablokowało całe oprogramowanie jej awatara, świadomość dziewczyny została zatem w konającym wirtualnym ciele. Nigdy nie wróci do reala, zginie tu pożarta przez wirusy. Jednego świadka mniej. Nikt nie zauważył jej „wypadku", i bardzo dobrze. Andy kilkoma susami dopadł bramy i skoczył przez zatrważająco wąski otwór, niemal całkiem już pokryty lodem. Wylądował na rękach, przeturlał się i spojrzał na twierdzę. Brama zamknęła się za nim półprzezroczystymi taflami. Wszyscy niewygodni świadkowie pozostali po tamtej stronie. Walczyli, ale nie mieli przecież najmniejszych szans. Nie przetrwa nikt, kto mógłby napisać niewygodny dla Batisty raport i obnażyć jego błędy. Całą winę zwali się na Kuhlunga i Popławskiego. Dobra nasza, teraz trzeba jak najszybciej dotrzeć do doliny, w miejsce, w którym działa oprogramowanie pozwalające wrócić do realności.

– Batista, ty bydlaku! – Zza murów dobiegł go rozpaczliwy krzyk Aleksa. – Zapłacisz za to, sukinsynu!

Andy odwrócił się na pięcie i ruszył biegiem w kierunku wzgórz upstrzonych szarymi skałami. Zerwał się huraganowy wiatr, niosący ze sobą tumany śniegu. Zima wracała z całym impetem, a wraz z nią triumfujący obcy.

Popławski klęczał obok dygoczącego ciała dziewczyny. Gładził jej twarz, wyjąc z bezsilności. Kuhlung podszedł i położył mu rękę na ramieniu. Wokół wirowały płatki śniegu, lód pełzał po bruku, znów skuwając go i zamieniając cytadelę w gniazdo obcych. Oddział poszedł w rozsypkę, kilku wojowników ruszyło przeciw wynurzającym się z zakamarków twierdzy konstruktom, by zginąć z bronią w ręku, inni w panice tłukli mieczami w lodową bramę lub próbowali wspinać się na mury. Co chwila któryś z nich zwijał się w kłębek i morfował w lodowe obrzydlistwo, trawiony od środka wirusem.

– Jak ją ocalić? Na pewno jest jakiś sposób! – Aleks zwrócił się do Kuhlunga.

– Trzeba pozwolić, by lód ją pochłonął. Może wirusy zamrożą jej świadomość i ta przetrwa do czasu, gdy kiedyś dotrze tu wojskowa ekspedycja – odparł mistrz. – Ty też spróbuj się ratować w ten sposób. To jedyna szansa na przetrwanie w obcym środowisku: poddać mu się.

Sam Kuhlung nie zamierzał tego robić. Zdążył już pogodzić się z faktem, że jednak nie doczeka emerytury. Nie zamierzał też zamieniać się w lodowy konstrukt i czekać latami na szansę, że być może kiedyś ludzie go uwolnią. Jego ciało i tak do tego czasu zostanie pochowane, a ocalona świadomość wyląduje najwyżej w tanim androidzie. Tylko coś takiego obejmowało jego ubezpieczenie. Co mu po życiu jako maszyna w innym świecie, odległym może nawet o dziesiątki lat? Chrzanić to!

Przywołał Rozpruwacza i wskoczył na jego kark. Smok wzbił się w powietrze. Popławski patrzył na mistrza zimno, podejrzewając, że ten próbuje uciec w pojedynkę. Zamiast tego Kuhlung razem ze smokiem zmienił się w ognistą kulę i runął w samo serce twierdzy. Wpadł między pełzające konstrukty, uderzył w bryłę zamczyska i przełamał ją wpół. Z potwornym hukiem w powietrze wyleciały tony lodu i gruzu, wzbiła się chmura pary i pyłu, na chwilę zupełnie zasnuwając pole bitwy.

Aleks przycisnął do piersi konającą ukochaną. Jego wzrok padł na leżący obok, skrzący się fasetkami kawał lodu. Złapał go bezwiednie i zaciskając zęby, wetknął bryłę w makabryczną ranę na szyi Kitt. Lód roztopił się w mgnieniu oka, wniknął w ciało dziewczyny. Ta drgnęła po raz ostatni i zastygła w bezruchu. Aleks nie wypuszczał jej ciała z objęć. Pochylił głowę, by nie widzieć zbliżających się zewsząd obcych.

Anna nagle uniosła powieki. Spojrzała dwoma błyszczącymi kryształami, w które zmieniły się jej oczy, i objęła ukochanego.

Aleks czuł bijący od niej chłód, przytulił ją mimo tego. Pocałowała go. Zimno wypełzło z jej warg i wdarło się do krwi Popławskiego. Szarpnęły nim jednocześnie rozpacz i euforia. Wiedział, że Kitt nie jest już do końca sobą, ale był przekonany, że mimo wszystko żyje, zanurzona w mrozie. Wirus ją zmienił, ale i ocalił. Mężczyzna poddał mu się z radością, pozwolił, by ogarnął i jego. Aby połączył go z ukochaną.

Batista usiadł w fotelu netowym i zamrugał nerwowo. Łapczywie wciągnął powietrze, jakby właśnie wynurzył się z wody. Obmacał twarz, obejrzał dłonie. Był żywy i zdrowy, we własnym ciele. Udało się!

W hali panował niezwykły harmider. Wyła syrena alarmowa i migały czerwone światła, medycy biegali tam i z powrotem z noszami, respiratorami i innymi aparatami ratowniczymi. Batista wyprostował się, wyciągnął wtyk ze wszczepu i zeskoczył z fotela. Odepchnął pomocne ręce sanitariusza, nie zareagował na jego pytania. W uszach huczała mu jeszcze śnieżna zawieja, zlewająca się w jeden ryk z wyciem i krzykami wstrząsającymi halą. Andy odetchnął kilka razy i uspokoił się. Poprawił koszulę i marynarkę, odgonił natarczywych medyków i kazał iść do diabła zasypującym go pytaniami technikom.

Spojrzał obojętnie na ciało Anny Kitt, które podłączono do aparatury podtrzymującej życie. Raczej bezskutecznie, sądząc po liniach prostych wyświetlanych na panelu, symbolizujących pracę mózgu i akcję serca. Odstąpił na bok, robiąc miejsce funkcjonariuszom w kombinezonach, którzy otoczyli fotel mistrza Kuhlunga. Ciało starszego pana wyglądało fatalnie: członki wykrzywiły się groteskowo, twarz napuchła i posiniała. Trup, i to zimny. Andy odetchnął z ulgą. Załatwił ich, załatwił ich wszystkich.

Poszedł chwiejnie przed siebie, nie zważając na zdumione spojrzenia techników. Wypadł z hali, zataczając się dotarł do toalety, gdzie umył twarz gorącą wodą. Dopiero wtedy spróbował uruchomić AI-sekretarza. Asystent jednak nie odpowiadał, nie uruchamiały się widżety, cały system milczał jak zaklęty. Andy poczuł falę przerażenia, ale szybko się uspokoił. To nic. Wszczep jest przecież przeciążony po połączeniu z fotelem i zwyczajnie się wyłączył. Trzeba poczekać, aż sam się aktywuje.

Jak w amoku dotarł do limuzyny, rozglądając się panicznie po drodze. Bez stałego połączenia z netem czuł się nagi i bezbronny. Nie wiedział, w jaki sposób wyjechał z garażu i pokonał całe miasto. Maszyną musiał kierować autopilot lub komputer pokładowy. Batista odzyskał przytomność i panowanie nad sobą dopiero przed drzwiami apartamentu.

Drzwi od mieszkania rozsunęły się przed nim bezgłośnie. Powiało chłodem. Andy przestawił klimatyzację, nie patrząc nawet na wyświetlacz. W salonie panował półmrok, nie słychać też było krzątającej się w kuchni Arlety. Zatem nici z domowego obiadku, żona zabrała chłopców do miasta. Andy poczuł się nagle upiornie samotny.

Bez bliskich, bez Arlety i chłopców, a do tego bez działającego wszczepu z aktywnym systemem był zupełnie sam. Potrząsnął głową, by zapanować nad atakiem paniki. Potrzebował ich. Pragnął bliskości swojej żony i dzieci. Chciał ją przytulić i wszystko jej opowiedzieć. Gdzie oni byli? Czemu zostawili go samego? Zabijał dziś dla nich. Dla nich!

Dygocząc, dotarł do kuchni. Na lodówce nie wisiała jednak karteczka, z pomocą której żona czasem po staroświecku miała w zwyczaju informować go o różnych drobiazgach. Andy poczuł kolejną falę przerażenia. To tylko *lęk beznetu*, uspokoił sam siebie. Częsta przypadłość ludzi gwałtownie odłączonych od sieci. Trzeba napić się czegoś mocniejszego.

Otworzył drzwi lodówki i sięgnął po butelkę. Zamiast niej dotknął jednak ostrej krawędzi lodowej bryły. Ze zgrozą spojrzał na wnętrze urządzenia, wypełnione skrzącym się lodem i puchnącymi soplami. Zatrzasnął lodówkę i rzucił się do ucieczki. Potknął się w salonie i przewrócił. Klnąc, poderwał się na równe nogi i skoczył do drzwi. Wpadł prosto na wchodzącą Arletę.

– Co się stało, kochanie? – zapytała.

Objął ją i przytulił do piersi. Zacisnął powieki, dysząc ciężko.

– Nic. To tylko powidoki z sieci. Wystraszyły mnie – szepnął, gładząc jej włosy.

– Ciężki dzień w pracy? – spytała. – Załatwiłeś ich wszystkich?

– Tak, załatwiłem – odparł.

Przejechał dłonią po jej plecach i ze zdziwieniem poczuł dziwną fakturę ubrania. Zupełnie jakby gładził futro. W tej samej chwili uderzyło go zimno bijące od żony. Ze zgrozą otworzył oczy i odepchnął ją z przerażeniem. Zamiast Arlety stała przed nim Kitt w swoim kocim awatarze. Uśmiechała się groźnie. Jej oczy błyszczały lodem.

Uchyliła drzwi, wpuszczając powiew mroźnego wiatru, który niósł ze sobą tumany śniegu. Zamiast holu apartamentowca Batista ujrzał na zewnątrz ciągnące się w nieskończoność lodowe pustkowie. Cofał się krok za krokiem.

– Jak to się stało? – z trudem wycedził przez zaciśnięte gardło. – Jak przeżyliście? Jak mnie wciągnęliście z powrotem do wirtuala?

– Nigdy go nie opuściłeś, Andy – odparł Popławski, stojący za jego plecami. – Jesteśmy w iluminacji, którą wytworzyliśmy w węźle sektorów, skąd się rozprzestrzeniamy, infekując kolejne obszary. Jeszcze dziś opanujemy całe ziemskie infopole, nic nas już nie zatrzyma.

– A ty zostaniesz z nami – powiedziała Kitt. – Musimy ci podziękować, bo to twoja zasługa. Ty sprowokowałeś nas do symbiozy z wirusem, to dzięki tobie możemy być razem. Na zawsze.

– Podziękować? – jęknął Andy. – Darujecie mi życie? Puścicie mnie wolno?

Kitt uśmiechnęła się, odsłaniając ostre jak igły zęby. W tym uśmiechu nie było życzliwości, tylko z trudem hamowana wściekłość.

– Odpokutujesz swoje zbrodnie, bydlaku – syknęła. – Urządzimy ci prawdziwe piekło. Nigdy nie zaznasz spokoju, zawsze po ciebie przyjdziemy. A teraz biegnij. Uciekaj!

Batista skoczył w tył, ale potknął się i runął na podłogę. Uderzył w nią głową, jęknął i zamknął oczy. Ogarnęła go ciemność. Spadał w nią coraz głębiej i głębiej. Rozwiewał się w niej, znikał.

Z mroku wyrwały go bolesne uderzenia, rozrywające pierś i wstrząsające całym ciałem. Otworzył oczy i ujrzał pochylonych nad sobą sanitariuszy. Jeden trzymał elektrody defibrylatora. Na widok odzyskującego przytomność pacjenta odłożył je i uśmiechnął się z ulgą. Batista znalazł się na noszach, patrzył w znajomy sufit pracowni netowej. Poruszył głową.

– Proszę nie wstawać – powiedział jeden z medyków. – Mieliście wypadek w wirtualu, ale już jest pan w realności. Zadziałało sprzężenie ratunkowe, a nam udało się opanować wstrząs. Nic panu nie będzie. Proszę się odprężyć i niczym nie denerwować. Należy się panu urlop.

Batista chciał o coś jeszcze spytać, chciał, by powiadomili żonę, opadł jednak na nosze i pozwolił się wieźć do karetki. Czuł dodającą lekkości ulgę. Strach opuszczał go powoli. Załkał z radości i szczęścia. Jednak wróci do domu, a tam będzie czekała na niego Arleta i dzieci. Wszystko, co widział, to majaki, w których wizualizowały się jego obawy i durne lęki. Efekt uboczny wstrząsu. Wszystko będzie dobrze.

Nosze wyjechały przed budynek, załadowano je do karetki. Przez chwilę Batista widział niebo wypełnione ciężkimi, ołowianymi chmurami. Wiało przeszywająco, w powietrzu wirowały pojedyncze płatki.

– Pierwszy śnieg – uśmiechnął się sanitariusz.

Batista wykrzywił usta w wymuszonym grymasie i skinął głową. Zamknął oczy. Po chwili zatrzasnęły się za nim drzwi karetki. Starał się usilnie przypomnieć sobie datę. Dałby głowę, że powinien być środek lata. Nie mógł się jednak skupić.

Było mu zimno.

Agnieszka Hałas – z wykształcenia doktor nauk biologicznych, aktualnie tłumaczka. Autorka licznych opowiadań publikowanych m.in. w miesięczniku „Science Fiction. Fantasy i Horror" oraz – jak dotąd – jednej powieści (*Dwie karty*). Laureatka I miejsca w 2. edycji konkursu literackiego „Horyzonty Wyobraźni" oraz w 36. edycji konkursu poetyckiego „Jesienna Chryzantema" (2010). Od stycznia 2011 roku kieruje działem literackim w internetowym magazynie kulturalnym „Esensja". We wrześniu 2012 roku ukazał się jej zbiór opowiadań o piekle pt. *Po stronie mroku* (ebook, wydawnictwo RW2010). Kocha góry i koty.

Agnieszka Hałas

Opowieść o śpiących królewnach

Mając do wyboru kolonię karną gdzieś w pasie Kuipera i posadę pilota w rządowej firmie Minos Justice, lepiej mimo wszystko latać dla Minos Justice. Powtarzam to sobie, sącząc ohydny koktajl białkowo-tłuszczowo-witaminowy o smaku (podobno) truskawek, posypany płatkami sztucznych otrąb. Chlołądek czy nie chlołądek, bez błonnika ani rusz.

Kyle Biernacki opowiada kolejną mało wyrafinowaną anegdotę z życia stoczniowców; słucham jednym uchem.

Jest siódma dwadzieścia czasu pokładowego, pora śniadania. Silniki mruczą miarowo. Trzysta dziewięćdziesiąt śpiących królewien mknie ku swemu przeznaczeniu.

Charon 6, mały transportowiec międzyplanetarny z pięcioma ładowniami i dwuosobową załogą, nie posiada mesy, bo i po co. Siedzimy przy stoliku w kabinie mieszkalnej; porysowane szare tworzywo, na nim kolorowe inteligentne nalepki, miniplakaciki propagandowe. Z Uranem, Neptunem i Plutonem: „Republika Urnepluto – razem w przyszłość". Uśmiechnięty górnik w kombinezonie opierający się o nogę potężnego robota: „Kopalnie na Trytonie – nasza duma". Z pająkiem siedzącym na konsoli: „Wróg narodu czyha w sieci" i tak dalej. Łokcie, talerze i notesy pilotów nie zdołają ich zetrzeć, żeby nie wiem co. Przed nami czarne plastikowe woreczki z żółtym logo Victory Corporation – dwa palce ułożone w charakterystyczny znak.

Kyle pociąga przez rurkę łyk koktajlu i śmieje się ochryple. Jest zwalistym facetem ze szczeciną rudych włosów i nochalem niczym czerwona narośl.

Nie przepadam za nim, ale piloci firmy Minos Justice nie mają obowiązku się wzajemnie lubić.

Wsuwa owłosione łapsko pod koszulkę, żeby się podrapać po zwiniętym chłołądku.

– No więc wygrużają z tego magazynu cały towar i znajdują za skrzyniami nadajnik. Radio Wolny Jowisz, kurwa, czaisz?

– Taa – mruczę zdawkowo i dopijam różową maź zagłady. Koktajl Zwycięstwa, żeby go tak szlag.

*

O jedenastej czasu pokładowego dokujemy przy stacji orbitalnej Triton A. Sztuczna grawitacja zbliżona do ziemskiej, ponad pięćset tysięcy mieszkańców, kilka dużych fabryk, stocznie. Choć dwa tygodnie temu dokował tutaj Charon 8, mają dla nas czterdzieści siedem kapsuł.

– Cholernie dużo – komentuje Kyle. – Bunt zaliczyli czy co?

Widać tutejszy aparat sprawiedliwości prężnie działa, myślę z ironią, lecz się nie odzywam. Wszystkie nasze konwersacje są monitorowane przez Minos Justice, a ja i tak mam już wystarczająco nasrane w papierach.

Za oknem widać niebieską zamgloną kulę Neptuna. Po rutynowej rozmowie z kontrolą lotów czekamy dobre pół godziny, popijając kawę, zanim przychodzi wiadomość, że śpiące królewny są gotowe do załadunku. Wydaję statkowi polecenie otwarcia luku.

Kiedy luk jest otwarty, nie wolno nam opuszczać sterowni. Procedura bezpieczeństwa. Obaj gapimy się w ekran, na którym widać obraz z czterech kamer – przy wejściu na statek, w korytarzu, przed drzwiami ładowni i wewnątrz niej.

Ludzie z obsługi technicznej Tritona A noszą niebieskie robocze ubrania oraz czarne czapeczki z żółtym logo Victory Corporation. Ci, którzy szarpią się z kapsułami, mają też na sobie białe plastikowe ustrojstwa wyglądające jak górna część rycerskiej zbroi płytowej. Egzoszkielety zwiększające siłę mięśni; po co oddelegowywać do roboty więcej ludzi niż potrzeba, skoro jeden chłopak w egzoszkielecie bez problemu przetacha te dwieście kilo.

Przyglądamy się, jak wytaczają ze statku puste kapsuły – tak jest najprościej, wymienić puste na pełne. Potem wnoszą na pokład śpiące królewny, ciągną je korytarzem – ciężkie pudła mają wbudowane kółeczka jak walizki – do ładowni nr 5, ostatniej, w której są jeszcze wolne miejsca. Tam uwija się trzech techników, podpinając zahibernowanych do aparatury podtrzymującej życie. Dokładniej – dwóch pracuje szybko i sprawnie. Trzeci, na oko jeszcze nastolatek, ma wyjątkowo maślane łapy. Męczy się z podpięciem przewodu, jakby robił to pierwszy raz. Kyle nachyla się do interkomu.

– Hej, młody, jak coś będzie przeciekać, wrócę i złoję ci tyłek.

Chłopak podskakuje zaskoczony. Rozgląda się, odnajduje wzrokiem krateczkę głośnika w suficie, kręci głową.

Drugi technik podchodzi, żeby mu pomóc.

Dziesięć minut później dostaję meldunek, że wszystkie kapsuły są podpięte. Przesuwam dźwignię. Na pulpicie kontrolnym zaczyna migać żółte światełko. Po chwili zmienia kolor na zielony i pali się już jednostajnie, a spod podłogi dobiega bulgot przywodzący na myśl perystaltykę w olbrzymim brzuchu. Płyn odżywczy zaczyna krążyć w instalacji.

Czekam cierpliwie, aż wszystkie pozostałe diody na pulpicie kontrolnym ładowni zaświecą się na zielono, następnie włączam sprzężony z nim ekran. Wywołuję ładownię nr 5, bloki 2 i 3. Na ekranie pojawia się czterdzieści siedem wskaźników EKG. Głośnik ożywa zdesynchronizowanym pikaniem, więc szybko przyciszam dźwięk.

– Gotowe – informuję techników przez interkom.

*

Sześć godzin po opuszczeniu Tritona A koryguję kurs, po czym zmniejszam ciąg. Pomruk silników przycicha. Mamy teraz jeden g, to w zupełności wystarczy. Odpinam pasy i wyjmuję z kieszonki przy siedzeniu elektroniczny notes.

– Idę się przyjrzeć naszym nowym nabytkom – oznajmiam.

Kyle kiwa głową. Włącza muzykę z odtwarzacza – dziwne ćwierkania, piski oraz orgazmiczne kobiece jęki zmiksowane z dyskotekowym podkładem sprzed półtora wieku. Oto, co króluje teraz na urnepluckich listach przebojów. Melodie, jakie generuje sztuczna inteligencja MX-34 Nightingale, zaprogramowana przez młodego autystycznego geniusza Luciena Glockenspiela. Ulubiona muzyka prezydenta, więc i naród musi ją kochać, siłą rzeczy.

Korytarze Charona 6 są odrapane, brudnawe. Mamy jednego starego robota sprzątającego, który z wiekiem chyba trochę zobojętniał na kurz.

Gdy wchodzę do ładowni nr 5, światło zapala się automatycznie. W chłodnym blasku jarzeniówek czytam numery kapsuł. Zgodnie z procedurą zatrzymuję się przy każdej, włączam jej wewnętrzne oświetlenie i przyglądam się uważnie, czy na skórze śpiących królewien nie widać oznak zarazy. Bakteria powodująca chorobę Nilssona-Wanga to pokłosie prowadzonych przed stu laty eksperymentów z bronią biologiczną. Należy do tych nielicznych patogenów, które są w stanie się uaktywnić nawet wówczas, gdy organizm trwa w hibernacji, zanurzony w inteligentnym płynie odżywczym, zdolnym zabić większość zarazków.

Płyn zafałszowuje też wyniki standardowych testów diagnostycznych, wykrywających materiał genetyczny czy białka czynnika chorobotwórczego. Najpewniejszym sposobem na wykrycie zarazy pozostaje starożytna, znana już w czasach Hipokratesa, metoda „na oko".

Kolejno lustruję ciała uśpionych w poszukiwaniu charakterystycznych krwistych pęcherzy. Pojawiają się w pierwszej kolejności tam, gdzie skóra jest najcieńsza – na szyi, pod pachami, w pachwinach. Na początku są nieliczne, małe, łatwo je przeoczyć. Potem rosną, zlewają się, wzbierają w potężne bąble wypełnione czarnym płynem. Kiedy pękają, skóra złazi z człowieka całymi płatami. Umiera się dość szybko – mechanizm śmierci podobny jak przy oparzeniach.

XT 98-560424. Chudy gość o zapadniętych ustach, może podczas śledztwa wybito mu zęby. Policzki i brzuch zaklęśnięte, widać wszystkie żebra, ale skóra czysta.

XT 98-560425. Gruby facet o lekko azjatyckich rysach. Tacy mają przerąbane, najłatwiej ich oskarżyć o szpiegostwo.

Na klatce piersiowej, tuż nad prawym sutkiem, ma kilka podejrzanych ciemnych znamion. Oglądam je uważnie, ale to jednak brodawki, nie pęcherze. Zresztą lokalizacja nie jest typowa.

Zielonkawa ciecz odżywcza lekko opalizuje w świetle żarówki.

XT 98-560427, XT 98-560428, XT 98-560429. Przy numerze XT 98-560429 znów zatrzymuję się na dłużej.

To dziewczyna. Jakieś metr sześćdziesiąt wzrostu, filigranowa. Delikatne rysy, prosty nosek. Gdyby nie ogolona na łyso głowa, byłaby prześliczna.

Przez chwilę zastanawiam się, jakiego koloru ma oczy. Pewnie niebieskie, sądząc po tym, jak jasne są jej brwi i rzęsy.

W myślach nadaję jej imię Elaine.

*

Nieco później, zwinięty wygodnie w koi, wyciągam elektroniczny notes, łączę się z wewnętrzną siecią Minos Justice i wywołuję na ekranie rejestr skazanych.

Te dane oczywiście formalnie są dla mnie niedostępne, ale już jakiś czas temu zaprzyjaźniłem się z komputerem pokładowym w wystarczającym stopniu, żeby być w stanie obejść niektóre ograniczenia. W czasie lotu nie mamy dostępu do holonetu, ale do firmowej sieci tak. Dane skazańców mogą swobodnie przeglądać biurwy z działu administracji, a ich kody nie tak trudno złamać.

Mój notes ma oczywiście założoną pluskwę, ale rozpracowałem ją, choć nie jestem specem od informatyki. Trzeba sobie radzić.

Kyle Biernacki chrapie, gwiżdżąc przez nos. Wpisuję w okienko wyszukiwania numer kapsuły i po niedługiej chwili znajduję to, czego szukałem.

Elaine naprawdę nazywa się Nastassja Leszczynski. Lat dwadzieścia sześć. Skazano ją za przestępstwo polityczne II stopnia.

Ciekawe, w jakie gówno udało ci się wpakować, śliczna Nastassjo. Za ściąganie z holonetu nielegalnych materiałów, a nawet za ich rozpowszechnianie nie zsyłają do Tartaru.

Wylogowuję się z sieci i pieczołowicie usuwam z notesu wszystkie ślady po tej sesji. Potem wsuwam doń kartę pamięci z różową nalepką i odpalam zacieracza – programik, którego zadaniem jest zadbać o to, żeby nikomu nie udało się już odczytać plików wykasowanych danego dnia.

Gdyby mi skonfiskowano notes i oddano do przeskanowania specjalistom, wyjdę na uzależnionego od twardego holoporno z czarnego rynku. Na takie słabostki rząd przymyka oko.

Kyle przewraca się na drugi bok i chrapie dalej. Odkładam notes, odwracam się do ściany.

Przed oczami staje mi twarz Elaine-Nastassji zastygła we śnie i nagle dociera do mnie, jak bardzo ta dziewczyna jest podobna do Riki.

Od razu przypomina mi się Rika tamtego dnia na Uranusie C, gdy mieliśmy nadzieję, że ostatni raz patrzymy na tarczę Urana. Wszystko było już ugadane z ludźmi z Escape. Mały, szybki statek pasażerski wyposażony potajemnie w wojskowe pole maskujące, oficjalnie zmierzający na Oberona, który miał zmienić kurs, przelecieć przez blokadę, ujawnić się zaraz po opuszczeniu strefy granicznej i poprosić o azyl. Ci z Escape przerzucają średnio kilkadziesiąt osób miesięcznie – niewiele albo bardzo dużo, zależy jak na to patrzeć. Metody się zmieniają, ryzyko pozostaje wysokie. Próby sforsowania blokady grożą zestrzeleniem statku bez ostrzeżenia. Niektórzy twierdzą, że ponad połowa uciekających ginie. Rządowa propaganda głosi oczywiście, że wszyscy.

Ale i tak byliśmy zdecydowani spróbować.

Aresztowano mnie nazajutrz w moim własnym mieszkaniu, godzinę przed wyznaczonym terminem zbiórki na lądowisku. Wpadłem głupio, przez własną nieostrożność. Poprzedniego dnia wysłałem jedną wiadomość, tylko jedną, z kafejki holonetowej. Sformułowaną tak, żeby wydawała się całkowicie pozbawiona podejrzanych treści. Do brata. I albo automatyczny monitoring jednak wyłapał z niej jakąś frazę, która wzbudziła zainteresowanie służb, albo Andy Kressler najzwyczajniej w świecie mnie wsypał.

Rika i pozostali mieli czekać pięć minut, a potem startować beze mnie.

Musiało im się udać. Gdyby wpadli, byłbym już śpiącą królewną.

Nie pierwszy raz zastanawiam się, czy Rika mnie wspomina, gdziekolwiek teraz jest – na Jowiszu, Marsie, może na Ziemi... Co by czuła, gdyby się dowiedziała, że mając do wyboru kolonię karną albo Minos Justice, wybrałem pracę dla Minos Justice i teraz wożę zahibernowanych buntowników do rządowego ośrodka badawczego Tartarus 2 na Plutonie.

Ta myśl boli, jak zawsze. Odpycham ją.

*

Leżymy z Kyle'em w solarium. Tak się szumnie nazywa malutkie pomieszczenie naprzeciwko kabiny mieszkalnej, choć zważywszy na cel naświetlania, równie dobrze można byłoby je określić mianem stołówki.

W solarium leży się na wznak z rękami pod głową. Zalewa je oślepiający blask wielkiej lampy imitującej światło słoneczne. Obaj jesteśmy rozebrani do bokserek ze względu na gorąco, jakie od niej bije. Nasze chlołądki, podparte od dołu rozkładanymi stelażami, rozpościerają się niczym olbrzymie zielone liście pocięte siecią żyłek.

Opracowanie endosymbionta, sztucznej sinicy przystosowanej do współdziałania z ludzkimi komórkami, było dla biotechowców dziecinną zabawką. Jednakże rozwiązanie pozornie najbardziej oczywiste, to znaczy wprowadzenie go do naskórka, mijałoby się z celem. Raz, że keratynocyty nie są w żaden sposób przystosowane do przekazywania produktów fotosyntezy reszcie organizmu. Dwa, naskórek ulega szybkiej odnowie; jego kolejne warstwy przesuwają się ku górze, obumierają i złuszczają się. Z kolei w skórze właściwej więcej jest macierzy pozakomórkowej, włókien kolagenu i takich tam niż komórek. Po wstępnych eksperymentach biotechowcy doszli do wniosku, że łatwiej dołożyć człowiekowi dodatkowy organ niż modyfikować istniejące. Połączyć go z żyłą wrotną czymś w rodzaju pępowiny i gotowe. Rozwiązanie genialne w swej prostocie. Od czego w końcu mamy pępek?

Na mocy kontraktu z rządowymi laboratoriami nowa technologia testowana jest między innymi na pilotach Minos Justice. Bo niby czemu nie. Przy okazji firma oszczędza na racjach żywnościowych.

Kyle sięga do przycisku kontrolnego holookularów, przełącza program.

– O ja cię kręcę – mamrocze, uśmiechając się głupkowato. Pewnie znów ogląda tę swoją ulubioną holonowelę dokumentalną o domach opieki dla mutantów. Uwielbia patrzeć, jak zdeformowane, tylko z grubsza człekokształtne stwory grają w piłkę albo uczą się codziennych czynności.

Włączam swoje okulary i niezdecydowany gapię się na menu. W pamięci urządzenia tkwi z pięćdziesiąt filmów, ale wszystkie już widziałem. Sam praworządny szajs z rodzimych wytwórni. Kryminały o dzielnych funkcjonariuszach urneplucklej milicji, którzy tropią dywersantów w kopalniach na Trytonie, mogą być nawet zabawne, ale pod warunkiem, że nie ogląda się ich na trzeźwo.

W końcu odpalam filmik propagandowy – rozpędzenie demonstracji w szesnastą rocznicę pierwszych i jak dotąd ostatnich wyborów prezydenckich w Republice Urnepluto, które odbyły się zaraz po zakończeniu wojny domowej w Układzie Słonecznym. Krótko po objęciu urzędu prezydent Edward Blick obwołał się dyktatorem i odtąd rządzi, wspierany przez armię, ochrzczony przez propagandę Ojcem Planet.

Demonstracja demonstracją, chcę przede wszystkim popatrzeć na otwierające kadry. Paradise City na Titanii, największym z księżyców Urana; wielopoziomowa biała konstrukcja z klockowatych budowli pod świecącą seledynowo kopułą ciepłołapu – technologia Obcych, która pozwala budować osady na ciałach niebieskich odległych od Słońca. Paradise City, nasza wspaniała stolica. Brakuje tylko palm.

Kamera pokazuje tłum kłębiący się na placu przed budynkiem parlamentu. Na transparentach i wyświetlanych w powietrzu hologramach te same napisy co zawsze, w unilingu. „W urnę pluto". Ktoś powinien im w końcu powiedzieć, że to było dowcipne szesnaście lat temu.

Ludzie skandują chórem, wymachując rękami. Wyciszyłem dźwięk, ale z ruchu warg można bez trudu odczytać słowa.

– W ur-nę pluto! W ur-nę pluto!

Czarne śmigacze milicyjne spadają na nich jak sępy na padlinę. W powietrze buchają kłęby oparów – gaz łzawiący i paraliżujący. Chwilę później na placu rozgrywają się dantejskie sceny. Demonstranci zataczają się, wykonują nieskoordynowane ruchy, upuszczają transparenty, padają na ziemię. Milicjanci w maskach przeciwgazowych skuwają ich i ładują do śmigaczy, które jeden po drugim podrywają się i odlatują.

Rok w rok ten sam cyrk. Wciskam stop i na ekranie znów pojawia się pierwszy kadr – Paradise City podobne do gigantycznego białego pueblo pod seledynowym niebem.

Nigdy tam nie byłem.

Rika urodziła się w Paradise City. Jej ojca, urzędnika, aresztowano, kiedy była mała. Matka zorientowała się, że mąż jest zamieszany w czarnorynkowe interesy. Złożyła na niego donos, dzięki czemu jedynym, co ją spotkało, było przeniesienie z dzieckiem na stację orbitalną i nadzór milicyjny przez kilka lat.

Rika bardzo niechętnie mówiła o matce. Odkąd dorosła, praktycznie nie utrzymywała z nią kontaktu.

Następny filmik w katalogu to samospalenie dziesięciu członków organizacji Chrześcijańska Wolność przed pałacem prezydenckim w Wielki Piątek. „Zbrodnicza sekta popycha wyznawców do śmierci w męczarniach", „Milicjanci z narażeniem życia ratują fanatyków" i tak dalej. Nie mam ochoty tego oglądać. Nie mam ochoty na nic. Wyłączam holookulary, zdejmuję je i zamykam oczy. W solarium jest ciepło, czuć plastikiem i kurzem. Nagrzany chłołądek lekko swędzi. Myślę o słońcu, takim prawdziwym, które znam tylko z wirtualnej rzeczywistości - o słońcu Ziemi.

I o Rice Korsakow.

Poznaliśmy się, kiedy jeszcze pracowałem jako instruktor pilotów na Uranusie C. Przyszła do nas odbyć staż jako psycholog zakładowy, ładne dziewczątko świeżo po studiach. Wszyscy po kolei próbowali się z nią umawiać, ale dopiero mnie udało się ją wyciągnąć po pracy do polskiej knajpy. Jedzenie było tam tak polskie, jak pozwalały warunki na stacji - barszcz, który nigdy nie widział buraka, pierogi z imitacją sera robioną nawet nie z soi, tylko ze zwykłego hodowlanego białka. Cóż, i tak było to lepsze niż stołówkowe żarcie.

Znajomość rozkwitła może nie w ekspresowym tempie, ale szybciej niż się spodziewałem. Rika dzieliła stancję z dwiema koleżankami, więc na czułe noce przychodziła do mojej kawalerskiej klitki.

Kochaliśmy się na gąbkowym materacu, na białym prześcieradle pachnącym jeszcze komorą czyszczącą, w świetle hologramu naśladującego płonące ognisko.

Rika była... słodka. Po prostu. Rude włosy – może podrasowane genetycznie, ale w każdym razie niefarbowane. Szczupła i miękka. Pachniała rodzimą podróbką jowiańskich perfum feromonowych. Miała tatuaże na plecach i brzuchu, wielobarwne jaszczurki i ryby. Ziemskie gatunki, wymarłe przed stu laty albo i dawniej.

Nie pozwoliła mi się nagrać na VR, choć prosiłem. Miałem dobrą kamerę wirtualową obsługującą wszystkie zmysły – drogi sprzęt kupiony w sumie nie wiadomo po co, bo na stacji niewiele było ciekawych rzeczy do nagrywania. W zasadzie tylko promenada: tłum ludzi, kolorowe światła i zapachy z knajp.

Wtedy jeszcze nie wiedziałem, że panna Korsakow działa w ruchu oporu. Wyjawiła mi to cztery miesiące później. Chyba głównie dlatego, że chłopcy z Escape potrzebowali kogoś, kto dobrze zna procedury kontroli lotów na Uranusie C i ma dostęp do kodów otwierających niektóre drzwi.

Zgodziłem się pomóc w miarę swoich możliwości... w zamian za przerzut przez blokadę.

Tylko i wyłącznie własnej ostrożności zawdzięczam, że milicja nie odkryła, co zrobiłem dla Escape. Jedyne, co na mnie mieli, to poszlaki.

Dość, żeby mnie aresztować i potrzymać miesiąc w więzieniu. Przesłuchać kilka razy. Złamać parę żeber, popieścić elektryczną pałką, pogrzebać w mózgu za pomocą elektronicznego indagatora. Potem ściągnąć ze stacji i – ponieważ dobry pilot jest zawsze mimo wszystko w cenie – udupić w Minos Justice.

Nie ma sensu psuć sobie humoru, rozpamiętując to wszystko. Więc myślę o Rice w pomarańczowym, drgającym świetle hologramu, o jej zwichrzonych rudych lokach i tropikalnej rybie nad pępkiem.

Ciepło. Chlołądek fotosyntetyzuje. Pomruk silników działa usypiająco.

*

Gdy się budzę, jest ciemno. Komputer pokładowy wyłączył nam lampę, bo zbyt długie naświetlanie może zaszkodzić chlołądkom. W słabej poświacie sączącej się z korytarza widzę na sąsiedniej leżance czarną nieruchomą sylwetkę.

– Kyle? – zagaduję. Żadnej odpowiedzi. Nagle czuję dreszcz. – Światło boczne – mówię i statek zapala lampkę nad drzwiami.

Kyle nie żyje. Uświadamiam to sobie, gdy tylko mój wzrok pada na zsiniałą, wykrzywioną grymasem twarz, rozwarte usta. Jego chlołądek oklapł, jakby zwiądł.

Exit drugi pilot Kyle Biernacki. R.I.P.

Muszę chwilę odczekać, żeby ochłonąć. Potem ubieram się pospiesznie, przynoszę skaner medyczny i po kilku minutach już wszystko wiadomo. Rozległy wylew w mózgu, tak twierdzi program diagnostyczny. Biernacki musiał błyskawicznie stracić przytomność. Gdyby zdążył mnie zawołać, gdybym miał chociaż kilkadziesiąt sekund, zastrzyk z nanobotów mógłby go uratować.

Żeby dźwignąć sto kilo martwego Kyle'a przy normalnym ciążeniu, potrzebowałbym egzoszkieletu. Dlatego zmniejszam ciąg o tyle, żeby bez większych problemów zatargać ciało Biernackiego do ładowni nr 5. Pakuję go do jednej z pustych kapsuł, potem podłączam odpowiedni przewód i napełniam jej wnętrze roztworem preparatu Preservan. Diabli wiedzą, jaki jest skład chemiczny tego czegoś. W każdym razie pod wpływem promieni UV reaguje z wodą, a to, co powstaje, polimeryzuje w twarde szkliwo.

Kiedy pojemnik jest pełen, odłączam przewód. Wciskam przełącznik z boku kapsuły i w jej górnej części zapala się liliowe światło. Trzydzieści sekund później Biernacki jest już zabezpieczony przed rozkładem. Jak owad w bursztynie. Poczeka sobie bezpiecznie, aż lekarze z Tartarusa 2 wyłuskają go ze szkliwa i przeprowadzą sekcję.

Wracam do sterowni i łączę się z szefostwem. Każą mi czekać.

Czekam. Nie tyle spokojny, co fatalistycznie gotów na wszystko. Dopuszczam możliwość, że każą mi się skierować w stronę najbliższej stacji, gdzie zostanę sprowadzony z pokładu i aresztowany.

Kwadrans później zgłaszają się ponownie i przekazują instrukcje. Mam zboczyć z kursu, wyhamować i za dwa dni zadokować przy jednej z planetoid pasa Kuipera, gdzie budują kolejnego Tartarusa. Szczęśliwym zbiegiem okoliczności przebywa tam akurat pracownica Minos Justice z uprawnieniami pilota oraz technika od kapsuł.

– Za godzinę oczekujemy szczegółowego raportu o tym, co właściwie się stało – dodaje zimno mój zwierzchnik. Oddycham z ulgą. Dostanie raport, a jakże.

*

Awaryjnie dokooptowana członkini załogi nazywa się Hannah Sutton i jest brzydka jak noc. Przysadzista, żabowata, z obwisłym biustem.

Sprawdziłem już w materiałach firmy, że przez kilka lat latała na transportowcach, aż ją awansowali na menedżerkę personelu.

Nie posiada chlołądka. Ci z planetoidy litościwie wyposażyli ją w dodatkowe racje żywnościowe, inaczej podróż na Plutona oznaczałaby dla niej przymusową kurację odchudzającą. Chlołądek dostarcza jakieś tysiąc kalorii dziennie w postaci glukozy, a koktajlu mam na pokładzie akurat tyle, ile potrzebowalibyśmy z Kyle'em do końca lotu, plus najwyżej z pięć torebek zapasu.

Gdy wracam ze sterowni po kolejnej długiej, męczącej holorozmowie z szychami Minosa, stwierdzam, że Hannah zdążyła się rozgościć w kabinie mieszkalnej. Bezceremonialnie spakowała już rzeczy Kyle'a do dużej torby oraz wyniosła jego pościel do komory czyszczącej. Siedzi na koi pod plakatem przedstawiającym Edwarda Blicka, Ojca Planet, i chrupie herbatniki, jedną ręką bazgrząc w elektronicznym notesie. Zamyka go z trzaskiem, kiedy wchodzę.

– Może ciasteczko? – Wyciąga paczkę w moją stronę.

Częstuję się herbatnikiem. Jest zwietrzały, ale po tygodniach picia koktajlu i tak wydaje się pyszny.

– Weź dwa – mówi Hannah bez uśmiechu.

*

Kolejne dni podróży upływają jednostajnym rytmem. Hannah w odróżnieniu od Biernackiego jest milcząca, wręcz mrukliwa. Uprzejmie omijamy się nawzajem. Ani trochę mi to nie przeszkadza. Gram w gry na notesie, ćwiczę w siłowni, wyleguję się w solarium, czasem gawędzę ze statkiem.

Czwartego dnia – kolejna niespodzianka.

Podczas przeglądu kapsuł odkrywam na ciele więźnia XT 98-560428 czarne pęcherze. Pięć na szyi i po kilka w każdej pachwinie. Są już całkiem spore, wzdęte, musiały się pojawić w nocy albo nawet poprzedniego wieczoru.

Dla pewności przyglądam się długo. Sięgam po notes, odpalam plik ze zdjęciami ofiar zarazy, porównuję.

Nilsson-Wang jak byk. Niech to cholera.

Nie muszę niczego dolewać do kapsuły, bo w skład cieczy odżywczej wchodzi Preservan. Po prostu odłączam przewody aparatury podtrzymywania życia i zapalam lampę UV. Po trzydziestu sekundach zielonkawy płyn jest spolimeryzowany na sztywno. Potem odpowiednia notatka służbowa i załatwione.

Gdy relacjonuję, co się stało, Hannah ponuro kiwa głową.

– To było do przewidzenia – stwierdza.

– Czemu?

– Zaraza szaleje na Trytonie. Nie słyszałeś? Rząd obłożył tamtejsze osady kwarantanną. Widać świństwo zostało już zawleczone i na stacje orbitalne.

Czuję niemiły dreszcz na myśl o technikach z Tritona A, którzy byli tu na statku, ale potem przypominam sobie, że okres inkubacji dla choroby Nilssona-Wanga w przypadku osób niezahibernowanych wynosi góra tydzień. Gdybym się zaraził od techników, to już byłbym chory.

– W Tartarusach pracują nad lekami na Nilssona i nad szczepionką – dodaje Hannah, a jej usta wykrzywiają się w kwaśnym grymasie. Wiem, co ma na myśli. Pracują na śpiących królewnach.

Już nawet się nie zastanawiam, czy powinienem czuć wyrzuty sumienia.

*

Nazajutrz wcześniej niż zwykle idę znowu sprawdzić kapsuły w ładowni nr 5. Jeden przypadek zarazy oznacza, że najprawdopodobniej dziś ujawnią się następne.

Gdy w pomieszczeniu zapala się światło, nie od razu dociera do mnie, co widzę. Nie wierzę własnym oczom.

Z wolna ogarnia mnie zimno. Podchodzę, żeby się upewnić. Zapalam wewnętrzne oświetlenie pierwszej z brzegu kapsuły, zbliżam twarz do szyby. Potem idę do następnej i następnej.

Płyn we wszystkich kapsułach jest zestalony.

Jak w transie obchodzę całą ładownię, co jakiś czas szczypiąc się w rękę, aby zyskać pewność, że nie śnię. Zatrzymuję się przy Elaine. Patrzę tępo na jej twarz zanurzoną w zielonkawym szkliwie.

Ochłonąwszy nieco, idę do pozostałych ładowni, choć już wiem, co tam zastanę. Wszystkie śpiące królewny zostały zatopione w krysztale.

Normalnie jak w popieprzonej baśni.

Nienaturalnie spokojny, otwieram elektroniczny notes i łączę się ze statkiem. W pierwszym odruchu chcę wywołać obraz z kamer w ładowni, ale potem dociera do mnie, że nikt przy zdrowych zmysłach nie zestalałby zawartości poszczególnych kapsuł ręcznie, skoro wystarczy wydać komputerowi polecenie, żeby włączył UV we wszystkich równocześnie. Zgodnie z procedurą taki rozkaz wymaga zatwierdzenia przez obu członków załogi, ale najwyraźniej Hannah zdołała obejść zabezpieczenia.

Lub wirus podrzucony do komputera przez ruch oporu... Lecz sam w to nie wierzę.

Chwila szperania w logach i już znam odpowiedź.

Teraz, kiedy jest za późno, myślę zaskakująco chłodno i trzeźwo. Ciekawe, czemu Sutton uderzyła dopiero dzisiaj, pięć dni po znalezieniu się na statku. Na poczekaniu przychodzą mi do głowy trzy wytłumaczenia. Albo włamanie się do komputera pokładowego zajęło jej aż tyle czasu, albo musiała tu najpierw zrobić coś jeszcze, na przykład zebrać i przesłać komuś trochę danych... albo pierwotny plan był taki, żeby po prostu porwać transportowiec, ale doszła do wniosku, że się nie uda.

To w sumie bez znaczenia.

Nagle na suficie zapala się pulsująca czerwona lampka. Głośnik odzywa się bezpłciowym głosem komputera pokładowego:

– Zbliża się do nas drugi statek, Stanley.

Znów uderzenie chłodu. Już wiedzą. Wiedzieli prawdopodobnie od momentu, kiedy Sutton wykonała swój ruch. Nasza jednostka jest stale monitorowana przez centralę, jak wszystkie transportowce Minos Justice.

– Kiedy tu dotrą?

– Za godzinę. Może szybciej.

– Gdzie jest teraz Hannah?

– W kabinie mieszkalnej.

– Zamknij drzwi i nie wypuszczaj jej stamtąd.

Sam idę do ładowni nr 1, gdzie znajduje się szafka ze sprzętem medycznym.

Muszę zaprogramować nanoboty.

*

Przed wejściem do kabiny mieszkalnej sprawdzam obraz z kamery, żeby się upewnić, czy Hannah nie czai się przy drzwiach z bronią w ręku. Nigdy nic nie wiadomo. Ale ona siedzi na koi, pisząc coś w notesie. Gdy wchodzę, odkłada go i wstaje.

– Dlaczego to zrobiłaś? – pytam. Śmieje się sucho.

– Wiesz, co czekałoby ich w Tartarusie?

– Mniej więcej.

To jedna z tych rzeczy, o których lepiej nie myśleć, jeśli chce się zachować zdrowe zmysły. Zawsze powtarzałem sobie, że nie należy walczyć z tym, na co nie mamy wpływu.

– Uratowałam czterysta trzydzieści siedem osób – kontynuuje Sutton z nikłym uśmiechem. Wyczuwam jej satysfakcję. Jakby uratowała im życie.

I nagle doznaję olśnienia.

– Więc ten wylew Biernackiego był ukartowany, prawda? Kyle został usunięty, żeby firma musiała cię ściągnąć na pokład w trybie nadzwyczajnym?

Potwierdza, kiwając głową.

– Nanoboty ukryte w holookularach – wyjaśnia. – Miały się uaktywnić w ustalonym dniu, wniknąć w ciało i uszkodzić jedno z większych naczyń w mózgu tak, żeby spowodować śmiertelny krwotok.

Mówi o tym tak beznamiętnie, jakby relacjonowała przepis na pierogi.

– Czemu akurat Kyle, a nie ja?

– Miał zginąć jeden z was, wszystko jedno który. – Wzrusza ramionami. – Padło na niego.

– Z której jesteś organizacji?

– Z Chrześcijańskiej Wolności. – W jej głosie słychać dumę. Jakoś mnie to nie dziwi. Zawsze twierdziłem, że chrześcijanie są... specyficzni. W każdym razie ci dzisiejsi.

Podchodzę bliżej. Trzymam rękę w kieszeni, ale Sutton nie zwraca na to uwagi. Spogląda przed siebie, zamyślona, nadal z tym lekkim uśmiechem.

– Statek milicyjny już do nas leci, Hannah. Wiedzą. Wiesz, co z nami zrobią, kiedy tu dotrą?

– Wszystko dla Chrystusa – odpowiada obojętnie.

Teraz. Błyskawicznym ruchem wbijam jej igłę w ramię i wciskam tłok do końca. Hannah odskakuje, ale jest już za późno, nanoboty wniknęły do krwiobiegu.

Odrzucam strzykawkę i cofam się, gotów na atak, lecz ona tylko patrzy, przyciskając ręką bolące ramię.

– Co to miało być? – pyta. Teraz to ja się uśmiecham.

– Miłosierdzie.

Na jej twarzy – niedowierzanie. Stopniowo ustępujące miejsca rozbawieniu.

– Uprzedziłeś mnie o jakieś pięć minut, Stanley. Nie jestem taka głupia, żeby czekać tu na nich żywa.

Siada, a raczej osuwa się na koję. Wyciąga rękę z kieszeni, niezgrabnie rozwiera palce – jej funkcje motoryczne zaczynają szwankować, widać nanoboty dotarły do móżdżku. Biała kapsułka wypada z dłoni, toczy się po posadzce.

– Zatroszcz się i o siebie – dodaje Hannah. – Biedny Stanley. Przypadkowa ofiara wydarze...

Jej głos przechodzi w bełkot, ośrodek mowy właśnie odmówił posłuszeństwa. Agentka Chrześcijańskiej Wolności milknie, odwraca wzrok. Patrzy w okno kabiny, za którym jest tylko czerń kosmosu.

Czekam. Po chwili głowa kobiety opada do przodu, ciało przechyla się bezwładnie w bok. Nanoboty zrobiły z mózgiem Hannah Sutton to, co należało. Za chwilę obumrze rdzeń przedłużony i będzie po wszystkim.

– Za pół godziny tu dotrą – informuje mnie statek.

Ale się spóźnią. Nagle chce mi się śmiać. Mam drugą strzykawkę. Jeszcze minuta i będą mogli mi naskoczyć.

Sobie zamierzam zrobić elegancki zastrzyk dożylny – będzie mniej bolało i szybciej zadziała.

Podciągam rękaw i obwiązuję ramię paskiem. Potem skupiam się już wyłącznie na tym, żeby trafić igłą w żyłę.

*

Budzę się i pierwsze, co czuję, to zaskoczenie. Jak to?! Przecież...

Pomieszczenie jest małe, pozbawione okien, wykafelkowane na zielonoburo. Na jego widok powinno mnie zmrozić przerażenie, lecz jestem otępiały, wciąż jeszcze w szoku, że żyję. Żyję?

Nie mogę poruszyć rękoma ani nogami, jakby ich nie było, ani też obrócić głowy. Nie czuję ciepła ani zimna, ani żadnego zapachu.

Mój wzrok natrafia na lustro na przeciwległej ścianie. Krok po kroku porównuję odbicie z tym, co widzę wokół siebie. Metalowe krzesło z obejmami na ręce i nogi; biurko, przy którym siedzi opasły typ w szarym mundurze śledczego i coś pisze na konsoli.

Na biurku paralizator, pałka elektryczna, zapalniczki, strzykawki, ciemne szklane butelki z etykietami firmy produkującej odczynniki chemiczne. H_2SO_4, HCl... Zestaw małego kata, szepcze ta część mojego umysłu, którą jeszcze stać na czarny humor.

Nad biurkiem – wąska półeczka...

Na półeczce stoi głowa androida – sama tylko metalowa czaszka bez powłoki, opleciona kablami, podpięta do zasilacza. Mija dłuższa chwila, zanim dociera do mnie, że patrzę na samego siebie. A ściślej że patrzę oczami, nie, czujnikami optycznymi tej głowy.

Już rozumiem.

– Myślałem, że nie żyję – mówię. Mówię?! Złudzenie jest pełne – czuję, jak poruszam językiem i wargami, których w rzeczywistości nie ma. Skrzekliwy głos robota wydobywa się z głośniczka umieszczonego chyba wewnątrz głowy, bo szczelina w miejscu ust pozostaje nieruchoma.

Gruby śledczy unosi wzrok znad konsoli.

– Gdy rozpoczynaliście pracę w Minos Justice, wasz mózg został skopiowany, Kressler – wyjaśnia pogardliwie. – Standardowa procedura. Później pliki aktualizowały się automatycznie, ilekroć przebywaliście w kabinie mieszkalnej na statku. W ścianie ukryty jest odpowiedni sprzęt, wam wsadziliśmy do głowy taki elegancki wszczepik... a zresztą co wam będę tłumaczył, sami wiecie, jak to działa.

– Uruchomiliście mnie teraz, żeby przeprowadzić przesłuchanie? – Świadomość, że jestem jedynie ciągiem bitów, dodaje mi odwagi. – Nie mam nic do ukrycia. Ładunek zniszczyła Hannah Sutton. Jest terrorystką z organizacji Chrześcijańska Wolność.

Ze spasionej gęby śledczego nie sposób wyczytać uczuć, ale w ciemnych oczach dostrzegam politowanie.

– To nie jest przesłuchanie. To kara – robi pauzę – za wszystkie twoje sprawki, Kressler.

Domyślam się, co chce powiedzieć – jednak wiedzą o mojej współpracy z Escape... W sumie logiczne; skoro skopiowali mi mózg, mogli bez problemu przejrzeć wspomnienia. Coś się jednak nie zgadza. Dlaczego zdecydowali się wyciągnąć konsekwencje dopiero teraz?

Ukrywając niepokój, zaczynam się śmiać. Z głośnika wydobywają się blaszane dźwięki, jakby ktoś potrząsał puszką pełną monet.

– Nie żyję – mówię. – Nie możecie mi nic zrobić. Najwyżej skasować.

Oblicze śledczego pozostaje bez wyrazu. Grubas wyłącza konsolę. Mówi coś do mikrofonu i drzwi celi rozsuwają się. Dwóch strażników wprowadza nagą dziewczynę z kajdankami na rękach i nogach, z twarzą zasłoniętą czarnym kapturem.

Zamieram.

Schudła, odkąd widziałem ją po raz ostatni, na jej ciele widnieją liczne sińce i otarcia, ale rozpoznaję ją bez trudu. Tatuaże ma nadal...

Rozkuwają jej ręce i sadzają na metalowym krześle, którego obejmy zatrzaskują się na jej nadgarstkach, łokciach, udach oraz łydkach.

Nie mam już gruczołów, hormonów i neuroprzekaźników, które pozwalałyby mi odczuwać rozpacz. Jestem elektronicznym konstruktem i na zdrowy rozum powinienem pozostać obojętny. A jednak wszystko we mnie w środku krzyczy, wyje jak katowane zwierzę. Musieli mi dołożyć jakiś programik symulujący emocje żywego człowieka. Logiczne, skoro to, co stanie się za chwilę, ma być karą.

Strażnicy ściągają dziewczynie kaptur. Przerażone oczy Riki rozglądają się po celi, z gardła wydziera się szloch.

– Patrz, Stanley – mówi śledczy. Rika nieruchomieje. – Napatrz się do woli.

Sekundy wydają się rozciągać w nieskończoność, gdy mężczyzna zakłada ochronne rękawice, sięga po strzykawkę, otwiera jedną z butelek i naciąga kwasu.

Tomasz Duszyński – dziennikarz, pisarz, a w wolnych chwilach maratończyk. Debiutował zbiorem opowiadań *Produkt uboczny*. Jego opowiadania pojawiły się w kilku antologiach oraz w magazynie „Science Fiction. Fantasy i Horror". Nakładem wydawnictwa Paperback ukazały się powieści *Staszek i straszliwie pomocna szafa* oraz *Tam i z Powrotem*.

Tomasz Duszyński

Placówka na prawo od Syriusza

Czytałem kiedyś książkę o płatnym zabójcy. Rozkładał swój pistolet i składał go z zawiązanymi oczami w kilkanaście sekund.

Mojej skromnej osobie złożenie i rozłożenie nadajnika Q3 zabierało być może nieco więcej czasu, ale robiłem to bezbłędnie. Jak powiedział instruktor: „Z taką pieprzoną precyzją, że nigdy wcześniej czegoś podobnego nie widziałem. A pieprzenia to naoglądałem się w życiu, że ho, ho, możecie wierzyć".

Miłe.

Pieprznięte, ale miłe.

Byłem samotnikiem. Przyznaję. Chyba dlatego nadawałem się do tej roboty. Nawet na pewno...

Kurs skończyłem miesiąc przed wylotem. Pół roku szkolenia, rozpierdzielania na części pierwsze osławionego Q3. Znałem go jak własną kieszeń. Każdy cholerny podzespół, każda śrubka śniły mi się po nocach.

Wrzucili mnie w transportowiec orbitalny. Bezzałogowa maszyna, prawie rok lotu. Bez hibernacji. To też był test. Gdybym zaczął wariować, na przykład rysować jakieś odjechane obrazki na ścianach, albo gdybym sikał po kątach, zaznaczając teren przed obcymi, którzy wdarli się na statek... Piszę wam o tym nie bez powodu. Właśnie takie przypadki się zdarzały. Odesłano by mnie do domu. Jak nic. W końcu dziesięć lat samotnie na placówce, cholernie daleko od matusi Ziemi, to nie bułka z masłem. Wariat, pomyślicie. I pewnie będziecie mieli rację. Zwłaszcza gdy dowiecie się, co mnie do tego pchnęło.

Miałem dziewczynę. Niezłą laseczkę. Zabierałem ją na cheeseburgera, czasem poszliśmy na tańce do kantyny. Chłopaki mi jej zazdrościli. Przede wszystkim jej długich nóg i zgrabnego tyłeczka. Ja bym do tego dorzucił jeszcze piersi. Były małe, ale gdybyście tylko mogli ich dotknąć...

Powiedziała, że jestem świrem. Piła właśnie colę u GreyHounda. Zdobyłem chwilę wcześniej trzy tysiące punktów na Rollmaksie, tej maszynie do napieprzania w rzutki. Na kursie mieliśmy obsługę działek lotniczych. Jakby to na coś miało się przydać. Przecież wszystkie systemy bezpieczeństwa na placówkach obsługiwały kompy. Ale wracając do tego świra: uznała widać, że przyszedł czas ustalenia wzajemnych relacji. Seks kobietom najwyraźniej nie wystarczy. Odkrywcze, nie? (Uwierzcie, nie byłem naiwny, akurat o tym wiedziałem). Chciała, żebym podjął się jakiegoś zobowiązania wobec niej. Zaręczyny, małżeństwo, słodki dzieciak i żółty pies w ogródku. To „jakieś" zobowiązanie było cholernie sprecyzowane, doprecyzowane i w ogóle. Nawet robotę miałem dostać u jej ojca. O dziwo producenta... nadajników Q3.

Przez chwilę myślałem, że to znak. Ten znak z nieba, na który niektórzy czekają całe życie, jak info od centralnego systemu, że wygrali w loterii.

Ale wtedy się uśmiechnęła. Może była pewna, że wygrała, przytłoczyła mnie argumentacją, zahipnotyzowała wizją wspólnej szczęśliwej przyszłości. Ten uśmiech. Chyba on wszystko zepsuł. Nie mówiłem wam, ale moja dziewczyna miała przerwę między zębami. U góry, potężną... Wcześniej ta przerwa wydawała mi się nawet seksowna. Kaleczyłem o nią wargi i język, gdy waliliśmy ślimaka, ale jakoś to znosiłem. Teraz w tej przerwie między jedynkami pojawiło się zielone coś. Mówię wam, ohyda.

Wcześniej jadła szpinak. To musiało być to. Wymięte i zmiętolone.

Zasugerowałem, żeby przepłukała usta colą. Zrobiła to, ale szpinak utknął. Taki szpinakowy ząb. Wyobrażacie sobie?

Kurna. Odrzuciło mnie.

Gdy zapytała: „Co mam odpowiedzieć tatusiowi?", wykrzywiłem się, jakby poinformowała mnie, że zostało mi kilka dni życia.

– Nie, nie... kochanie – powiedziałem. – Nie ma tutaj końcowych napisów w stylu „i żyli długo i szczęśliwie".

Wydało mi się, że to cholernie filmowe zdanie. Takie wprost ze scenariusza. Ona jednak wszystko potrafiła popsuć.

– Jesteś świrem! – oznajmiła.

I tak się skończyła nasza znajomość, a ja tydzień później znalazłem się na pokładzie transportowca. Zawsze marzyłem o gwiazdach, a nie o laseczce ze szpinakiem w zębach. Wybór był prosty. Byłem samotnikiem i nadawałem się jak nikt na tę cholerną placówkę.

Nie było wymiany. To akurat mnie zdziwiło. Procedura zazwyczaj wyglądała inaczej. Ja wysiadałem z transportowca, poprzednik na niego wsiadał. Bez zbędnych pozdrowień, przybijania piąteczek czy innych bzdur. Jednak wymiana powinna być wymianą. Mojego poprzednika tutaj nie było.

Wspinałem się na wzgórze kilka godzin. Byłem niemal pewny, że zabraknie mi w butlach tlenu, a nikt nie przejął się oznakowaniem szlaku. Kilka razy trafiłem w ślepy zaułek. Najeżone szpikulcami skały czekały jak rożny na swój kawałek szaszłyczka.

Byłem głodny, pewnie przez te kulinarne skojarzenia, i cholernie chciało mi się sikać. Mogłem walić w rajty, ale nie uśmiechało mi się potem czyszczenie tego cholerstwa, wiedziałem, że będzie jeszcze potrzebne.

U licha, umęczyłem się, zanim dotarłem na szczyt. Tutaj moim oczom ukazała się srebrzysta kopuła z gniazdami nadajników i maszty radiolokatorów. Kilka owalnych modułów z bateriami dział dalekiego zasięgu. Waliło się nimi na lata świetlne. No, niemal...

Ze śluzy wszedłem do mojego nowego domu. Dziesięć lat. Samotnych dziesięć lat na szczycie wzgórza, z widokiem na trzy księżyce, srebrzyste satelity krążące wokół planetoidy.

Cieplutko, miło, czysto. Zapach lasu w powietrzu. Normalnie jak w leśniczówce gdzieś w Górach Skalistych. Brakowało tylko kominka, dubeltówki i główek zwierzaków na ścianach.

– Cześć, nowy...

Przytłumiony głos dobiegł z radiolokatora. Na ekranie wyświetliły się słowa, gdybym nie dosłyszał treści przekazu.

To musiał być jeden z podobnych do mnie samotników, na placówce takiej jak moja. Pozdrowienie zostało ustawione na moment mojego przyjścia.

Podszedłem do konsoli i nacisnąłem przycisk emisji.

– *Cześć* – wpisałem na klawiaturze.

Przekaz będzie docierał do odbiorcy kilka, a może nawet kilkanaście godzin. Q3 zasługiwało na miano cudeńka, ale pewnych spraw nie da się przeskoczyć. Odległości między placówkami były spore. Krótka wymiana zdań mogła trwać całą noc. I ta tyle trwała.

– *Scheda po Edzie?* – pytanie od Aleksieja, tak się przynajmniej przedstawił.

– *Tak, tak można powiedzieć.*

– *Nie zastąpisz nam Eda, Ed był fajny koleś, znał od cholery kawałów. Wszystko miał w głowie, sypał jak z rękawa.* – Tu włączył się ktoś inny, Jope. Lokalizator wskazywał Somat 5.

– *Nie, nie zastąpię wam Eda.*

– *A znasz jakiś kawał?*

Inny kolo się zaśmiał. Bora. Lampka kontrolna na tablicy kierunkowej wskazała Pulsar 3.

– *Znam kawał. O babie, co przychodzi do lekarza...* – Chyba się z nimi droczyłem. Nasłuch miało osiem placówek. Prześledziłem bazy danych, spojrzałem w CV każdego. Prościej było nazywać ich po miejscach zamieszkania, ale o dziwo imiona jakoś szybko utkwiły mi w pamięci.

– *Nic z niego nie będzie* – Eryk widać był urodzonym optymistą.

– *Dzięki, miłe z waszej strony.*

– *Nie ma za co. A tak w ogóle, witaj w klubie, nowy.*

Zasnąłem z nogami na konsoli. Przyłapałem się na tym, że czekam na ich odpowiedzi. Ja, indywidualista, któremu zwisała obecność innych. To było dziwne uczucie. Gdzieś tam byli oni. Tacy jak ja. Samotnicy, którzy potrzebowali obecności innych samotników.

Rano zobaczyłem na ekranie zdanie. A właściwie jego część:

– *Kto pod kim dołki kopie... (podaj swoją propozycję).*

– *...ten sam w nie wpada.*

Odpisałem to, co było dla mnie oczywiste. Śmieszne, nie? Przyjąłem ich kolejne wariactwo ze stoickim spokojem. Nigdy nie wiadomo, co człowiekowi przyjdzie do głowy. Chłopaki mogli już nieźle ześwirować w swoich samotniach.

Wyszedłem na zewnątrz. Jedna z anten wymagała konserwacji. Piach wdarł się w mechanizm ruchowy. Zajęło mi to dobre kilka godzin. Gdy wróciłem, ekran był wypełniony odpowiedziami. Przypominało to wiadomości zostawiane na tablicy ogłoszeń. Mieliśmy taką w akademiku.

– *Kto pod kim dołki kopie, ten będzie na topie.*

– *Kto pod kim dołki kopie, ten jest grabarzem.*

– *Kto pod kim dołki kopie, ten ma brudną łopatę.*

– *Kto pod kim dołki kopie, mu przekopane.*

– *Kto pod kim dołki kopie...*

Parsknąłem śmiechem. Odwaliło im. Odwaliło im wszystkim.

Wziąłem prysznic i zjadłem obiad. Potem z kawą podszedłem do komunikatora. Wątek dołków zszedł już z tapety. Popatrzyłem na klawiaturę systemową. Uśmiechnąłem się i napisałem na tablicy:

– *Gdzie kucharek sześć...*

Odpowiedzi napływały kilkanaście godzin.

– *Tam cycków dwanaście* – Jope.

– *Tam jest co klepać* – Aleksiej.

– *Tam jest co zjeść* – Bora.

– *Tam sześć majteczek...*

– *Bleee, Mark tylko o jednym... Wyłączcie go.*

Tym święcie oburzonym był Jürgen z Kasjo.

Dopiero po tygodniu zapytałem o Eda, mojego poprzednika. Może bym tego nie zrobił, ale wiecie, ciekawość to pierwszy stopień do piekła.

Natknąłem się na blond włosy w łazience, skarpetkę za panelem energetycznym, gumę do żucia przyklejoną od spodu do blatu stolika.

Zacząłem sobie w końcu wyobrażać tego Eda. Jak chodził tu i tam, jak się mył pod tym samym prysznicem, jak walił konia w łazience.

A co, myślicie, że tego nie robił?

I w końcu, żeby nie zwariować, zapytałem o to chłopaków.

– *Co się stało z Edem?*

– *Odwalił kitę...*

Proste. Kopnął w kalendarz, strzelił kopytami. Odszedł od nas do aniołków.

Odpowiedzi były różne, tak jak różni byli ci kopnięci kolesie z placówek.

Nie pytałem, na co Ed zszedł. Wystarczyło mi, że był wesołym kompanem, lubili go. Znaczy się, dobry kumpel.

Jeszcze tego samego wieczoru wysprzątałem łazienkę i wszystkie pomieszczenia. Ed przestał dla mnie istnieć, wyprowadził się wraz z funtem blond kłaków, które wylądowały w koszu.

Dni upływały spokojnie. Miałem dużo pracy, często wychodziłem na zewnątrz. Z chłopakami nawiązałem nić porozumienia, a może wręcz nienormalnej przyjaźni. Przyznam, kilka razy myślałem o mojej byłej. Chociaż częściej o innych dziewczynach, z którymi niekoniecznie miałem przyjemność. No, teraz miałem. Ale o tych sprawach przecież nie trzeba trąbić na wszystkie strony.

Co pół roku transport zbierał chłopców z kilku placówek i zabierał na tygodniowy urlop. Tam można było się wyszaleć. Zanim się obejrzałem, pół roku minęło jak z bicza strzelił.

Rozumiecie, przygotowywałem się do tego wypadu jak jakiś sztubak na bal maturalny. Miesiąc wcześniej uruchomiłem nawet bieżnię, żeby trochę podbudować sylwetkę. Człowiek na placówce jakoś strasznie się garbi. Może to podświadomość, to poczucie otaczającego cię zimna, pustki kosmosu. W każdym razie trzeba było trochę o siebie zadbać.

I już, już, gdy niemal witałem się z gąską, siedząc jak na rozżarzonych węglach, przyszła wiadomość ze Starej.

– *Nie wracacie na Ziemię. Lot wstrzymany do odwołania. Obserwować zmiany w sektorach oznaczonych w kolejnym rozkazie.*

Noż kurna jego...

– *Co to ma być, Jope!*

Jope był Skandynawem. Chyba Szwedem. Pisało mi się z nim przyjemnie. Facet bez zadęcia, trochę milczek. Przejawiało się to w krótkich komentarzach, które pisał dłużej niż inni.

– *Co ma być?*

– *To, że nas wstrzymują... Ja muszę się wyrwać.*

– *To po coś tam przyjeżdżał?*

– *Nie świruj. Czasem trzeba wytchnienia, nie?*

– *Jope?*

– *Widziałeś TO?*

– *Co niby...* – Chyba byłem wtedy trochę zdezorientowany. Po tej aferze z odwołaniem lotu czułem się, jakby ktoś mi powiedział, że święty Mikołaj nie istnieje.

– *Obserwujesz sektor, który podali ze Starej.*

– *No...*

Wstyd przyznać. Rzuciłem tylko okiem. Anomalia była daleko ode mnie.

– *Będzie źle...*

No to Jope mnie tym „będzie źle" porządnie wystraszył.

– *Chłopcy, to lada chwila przejdzie przez mój sektor* – informował Jürgen.

Popatrzyłem na mapy. Rzeczywiście jego placówka była pierwsza na drodze anomalii.

– *Cholerstwo jest... szybkie. Jope, ty będziesz kolejny.*

Ty będziesz kolejny. Zabrzmiało jak wyrok. Trudno było sobie to wyobrazić. Kolesie, zahartowani faceci, a wyraźnie się bali.

Jürgen zamilkł.

– *Będzie dobrze* – Aleksiej.

– *Trzymaj się, Jürgen* – Jope.

– *Tego Szwaba żadna cholera nie weźmie* – Bora.

– *Jope, a co u ciebie?* – Aleksiej.

– *Widzę, widzę...* – Jope.

– *Co widzisz?* – Mark.

– *Widzę...* – Jope.

– *Przestań się wygłupiać, bo sraczki dostanę* – Mark.

– *Szacunku trochę dla nerwów starszego kolegi* – Eryk.

– *Sokole Oko się znalazł... ale OK. Co widzą twoje przepiękne oczy?* – Bora.

– *Somat 5, odpowiedz* – Aleksiej.

– *Coś jakby mgłę, falę energetyczną. Nie wygląda to dobrze...* – Jope.

– *OK. Dość wygłupów. Sprawa robi się poważna* – Mark.

– *Przesłałem joble do analizy na Starą. Za jakąś godzinę fala dotrze do mnie* – Eryk.

– *Dobrze, że to nie atak zielonych obcych* – Bora.

– *Głupek z ciebie, Bora* – Jope.

– *Trzymaj się, Jope. Przejdzie jak katar. To na pewno nic takiego* – Aleksiej.

– *Pewnie, że nie* – Jope. – *A znacie ten kawał...*

Szum, pulsowanie kursora. Nie usłyszeliśmy już kawału Jopego. Zrobiłem sobie kawy. Mocnej. Przez cały czas zastanawiałem się, jaki żart chciał opowiedzieć. Może znów ten o swojej siostrze.

Dwie godziny później odezwał się Aleksiej:

– *Jest u mnie. Piętnaście minut temu pojawiła się w sektorze. Wygląda jak różowa wata cukrowa. Job twoju mat, będzie słodko...*

Aleksiej akurat zdążył opowiedzieć kawał. Pamiętam go nawet teraz:

USA. Do Białego Domu dzwonią z obserwatorium astronomicznego:

– Panie prezydencie, Rosjanie malują Księżyc na czerwono! Co robić?

– Poczekajcie, aż wyschnie, i dodajcie napis: Coca-Cola.

Zaśmiewałem się do łez.

A potem Aleksiej zamilkł. A po nim wszyscy po kolei.

Cisza... Przecież jej szukałem, nie? Cholerna cisza i spokój.

Nie ma co, martwiłem się o tych drani. Ściskało mnie w dołku, jakby to była jakaś moja rodzina.

Zamyśliłem się, odjechałem. Widać umysł przełączył się na jakieś tory. Takie stand-by z aplikacją „pomyśl o pierdołach".

I wiecie, zobaczyłem w tych myślach tę moją dziewuszkę. I siebie też zobaczyłem: na trawniku przed domem, z żółtym psem u nogi, gromadą dzieciaków i zajebistym czerwonym samochodem na podjeździe. Pięknie.

I tak cały czas się zastanawiałem, jaka to marka. Nie mogłem jej rozpoznać, a na samochodach przecież się znam. Pokręcone było to senne marzenie. I w tej niby rzeczywistości zdałem sobie sprawę, co mnie tak rozprasza. Bałem się, że przyjdzie ona i się uśmiechnie, że ten szpinak wciąż tam jest, ten szpinakowy, rozumiecie, ząb.

Otrząsnąłem się, dopiero gdy na ekranie pojawił się komunikat:

– *Wszystko dobrze, stary! To nic groźnego!*

Przyznam, złapało mnie wtedy rozwolnienie. Stres chwycił za kichy i puścił.

Gdy wróciłem z klo, informacji na ekranie było więcej.

– *Fajnie, chłopaki, że nic wam nie jest. Różowe chmurki, różowe filmiki...*

– *Teraz będzie twoja kolej.*

Jakoś ta uwaga nie za bardzo przypadła mi do gustu. Przypomniała mi, że ja też w tym tkwię jak kapar w sałatce.

Na panelu obserwacyjnym rozbłysły czerwone lampki. Ostrzegały przed tym, co zbliżało się teraz do mnie. Wata cukrowa... Nieźle, może jeśli tak będę myślał, to przestanę się bać.

– *Nie bój się, stary!*

– *Nie boję się.*

– *Oj, daj spokój, każdy z nas się bał...*

Dopiero po chwili zdałem sobie sprawę, że rozmawiamy w czasie rzeczywistym, bez żadnego pieprzonego opóźnienia.

Przesunąłem się w stronę nadajnika, by wysłać na Starą te rewelacje. Nie spodziewałem się tego, co odpisali.

– *Użyj dział. Spróbuj rozproszyć tę materię.*

Użyć dział? Rozproszyć materię?

Napisałem do nich, że chłopakom nic się nie stało. Fala przeszła bez efektu.

– *Rozkaz: ogień ciągły, koncentruj wiązkę na centralnym punkcie!*

Teraz pomyślałem, że wszyscy tam na Starej powariowali.

Wprowadziłem jednak rozkaz do systemu. Działka przesunęły się na cel.

Ekran zasypany był pytaniami od chłopaków. Nie miałem czasu odpowiedzieć.

– *Mam rozkaz walić w watę...* – napisałem w końcu.

Spodziewałem się jakiejś głupiej uwagi w stylu „Tylko weź jej tyle, by starczyło”, ale reakcja była inna.

– *Nie rób tego!*

– Rozkaz.

– Pieprz rozkazy.

– Sam się pieprz :)

Drżenie, wiązka skoncentrowała się na celu. Widziałem na ekranie te różowe gęste opary. Wcale nie wyglądały jak wata cukrowa. Jak kisiel może, dławiąca, kleista zawiesina.

Zdjęcia wyskoczyły na monitorze chwilę później. Zawiesina gęstniała w samym centrum, tam gdzie skoncentrowałem wiązkę.

– PRZESTAŃ!

– Odbiło wam, chłopaki?

– Przestań, nie wiesz, co robisz!

– Ten kisiel wam się na mózg rzucił.

– Oj, nie przesadzaj... Zresztą, idziemy do ciebie z wizytą.

Dobra, tego było za dużo.

– Zajebiste z was chłopaki, ale żarty się skończyły.

– On nie jest jeszcze gotowy...

– Na co? Na co, za przeproszeniem, niby nie jestem gotowy?

– Jaki porywczy się zrobił... [illegible]!

Cały czas obserwowałem monitory. Tak, jakby ta wata trochę się skurczyła.

– To chyba działa...

– Oj, młody, młody, ty się nic o życiu nie nauczyłeś... Nie wiem, czy do nas pasujesz.

– Do takich świrów? – Przyznam, zaczynało mi już odwalać, więc to oskarżenie takie mało uzasadnione było.

– Może powinien mieć czas do namysłu?

– Rozpirzę tę watę w drobny mak!

– Daj spokój, i tak już za późno.

Rzeczywiście, fala różowej materii pochłonęła planetoidę. Nic nie było widać przez iluminatory. Tylko ten wściekły róż i niby nitki wyładowań.

Zrobiło mi się duszno. Takie wredne uczucie, jakbym miał utonąć albo coś. Jakby ta maź miała przeniknąć przez hartowane szkło, przez całe to cholerne żelastwo.

Boże.

W pierwszej chwili myślałem, że to przywidzenie, ale różowe ustrojstwo cieniutkim smugami wtłaczało się do pomieszczenia. Wstałem, usiadłem i znowu wstałem. Nawet uciekać nie było gdzie. Wiotkie niteczki połączyły się, skłębiły. Wydało mi się, że tworzą jakieś dziwne kształty.

Omal nie zszedłem.

Przyznaję, moje serducho waliło szybciej niż te pierniczone działa, które, jakby tego było mało, akurat teraz zamilkły.

– *Będzie dobrze, stary. Będzie dobrze.*

– *Proszę, nie, ja mam tyle do zrobienia. Młody jestem. Błąd, cholera, zrobiłem. Mogłem mieć takie piękne życie.*

– *Normalnie jak baba.*

– *Nie przejmuj się, nowy, może coś z tym zrobimy?*

Wstrzymałem oddech. Głupie, nie? O ile mogłem to opóźnić? O minutę? Gdzie tam. Wytrzymałem z pięć sekund. Wciągnąłem to całe ustrojstwo w nozdrza, w gardło, w żołądek i kichy. I wtedy zrobiło mi się jakoś błogo.

No i co? Nie uwierzycie, ale siedziałem sobie, moi drodzy, przy tym samym upieprzonym stoliku w GreyHoundzie. Naprzeciw tej samej mojej byłej dziewuchy. Szczerzyła do mnie zęby i ten szpinak tak nachalnie się eksponował, jakby całym sobą krzyczał: „Zjedz mnie!".

Rozumiecie, pół roku bez kobiety. Pisemka nie wystarczą, nawet dostęp do sieci i tych filmików, które potrafią przyprawić o drżenie. Ten szpinak wydał się taki seksowny.

– To jak będzie? Co mam powiedzieć tatusiowi?

– Wiesz, mała – odpowiedziałem – szpinak ci utkwił.

Nawet się spłoniła rumieńcem. Takie to było urocze.

Zamknęła usta, pomiąchała językiem. To chyba lepsze niż przepłukanie colą.

– Teraz lepiej? – zapytała nieśmiało.

– Lepiej – skłamałem.

Jak nic utkwił tam na dobre.

– Naciskam na ciebie? – zapytała. – Za dużo wymagam?

– Skądże...

– Kto wie, ile przed nami. Z dzieckiem nie musimy się tak śpieszyć...

– A tym się nie przejmuj. – Machnąłem ręką. – Idziemy dziś na całość!

– Ty zwierzaku. – Pogroziła mi palcem.

Rzuciłem stówkę na ten pobrudzony blat i zabrałem ją do hotelu. Obliczyłem wszystko dokładnie. Jakieś półtora roku przed nami. Lepsze to niż scheda po Edzie i tych kilku świrów, którzy uwielbiają watę cukrową.

A szpinak? Cholera ze szpinakiem. Dziewucha resztę miała na miejscu, a ja, rozumiecie, musiałem się, kurna, przekonać, co to za czerwona bryka będzie stała przed moją chałupą. A co!

ARTUR LAISEN – urodzony... niestety, już jakiś czas temu, w mieście względnie prowincjonalnym, w którym mieszka do tej pory. Właściciel drobnego przedsiębiorstwa, mąż swojej żony i ojciec swojego dziecka. Pasjonat fotografii, podróży orientalnych i takiejże kuchni, dla ułatwienia starający się aktywnie łączyć swe pasje. Koneser dobrej literatury o raczej eklektycznym guście, wyznawca zasady, że najpierw warto coś przeczytać, a dopiero potem ewentualnie napisać. Aktualnie kończy prace redakcyjne nad dwiema zupełnie różnymi powieściami w nadziei, że uda mu się je kiedyś opublikować.

Artur Laisen

Księdza Marka trzy spotkania z demonem

„Wykasował ich myśli i nagrał swoje jak na taśmie. Ten człowiek nie jest już pani mężem".

Żona astronauty, reż. Rand Ravich

"You called us into this wide, wide world..."

Kurau: Phantom Memory, reż. Yasuhiro Irie

Po raz pierwszy ksiądz Marek spotkał demona w kościele, na dodatek podczas odprawianej przez siebie samego mszy. Był to raczej niespodziewany moment. Ksiądz stanął właśnie przed ołtarzem i przygotowując się do sprawowania ofiary, od niechcenia prześlizgnął się wzrokiem po twarzach wiernych. W którymś momencie jego spojrzenie spotkało się ze spojrzeniem tamtego. Nie było w tym wielkich iluminacji, ekscytacji ani palpitacji. Po prostu w jednym ułamku sekundy ksiądz Marek zdał sobie sprawę, z kim ma do czynienia. Zrozumienie absolutne – na chłodno i bez cienia wątpliwości. Później wielokrotnie nachodziła go gorzka refleksja, że jedyne prawdziwie metafizyczne doświadczenie jego życia związane było nie z Bogiem, lecz z demonem właśnie.

Przez mgnienie oka spoglądali na siebie ponad głowami niczego nieświadomych parafian. Ale to wystarczyło. W niepojęty sposób ksiądz Marek wiedział (później obsesyjnie przeglądał wszystkie dostępne relacje związane z HELF-ami, poszukując racjonalnego wyjaśnienia incydentu, i nigdzie nie natrafił choćby na ślad sugestii, że wysokoenergetycznego intruza można wykryć inaczej, niźli z pomocą wyspecjalizowanej aparatury, oraz, rzecz jasna, dzięki efektom jego działań). Wiedział i już. I niestety, cholera, demon też wiedział, że ksiądz Marek wie.

Tamten na pozór w ogóle nie wzbudzał podejrzeń. Idealnie wtopił się w tłum. Przybrał postać rówieśnika księdza Marka – mniej więcej trzydziestoletniego, szczupłego raczej mężczyzny w skórzanej kurtce i dżinsach. O jego ramię opierała się ładna ciemnowłosa kobieta. Na ręku demon trzymał trzyletnią może dziewczynkę, która z ożywieniem obserwowała akompaniujący do mszy zespół dziecięcy. Jednym słowem przykładny parafianin wraz z rodziną. Ksiądz Marek dałby sobie rękę uciąć, że również kobieta i dziewczynka (żona i córka?) nie były niczego świadome. W całym wielkim kosmosie tylko on jeden *wiedział*.

Nie było mu bynajmniej łatwo z tą wiedzą. O nie, chętnie by się jej pozbył. Podobnego kaca musieli mieć Adam i Ewa po spożyciu zakazanego jabłka. Tyle że on, cholera, w przeciwieństwie do tamtych dwojga wcale nie prosił się o takie kłopoty. Czemu spadło to właśnie na niego?

Myśli gorączkowo biły się ze sobą. Panika nakazywała biec czym prędzej do zakrystii, gdzie zostawił komórkę, i dzwonić, dzwonić do NASA, NSA i CIA. Albo chociaż do ABW. Oczywiście co najwyżej dodzwoniłby się na policję, gdzie prawdopodobnie potraktowano by go jak wariata, i to w dodatku mocno nie na czasie. W trakcie kryzysu nawet w Polsce odbierano ponoć mnóstwo fałszywych alarmów, a to, co działo się w Ameryce, przechodziło ludzkie pojęcie. Sąsiedzi denuncjowali gorliwie sąsiadów, podwładni szefów, szefowie podwładnych, mężowie żony, żony mężów, uczniowie nauczycieli i nauczyciele uczniów. Wszyscy nagle dostrzegali wokół siebie same obce, demoniczne formy życia. Totalna psychoza.

Po prawdzie wszystko skończyło się równie gwałtownie, jak się zaczęło. HELF-y okazały się przebojem jednego sezonu. Poza naukowcami i fanami *science fiction* mało kto już o nich pamiętał. Gdyby teraz ksiądz Marek ogłosił nagle, że właśnie zobaczył jednego w swoim kościele, w pierwszej chwili pewnie nawet nie zrozumiano by, o co dokładnie mu chodzi. A już na sto procent by mu nie uwierzono.

Sam sobie też by przecież nie uwierzył. No, ale po jego tajemniczej śmierci lub zniknięciu może ktoś zainteresowałby się całą sprawą? Podążył tropem właściwej poszlaki? Może jego ofiara nie poszłaby na marne?

Ksiądz Marek nie zrobił jednak nic. Po prostu odprawił mszę świętą do końca, a nawet w miarę spokojnym tonem odczytał ogłoszenia duszpasterskie. Czy kierowało nim przekonanie, że bez względu na wszystko w życiu należy pieczołowicie wypełniać swoje obowiązki, czy też po prostu zwykła bierność? A może, jak sam pewnie wolałby myśleć, przeczucie, że tak właśnie trzeba było postąpić?

Wreszcie wyśpiewał w pośpiechu „Idźcie, ofiara spełniona" i nie bacząc na powagę urzędu, pognał do zakrystii, nieco obcesowo każąc po drodze ministrantom zabierać się do domów. Wpadł do niewielkiego pomieszczenia, zatrzasnął za sobą drzwi i przekręcił klucz. Nie, oczywiście nie sądził, że ochroni go to przed HELF-em. Nie chciał jedynie, by wmieszany we wszystko został ktoś postronny. Może nie był ideałem, ale pozostało mu przynajmniej na tyle przyzwoitości, by nie mieszać w swoje problemy innych.

Zdjął stojący na komodzie krucyfiks, przycisnął go do piersi i stanął na środku pomieszczenia, próbując zmówić krótką modlitwę. Słowa wylewały się z niego bełkotliwie, bez ładu i składu.

Zacisnął kurczowo powieki. Serce biło jak szalone. Panie, spraw, by po prostu okazało się, że to tylko mnie odbiła szajba, biadolił w duchu.

Tak, z pewnością wszystko musiało być złudzeniem. To przecież niemożliwe, żeby... Westchnął z wymuszoną ulgą i otworzył oczy.

Tamten stał przy drzwiach, spoglądając na niego taksująco.

A więc jednak Bóg postanowił wystawić księdza Marka na próbę. I przy okazji spełnić jego własne idiotyczne fantazje sprzed dziesięciu lat.

Jeszcze zanim zaczął uczęszczać do seminarium, nawet na łonie samego Kościoła katolickiego sprawa egzorcyzmów wydawała się być passé. Choć nigdy nie wydano oficjalnego stanowiska, większość księży prywatnie skłonna była przyznać, że to, co do tej pory uznawano za opętanie, było w większości przypadków objawami nierozpoznanej choroby psychicznej. W końcu niby dlaczego demony miałyby nawiedzać w pierwszej kolejności młode kobiety z wierzących rodzin, molestowane w dzieciństwie przez krewnych? Dlaczego ich ofiarą padały osoby skądinąd wręcz predestynowane do różnego rodzaju zaburzeń?

A że same objawy bywały niekiedy tak spektakularne? Któż w końcu mógł wiedzieć, do czego zdolna jest nieszczęśliwa ludzka dusza?

I oto nagle pojawiły się prawdziwe demony, jak zawsze za przyczyną ludzkiej głupoty, zachłanności i beztroski. Gdy ksiądz Marek był na drugim roku, doszło do wybuchu Rozbijacza w Nevadzie i straszliwej, choć na szczęście krótkotrwałej, inwazji HELF-ów. Debata na temat egzorcyzmów wewnątrz Kościoła odżyła. Nowe demony zdolne były pożreć nie tylko ciało człowieka, ale i jego duszę: przejąć pamięć, wiedzę oraz umiejętności i zaprząc je do realizacji swych niezbadanych, mrocznych celów. I wykazywały to w sposób całkowicie empiryczny i powtarzalny na oczach milionów widzów. Tutaj nie było już miejsca na wątpliwości czy kwestionowanie faktów.

Czy jednak bezpośrednie ofiary intruzów popełniły jakiś grzech, który naraził je na tę szczególną formę potępienia? Nigdy nie odkryto żadnego klucza ani wspólnego mianownika. Jakby po prostu wszyscy ci nieszczęśnicy znaleźli się o niewłaściwym czasie w niewłaściwym miejscu. Jeżeli coś w ogóle odegrało jakąkolwiek rolę, to była to raczej - według jednej z setek niezweryfikowanych teorii - taka, a nie inna charakterystyka elektromagnetyczna konkretnego ludzkiego mózgu, a nie stosunek jego właściciela do kwestii moralnych.

W takim razie co z dogmatem o wolnej woli? Czy dusze tych biedaków skazano na zatracenie? Czy dało się je ocalić?

A może, jak twierdzili niektórzy, Kościół powinien po prostu ogłosić swoje *desinteressment*? Co cesarskie cesarzowi? Żadne tam demony, co to ma w ogóle wspólnego z religią? *High Energy Life Forms* - tak przecież powiedzieli naukowcy, a religia już od wieków nie walczyła z nauką. Inteligentni najeźdźcy z innego wymiaru. Opętanie? Jakie tam opętanie. Gazet nie czytacie? Nieodwracalne odciśnięcie wzoru intruza na prądach mózgu delikwenta. Zmiany na poziomie submolekularnym. Każde dziecko z podstawówki zna to już na pamięć, a wy nadal nie potraficie przyjąć do wiadomości?

No tak, protestowali tradycjonaliści, ale czy w ten sposób nie oddajemy naszych ostatnich bastionów? Bo jeżeli zgadzamy się otwarcie, że ludzka dusza jest tylko wirtualną strukturą, na którą swobodnie można nałożyć - czy też nadbudować - inną strukturę, to czy w ogóle zostanie nam coś z naszej pierwotnej wiary? Czyż nie przyznajemy, że tak naprawdę nie ma w nas żadnego niezniszczalnego świętego pierwiastka, jak głosiliśmy przez tysiąclecia?

Debata wśród duchownych trwała nieco dłużej niż sama pogoń za HELF-ami, ale koniec końców znów nie zajęto oficjalnego stanowiska. Znając watykańskie mechanizmy, raczej wątpliwe było, by miało to nastąpić przed upływem kolejnych pięciuset lat.

Żadnemu egzorcyście nie było też nigdy dane zmierzyć się twarzą w twarz z HELF-em i podjąć próbę wypędzenia intruza.

Nikt z opętanych zresztą nie przeżył. Tak przynajmniej powszechnie twierdzono. Po trzech miesiącach uznano, że inwazja się skończyła – najeźdźcy albo powrócili do swego wymiaru, albo zostali (z wielkim trudem i nie bez ofiar) unicestwieni, albo sami z siebie ulegli cielesnej bądź też bezcielesnej dezintegracji. Zwolennicy teorii spiskowych uważali co prawda, że CIA, KGB czy Mossad (w wersjach bardziej paranoicznych pojawiała się również masoneria, a nawet Opus Dei) kilku przechwyciło, ale większość opinii publicznej dała się przekonać naukowcom, że istnienie niematerialnych intruzów, z nosicielem czy bez, z natury rzeczy skazane było w naszym świecie na efemeryczność.

Co do księdza Marka, to lubił on w tamtym czasie fantazjować (był dość natchnionym seminarzystą), że staje się nieustraszonym egzorcystą i wygania z ludzkich dusz demony, chroniony przez Opatrzność przed ich nieczystymi i niepojętymi mocami.

No i, cholera jasna, Opatrzność uznała za stosowne spełnić tę głupią młodzieńczą fantazję. Po dziesięciu latach i w najmniej spodziewanym momencie. Zaiste, niezbadane są jej ścieżki.

Ksiądz Marek studiował kiedyś egzorcyzmy, ale teraz nie był w stanie przypomnieć sobie żadnej z oficjalnych formuł. Uniósł zatem jedynie przed sobą krucyfiks, licząc na to, że Bóg jednak ulituje się nad jego wątłą wiarą. A jeśli się nie ulituje – cóż, naiwnością byłoby sądzić, że jakakolwiek magiczna formułka będzie w stanie go uratować.

– Odejdź tam, gdzie twoje miejsce – oświadczył drżącym głosem. – W imię Ojca i Syna, i Ducha Świętego, amen.

Demon wciąż spoglądał na niego taksująco (i jakby niepewnie?). Czy w oczach tamtego rzeczywiście przelotnie pojawiło się coś na kształt niepokoju?

Nic się jednak nie wydarzyło. Demon lekko się uśmiechnął. Ksiądz Marek zamknął oczy, starając się pogodzić z losem. Jaki kształt przybierze jego śmierć? Przypomniał sobie transmitowany dziesiątki razy w telewizji film z amatorskiej kamery – jeden z nielicznych, którego w porę nie skonfiskowały takie czy inne służby.

Marc Awry (a raczej demon pod postacią teksańskiego mechanika samochodowego) przechodzący na wskroś przez zastępującego mu drogę agenta. Czy dezintegracja na atomy bardzo boli?

– No i? – odezwał się sucho demon.

Ksiądz Marek otworzył oczy.

– Nie zabijesz mnie? – zapytał zdziwiony, ale i z budzącą się nagle nadzieją.

– Szczerze powiedziawszy – odparł rzeczowo tamten – wolałbym tego uniknąć.

– Wiem, kim jesteś – stwierdził ksiądz Marek z żalem.

– No więc umówmy się, że obaj o wszystkim zapomnimy – zaproponował demon. – Tak chyba będzie najprościej?

Przez moment wewnętrzny głos kusił księdza Marka, aby odpowiedzieć „tak" i umyć ręce od całej sprawy. A nuż demon dotrzyma słowa? Może uda się ocalić życie? Zaraz potem inny głos podpowiedział – powiedz „tak", to nic nie kosztuje, a później zniknij. Zapadnij się pod ziemię i dzwoń od razu do amerykańskiej ambasady, nie do żadnego tam ABW czy BOR-u, bo nasi jak zwykle wszystko spieprzą. Jest szansa, że dopadną go i unieszkodliwią, zanim cię znajdzie. Przechytrz demona! Przecież oszukać kogoś takiego to nie grzech...

Lecz... Czy aby na pewno? „Powołałem was po to..."

Ksiądz Marek oto zdał sobie sprawę, że prawdziwy moment próby nadszedł właśnie teraz.

– Nie mogę. – Słowa z trudem przechodziły mu przez gardło. – Nie mogę ci pozwolić swobodnie działać. Eksplozja w elektrowni jądrowej koło Vancouver. Dwa tysiące ofiar. Mike Watts.

Demon spoglądał na niego przez chwilę z namysłem. W końcu westchnął – niespodziewany, zwykły ludzki odruch.

– Ci, którzy doprowadzili do tej eksplozji, chcieli po prostu wrócić do domu.

– Zabierając przy okazji ze sobą setki niewinnych istnień...

– To nie takie proste. – Tamten potrząsnął głową. – Wyobraź sobie, że nagle wciągnął cię obcy, niezrozumiały świat. Że jedynym sposobem na krótkotrwałą choćby egzystencję jest zespolenie się w jedno z materią, którą nigdy nie byłeś, z obcą inteligencją. Z hałaśliwą treścią, która ogłusza twoją czystą formę dziesiątkiem chaotycznych impulsów. Czy jest coś dziwnego w tym, że w panice, na oślep, przepychasz się do odległego wyjścia, nie patrząc nawet, kogo tratujesz po drodze?

– A Mike Watts? – zapytał z goryczą ksiądz. – Dokonywał swych zbrodni z premedytacją, bawił się w berka z policją całego świata, wybierając kolejne ofiary...

– Watts i jemu podobni... – Demon wzruszył ramionami. – To chyba oczywiste, że... HELF – jakby z ironią wymówił to słowo – już w nim umierał. Stracił kontrolę nad swym nosicielem. Watts przejął moce HELF-a. Był w głębi duszy psychopatą, żywiącym urazę do całego świata – jak wielu z was. A potem nagle zyskał boskie, w swoim własnym mniemaniu, moce. No i postanowił dokonać zemsty. Od kogo zaczął, pamiętasz? Od szefa, kolegów z pracy i teściowej. W innych przypadkach było podobnie. Czemu HELF miałby zabijać kogoś całkiem bezinteresownie? Kierowany tylko zwykłymi ludzkimi emocjami? Co istotę z innego wymiaru może obchodzić teściowa Mike'a Wattsa? To ludzie zabijali. Pamiętasz, jak w końcu zginął Watts? Dosięgła go kula z dubeltówki zastępcy szeryfa z Północnej Dakoty, który rozpoznał go na zdjęciu. Sądzisz, że ktoś taki jak ja dałby się unicestwić w podobny sposób? Z Wattsa nic już wtedy nie zostało. Umarłby sam parę dni później.

– A ty? – wyjęczał ksiądz. – Ty niby jesteś inny?

– To chyba widać? – Tamten popatrzył na niego z całkiem ludzką urazą. – Ja... Mój nosiciel nigdy nie był psychopatą. Co najwyżej lekkim neurotykiem. Na szczęście szybko wyleczyliśmy się z kompleksów. No, w każdym razie z większej ich części. A teraz... osiągnąłem... osięgnęliśmy... stabilność. Podoba mi się tutaj. Przywiązałem się do tego świata... i do tego życia. – Demon zmrużył oczy. – Posłuchaj, zawrzyjmy umowę. Ja obiecam, że nie podejmę żadnych działań przeciwko, hmm... ludzkości – no chyba że w obronie własnej albo tych, na których mi zależy – a ty obiecasz, że nikomu o mnie nie powiesz.

– Mam ci uwierzyć na słowo?

– Chyba ja bardziej ryzykuję, wierząc tobie? – Tamten uśmiechnął się niemal sympatycznie. – Ale ci zaufam. Nie jesteś w końcu funkcjonariuszem żadnej ziemskiej instytucji, prawda? Zaufanie i irracjonalna wiara są ponoć wpisane w twój etos. Dla pewności przysięgniesz na Boga – to chyba powinno mi wystarczyć?

– Tak sądzisz? – Po raz pierwszy ksiądz Marek również się uśmiechnął. Wiara demona w instytucję Kościoła trąciła nieco naiwnością.

– Myślę, że w twoim przypadku tak.

Ksiądz Marek wciągnął powietrze. Nadszedł moment na podjęcie decyzji.

Czy koniec końców pokierowała nim Opatrzność, czy też jedynie tchórzostwo, które kurczowo uczepiło się jedynego rozwiązania, jakie przynosiło kapłanowi ocalenie i równocześnie pozwalało wyjść z twarzą?

I tak oto ksiądz Marek zawarł pakt z demonem.

– Skąd wiedziałeś? – zapytał jeszcze tamten, odwracając się ku drzwiom.

Ktoś szarpnął za klamkę. „Proszę księdza?" – dobiegł ich kobiecy głos.

– Nie mam pojęcia.

Znów pukanie. „Proszę księdza, jest tam ksiądz?" – powtórzyła kobieta z lekkim poirytowaniem.

Demon lekko się ukłonił, przekręcił klucz, wpuszczając do środka zniecierpliwioną panią Zofię, miejscową dewotkę, po czym całkiem konwencjonalnie wyszedł na zewnątrz.

Pani Zofia łypnęła na księdza podejrzliwie.

– A czemu to się zamykamy w zakrystii z mężczyznami? – W tonie jej głosu dało się wyczuć nadzieję na jakiś spektakularny skandal.

Ksiądz Marek nie odpowiedział. Spostrzegł, że jego ręce wciąż kurczowo zaciskają się na krucyfiksie. Westchnął i delikatnie odstawił krzyż na miejsce.

*

Po raz drugi ksiądz Marek spotkał demona jakieś trzy tygodnie później, chodząc po kolędzie. W międzyczasie obsesyjnie zgłębiał wszystkie dostępne informacje o HELF-ach, zaniedbując przy tym swoje obowiązki i narażając się na reprymendy czepialskiego proboszcza.

W sumie nie udało mu się dowiedzieć niczego nowego. Wydawało się, że wraz ze zniknięciem HELF-ów prawie przestano się nimi interesować. Ot, katastrofa sezonu, coś nieco tylko bardziej absorbującego niż kolejne tsunami czy trzęsienie ziemi.

Incydent z Rozbijaczem miał miejsce w lipcu, natomiast ostatni ujawiony HELF, Natalia Bronsky, według oficjalnych komunikatów zmarł (czy też uległ dezintegracji) w wojskowej bazie w Massachusetts 14 grudnia. W sumie zidentyfikowano trzydzieści osiem przypadków. Wszyscy przyszli nosiciele w momencie wybuchu znajdowali się w promieniu tysiąca kilometrów od centrum eksplozji. Podobnie jak miliony innych ludzi. Co sprawiło, że to właśnie oni zostali wybrani? Jeśli wierzyć oficjalnym źródłom, nigdy nie udało się dokładnie przebadać w pełni „sprawnego" HELF-a. Najgroźniejszych w końcu unicestwiono (w najbardziej spektakularnym przypadku użyto „małej" głowicy jądrowej, poświęcając przy tym całe miasteczko w Nebrasce). Ci, których złapano, znajdowali się już w fazie rozkładu i trudno ocenić, czy byli miarodajnym obiektem badawczym. Zresztą nigdy, rzecz jasna, nie ujawniono kompletnych wyników nawet i tych szczątkowych badań.

Ksiądz Marek ślęczał dniami i nocami przed monitorem komputera, ale pytania mnożyły się tylko w zastraszającym tempie. Nigdzie nie natrafił też na wskazówki, które pomogłyby mu choć w części rozstrzygnąć własne dylematy.

Zniechęcony, pozwolił wygonić się proboszczowi na kolędę.

Demon mieszkał na osiedlu domków jednorodzinnych. Nazywał się Michał Bielicki i okupował wraz z żoną i córką połówkę starego bliźniaka, jeszcze z lat osiemdziesiątych poprzedniego stulecia, którą odziedziczył po babci. Otwierając drzwi, nie okazał specjalnego zdziwienia; ksiądz Marek też stanął na wysokości zadania, odpowiadając krótkim skinieniem na porozumiewawcze mrugnięcie.

W sumie była to wizyta duszpasterska, jakich wiele. Jedna z tych fajniejszych. Na pierwszy rzut oka przynajmniej zgodna, zgrana rodzina. Rezolutna, trochę rozfeminizowana żona. Wygadana trzylatka o imieniu Klara, której wszędzie było pełno. No i tamten – cały czas uśmiechnięty, dyskretnie rozbawiony, z zagadkowym dystansem w oczach kontemplujący ocean zalewającej go kobiecości.

Jedna tylko rzecz przykuła uwagę księdza: cała ściana obwieszona była rodzinnymi fotografiami.

– Mąż ma obsesję na punkcie dokumentowania przeszłości – wyjaśniła ze śmiechem pani domu. – Nawet na zdjęcie pradziadka musiało się znaleźć miejsce!

Demon sam przed sobą udający, że jest człowiekiem? – zastanawiał się ksiądz Marek. Próbujący z pomocą magicznych rytuałów przejąć cudzą przeszłość?

Później tamten odprowadził go aż do samej furtki. Na chwilę zatrzymali się pośrodku ogródka i jak na komendę zadarli głowy ku górze, ku jasnym, arktycznym gwiazdom. Potem popatrzyli po sobie taksująco. Był siarczysty mróz; ksiądz Marek okutał się ciepło paltem, ale jego towarzysz ostentacyjnie stał bez śladu dyskomfortu w lekkim swetrze i leniwie wypuszczał z ust kłęby pary.

– Zastanawiałem się, jak... – zagaił ksiądz Marek. – Jakim sposobem...

– Byłem wtedy w Stanach – wyjaśnił demon. – Work and Travel. Camp America. Te rzeczy. Kalifornia, kolonie dla dzieci nad jeziorem. Pracowałem jako opiekun grupy. Jakieś tysiąc pięćset kilometrów od centrum. Z tego, co mi wiadomo, nikt nie był dalej ode mnie. Czasem myślę, że sam podświadomie go wezwałem. Wybiegłem ze stołówki i spojrzałem na wschód. I wtedy to się stało...

– Jak... – Ksiądz zawahał się. – Jak to przebiegało?

– Spokojnie – roześmiał się tamten. – Wokół była kupa innych ludzi, ale nikt niczego nie spostrzegł. Dwa tygodnie później wróciłem do kraju, jak gdyby nigdy nic.

– Mówisz o nim – zauważył ksiądz – to znaczy o tamtym chłopcu, Michale Bielickim, jakbyś nim był.

– A nie jestem? – Demon uniósł brwi.

– Sam wiesz. – Ksiądz zająknął się. Czy można było obrazić uczucia Wysokoenergetycznej Formy Życia? – Jesteś przecież...

– HELF-em? A nie mogę być jednym i drugim? Czy w momencie, kiedy przyjąłeś święcenia kapłańskie, w jakiś tajemniczy sposób przestałeś być Markiem Sikorą? Synem swoich rodziców? Mężczyzną?

– No ale to co innego – zaprotestował ksiądz.

– Niby dlaczego? Przez całe życie występujemy w najrozmaitszych rolach. Nieustannie zmieniamy maski, ewoluujemy. Jesteśmy często jednocześnie synami, mężami, ojcami, księżmi, wędkarzami, sukinsynami, miłymi facetami, urzędnikami, belframi, uczniami. Czy bycie HELF-em to po prostu nie jedna maska więcej? Zapewniam cię, że codziennie spotykam ludzi, którzy o wiele gorzej ode mnie radzą sobie z łączeniem różnych ról.

– Argumentowałbym jednak – zauważył ostrożnie ksiądz Marek – że z założenia raczej trudno jest pogodzić rolę człowieka i przybysza z innego wymiaru. Z samej natury są chyba zbyt ze sobą skonfliktowane. To dość szczególna dychotomia. Paradoks.

– Tak? – wykrzywił się tamten z ironią. – A ten wasz odwieczny podział na duszę i ciało jest niby zrozumiały i pozbawiony paradoksów? Naprawdę po dziesięciu latach kapłaństwa i celibatu uważasz, że ciało i dusza są ze sobą mniej skonfliktowane?

Ksiądz przez chwilę gorączkowo szukał właściwej odpowiedzi, ale jej nie znalazł.

– Masz rodzinę – zagaił zamiast tego.

Demon uniósł brwi, zaskoczony tą oczywistą raczej konstatacją.

– A dlaczego miałbym jej nie mieć? Nie jestem przecież księdzem. – W jego głosie pojawiła się ironia. – Bez urazy, ale z nas dwóch to chyba twoje życie w tym akurat aspekcie jest odrobinę bardziej nienaturalne.

Ksiądz uśmiechnął się pod nosem, doceniając złośliwość demona, ale zaraz z powrotem spoważniał.

– Twoja córka. Czy... – Lekko się wzdrygnął. – Oglądałem taki stary amerykański film, *Żona astronauty*...

– Też go kiedyś oglądałem. – Tamten z politowaniem pokiwał głową. – Najeźdźca z kosmosu przejmuje ciało ziemskiego astronauty, a potem zapładnia jego żonę. Jak wiadomo, wszystko kręci się wokół seksu. W amerykańskich filmach przynajmniej. Cóż za bzdury. Jakby istoty stworzone z czystej energii były w stanie rozmnażać się w biologiczny sposób. Klara to całkiem normalna dziewczynka. Tamci z NASA w jednym nie kłamali. Na poziomie komórkowym...

– Jesteś zwykłym mężczyzną – wyrecytował ksiądz Marek. – Anomalia ma charakter dynamiczny i jest inicjowana na poziomie submolekularnym... Cokolwiek by to miało znaczyć.

– Cokolwiek by to miało znaczyć – uśmiechnął się demon.

– Twoja żona o niczym nie wie, prawda? – Ksiądz Marek znów zmienił temat. – Normalny człowiek, skrywając taką tajemnicę przed najbliższymi, czułby psychiczny dyskomfort.

– Wszyscy skrywamy jakieś tajemnice. – Jego interlokutor i na to znalazł odpowiedź. – Jako ksiądz nie zdajesz sobie sprawy, jak to jest w małżeństwie. – Demon przybrał cokolwiek mentorski ton. – Bez urazy. Ja zresztą też nie wiedziałem, dopóki sam się nie ożeniłem. My i kobiety naprawdę pochodzimy z innych planet, chociaż to wychodzi dopiero później, w praniu. Wierz mi, łatwiej byłoby ci zrozumieć HELF-a niż kobietę – kolejny paradoks. W każdym razie chodzi głównie o to, że kobiety bywają cholernie praktyczne i nieskore do pobłażania słabościom, których nie rozumieją. Więc skrywamy przed nimi nasze pasje, nie przyznajemy się, ile pieniędzy wydaliśmy na motocykl, nową wędkę czy obiektyw do aparatu fotograficznego. Albo że lubimy czasem zmienić na moment swoją strukturę na poziomie molekularnym i rozproszyć się w promieniach wschodzącego słońca, szybując leniwie ponad taflą jeziora... Przepraszam, zabrzmiało to trochę kiczowato – zreflektował się demon, który chyba naprawdę wierzył, że, w jakimś sensie przynajmniej, wciąż jest Michałem Bielickim.

Ksiądz Marek westchnął i zadumał się głęboko. Najśmieszniejsze w tym wszystkim było to, że argumenty tamtego rzeczywiście były na swój sposób logiczne.

– Muszę już iść – oznajmił. – Jeszcze tylko jedno pytanie. Czemu właściwie chodzisz do kościoła? Żona cię wyciąga?

– Stanowię chyba z natury rzeczy marny materiał na bogobojnego katolika? W dodatku pochodzę z niewierzącej rodziny. Ale z jakichś względów naprawdę lubię to miejsce. Rozumiesz: światło, dźwięk. Jestem wrażliwy na takie rzeczy. Sposób, w jaki promienie słońca rozświetlają czasem ołtarz. Brzmienie organów też ma przyjemną częstotliwość. No i ten zapach kadzideł. Jest, jak by to powiedzieć, taki zmysłowy. Materialny.

– Tak – przyznał ksiądz Marek. – Materialny. Chyba rozumiem.

Pożegnali się, po czym ksiądz ruszył w dalszą drogę.

W kolejnym domu zwabiono go podstępnie do środka po to tylko, by przez piętnaście minut zasypywać cytatami z antyklerykalnego brukowca (że też nawet teraz, dobrych parę lat po wypowiedzeniu konkordatu, całkowitej legalizacji aborcji i ostatniej reformie finansów Kościoła, chciało się jeszcze komuś wydawać takie pisma), by wreszcie z satysfakcją wyrzucić za drzwi.

*

Po raz trzeci ksiądz i demon spotkali się na początku lutego, w trakcie ferii. Był piękny słoneczny poranek. Od kilku dni intensywnie padało, lecz tego dnia po raz pierwszy niebo było przejrzyste. Ksiądz Marek czym prędzej ubrał się, przełknął w pośpiechu kawałek szarlotki, po czym porwał swego Canona 5D Mark XII, upchnął w torbie trzy dodatkowe obiektywy i pognał w kierunku pobliskiego lasku (parafia znajdowała się na przedmieściach; dosłownie kilka kroków za jej granicami zaczynał się zupełnie inny świat).

Ksiądz Marek, generalnie dzielnie zmagający się z pokusami tego świata, miał wszakże jedną słabość, której ulegał regularnie. Była nią fotografia we wszelkich możliwych postaciach. Nie żeby został obdarzony szczególnym talentem w tej dziedzinie, ale to, podobnie jak większości fotoamatorów, wcale go nie zrażało. Jak w każdym hobby liczyła się osobista satysfakcja. Zarobki księży nie były już co prawda takie, jak w czasach konkordatowych, ale w zupełności wystarczały na regularny zakup najwyższej klasy sprzętu, co też bez zbytniej żenady czynił, sam przed sobą usprawiedliwiając się, że z kolei samochodem jeździ bardzo przeciętnym.

Po kilkunastominutowym spacerze pomiędzy drzewami, co chwilę zapadając się po kolana w śnieg, wdrapał się wreszcie na szczyt wzgórza. Stąd roztaczał się wspaniały widok na zimowy pejzaż. Do aparatu ksiądz miał przypiętą białą elkę, w nadziei, że uda mu się upolować jakąś sarnę albo najchętniej lisa, które ostatnio ponoć bardzo namnożyły się w okolicy i strasznie przy tym rozzuchwaliły. Miał rewelacyjny pomysł na ujęcie lisa biegnącego po śniegu. W ostateczności, rzecz jasna, zadowoliłby się nawet zającem.

Demon wyłonił się zza drzewa, chyba nawet trochę zaskoczony. Miał na sobie dość cienki i niekrępujący ruchów kombinezon narciarski. W ręku też trzymał aparat fotograficzny – jakieś dwa modele niższy i trzy generacje starszy od tego, który znajdował się w posiadaniu księdza Marka.

– O – powiedział demon.

– O – odparł ksiądz Marek.

Stanęli obok siebie i przez moment zgodnie milczeli.

– Fajna pogoda – zauważył ksiądz. – Co pstrykasz?

– Będziesz się śmiał – mruknął tamten, jakby zawstydzony.

– Nie, skądże.

– Chciałbym uwiecznić hmm... pewien szczególnego rodzaju rozbłysk płatków śniegu, ale – demon pokręcił głową – jak dotąd mi się nie udało... – Z wahaniem włączył wyświetlacz na tylnej ściance aparatu.

Przez jakiś czas razem kontemplowali zdjęcia.

– Ciekawe – mruknął ksiądz Marek. – Temat niby banalny, ale uchwycony tak dziwnie, że aż intrygująco. Ta estetyka wydaje się taka niezwykła, niemal... – Już miał powiedzieć „nieludzka", ale w ostatnim momencie ugryzł się w język.

– To jeszcze nie to – westchnął demon. – Ciężko jest nadać strukturę temu, co z natury struktury nie posiada. Odpowiednio powiązać formę i treść. Pochwycić światło w materię.

– Pochwycić światło – powtórzył ksiądz Marek. – Fotografia. Mogłem się domyślić, że będziesz się nią interesować.

Usiedli obok siebie na śniegu i długo rozmawiali – o fotografii i o innych sprawach.

Pod sam koniec ksiądz Marek zapytał o rodzinny świat demona. O jego pierwotną postać.

– Nie pamiętam – odparł szczerze tamten. – Nieodwołalnie zmieniłem formę. Tamto istnienie wymyka się rozumieniu istoty, którą obecnie się stałem. Czasem śni mi się tylko, że przemierzam... – Potrząsnął głową, jakby nie potrafiąc znaleźć właściwych słów.

– Nie tęsknisz za tamtym życiem? Za... domem?

– Tak. Nie. – Demon wzruszył ramionami. – Być może kiedyś tam wrócę. Być może umrę wraz z tym ciałem. Ha, to zabawne, ale tak jak wy do końca nie wiem, co czeka mnie u kresu tej podróży. Ta forma... jednak narzuca pewne ograniczenia. Chyba nie mogę regenerować jej bez końca. Tak naprawdę nie mam pojęcia, jak to wszystko będzie dalej przebiegać. Nikt wcześniej nie podążał tą ścieżką. Ale teraz *jestem*. I w sumie lubię sposób, *w jaki jestem*. Mówiłem ci już: przywiązałem się do mojego życia. Przyciąga mnie ten świat, hipnotyzuje kształtami i zapachami. Nigdy wcześniej nie otaczało mnie takie... bogactwo. Różnorodność. Nadmiar, nieuzasadniony samą tylko funkcją. Orgiastyczna redundancja. Materia nie jest tylko niższą formą organizacji energii. Jest w niej jakaś tajemnica. Jakiś... artyzm. Czasem byłbym nawet w stanie uwierzyć, że ten wasz Bóg w jakimś sensie rzeczywiście istnieje, choć z drugiej strony sama Jego idea wydaje mi się bezsensowna. Sposób, w jaki Go opisujecie, definiujecie Jego wszechmoc. Wasza śmieszna wizja zaświatów. Ale mimo to... – Potrząsnął głową. – Sam nie wiem. I zastanawiam się, czemu ze wszystkich ludzi ty jeden zdołałeś zobaczyć mnie takim, jakim jestem naprawdę.

– Czy sądzisz – odważył się zapytać ksiądz Marek – że są jeszcze inni, tacy jak ty?

Demon tylko uśmiechnął się lekko pod nosem, ale nic nie odpowiedział.

*

Minęło trochę czasu. Ksiądz Marek i demon widują się dość regularnie. Chyba, choć zabrzmi to absurdalnie, nawet się zaprzyjaźnili. W pewnym sensie. Mają wspólne pasje – fotografię, piesze wędrówki, podróże. Lubią rozmawiać ze sobą na różne tematy.

Żona Bielickiego była nieco zaskoczona, gdy ksiądz Marek zaczął odwiedzać ich w domu, ale chyba też go polubiła.

Pomijając tamto pierwsze spotkanie, demon już nigdy sam z siebie nie zrobił w jego obecności nic niezwykłego. Ksiądz Marek też nie uznał za stosowne prosić przyjaciela o dodatkowe demonstracje. Ale i tak nie mógłby mieć już teraz żadnych wątpliwości. Wystarczy tylko, że na moment spojrzy w oczy tamtego. Czasem tak wyraźnie widać w nich, co *mógłby* zrobić, że ksiądz Marek aż dziwi się, że nikt poza nim samym tego nie zauważa.

Nie zdołał rozstrzygnąć żadnego ze swoich dylematów. Kim naprawdę jest Michał Bielicki? Demonem, który pożarłszy człowieka, popadł w nietypową dla swego gatunku schizofrenię? Człowiekiem, który zdołał przyswoić sobie moce demona i jednocześnie ocalić własną duszę? Unikalnym symbiontem, wypadkową tęsknot dwóch różnych istot? Być może żadna z tych odpowiedzi nie jest prawdziwa, a może wszystkie są takimi w równym stopniu? I cząstka, i fala, jak w fizyce kwantowej?

Istotniejszym pytaniem z pragmatycznego punktu widzenia wydaje się jednak, czy stan tamtego rzeczywiście jest stabilny. Kto wie, czy tak jak pozostali, również on nie popadnie w końcu w szaleństwo. Obojętne czy będzie to szaleństwo człowieka, czy też szaleństwo demona, jego skutki będą zapewne katastrofalne.

Jak ksiądz Marek powinien w takim razie postąpić? Czy dochowując tajemnicy, nie naraża siebie i innych (ba, może nawet całej ludzkości) na niebezpieczeństwo? I czemu powierzono mu tę dziwną wiedzę? Zadecydował o tym przypadek czy Opatrzność? A jeśli Opatrzność, to jakie właściwie postawiła przed nim zadanie?

Ksiądz Marek modli się codziennie o łaskę oświecenia, przynajmniej w tej jednej jedynej kwestii, ale jak dotąd nie otrzymał żadnej odpowiedzi.

Coraz częściej odnosi wrażenie, że tamten go potrzebuje, że odczuwa całkiem ludzką ulgę, mogąc powierzyć komuś swoją tajemnicę. I że, wbrew składanym deklaracjom, skrywanie jej przed rodziną jest jednak dla niego ciężarem. Być może chciałby ujawnić się takim, za jakiego uważa się naprawdę. Może pomimo swych zadziwiających mocy, tak samo jak i my wszyscy, stoi bezradny wobec odwiecznych pytań.

Czyżby księdzu Markowi powierzono rolę duszpasterza demona? I to takiego, który w dodatku w najlepszym razie deklaruje się jako agnostyk?

Nikt nie wie, co się jeszcze wydarzy. Może któregoś dnia demon zabije księdza Marka, a może wręcz przeciwnie, uratuje mu życie? Może do miasta przybędzie inny HELF, poszukujący towarzysza do wykonania jakiejś straceńczej, przerażającej misji, albo na ulicach znienacka pojawią się czarne furgony zapełnione tajnymi agentami różnych dziwnych służb i ich jeszcze tajniejszym, supernowoczesnym sprzętem?

Nikt nie wie, co przyniesie przyszłość. Nie wie tego ksiądz Marek i nie wie tego demon. Ale ostatecznie, czy ktokolwiek kiedykolwiek to wiedział?

Na razie obaj umówili się na kilkudniowy wypad w Tatry. Pójdą na Orlą Perć i o samym świcie spróbują zakląć w materię światło obmywające skaliste turnie.

ISTVAN VIZVARY – rocznik 1975, łodzianin, ojciec trójki dzieci. Zawodowo zajmuje się programowaniem komputerów. Publikował opowiadania w „Science Fiction. Fantasy i Horror" i „Nowej Fantastyce", a także w internetowych „Esensji" i „Szortalu".

Istvan Vizvary

Muñeca

Alarm wywołał Jeffa w najmniej sprzyjającym momencie pracy – zostały mu do zweryfikowania jeszcze trzy główne i kilka pobocznych węzłów fragmentu sieci kanalizacyjnej, za który był odpowiedzialny. Z olbrzymim wysiłkiem zdołał zignorować narastający niepokój i dokończył pracę w miejscu, w którym zastały go złe wieści. Kolejny punkt na mapie zajaśniał optymistycznym amarantem, jednak Jeff nie poczuł się ani trochę spokojniejszy.

W odległym o siedem kilometrów domu właśnie umierała Zoe.

Światło dnia oślepiło go, gdy wynurzył się z siedziby InfraVisual Inc. Biegiem dopadł zamówionej przez majordomusa trans i opadł na fotel pasażera.

– Jak ona się czuje? – spytał cicho, zapinając pasy.

– Szczerze? – Aksamitny głos majordomusa nie niósł ze sobą ani trochę emocji.

– Umiesz inaczej?

– Reanimacja trwa, jednak krążenie ustało siedem minut temu, a zgodnie z testamentem pana żony ratownikom nie wolno go sztucznie wymuszać. Defibrylacja nie przynio...

– Skończ! – przerwał gwałtownie Jeff. Zacisnął powieki i przez dłuższą chwilę powstrzymywał się od płaczu. – Kiedy będziemy na miejscu?

– Za osiem do dziesięciu minut. Na trasie dwa korki.

– Daj obraz – zażądał. – Chcę ją chociaż zobaczyć.

– Transmisja zablokowana przez ratowników i policję. Standard przy reanimacji.

– Jaką znowu policję?

– Połączyć z funkcjonariuszem? Sprawę prowadzi niejaki detektyw Holmes.

Jeff pokręcił głową. I tak zaraz miał być na miejscu.

*

– Uduszona? – Jeff nie potrafił ukryć niedowierzania. Gapił się bezmyślnie w hotelowe okno, za którym zgasł już wczesny, jesienny zachód słońca.

Detektyw Holmes pokiwał ze współczuciem głową. Wierzył i ufał automatom, które w poszukiwaniu znamion przestępstwa przeskanowały ciało zmarłej, gdy tylko ratownicy ocenili dalszą reanimację jako bezcelową.

– Wyniki wstępnej sekcji na to wskazują. Przyczyną śmierci było niedotlenienie mózgu wywołane odcięciem dostępu powietrza do płuc – powiedział. – Więcej będziemy wiedzieli jutro.

– Bzdura. Kto mógłby to zrobić? Przecież nie Ramona.

– Pielęgniarka została już wstępnie przesłuchana, jednak potrzebujemy pozwolenia na dostęp do monitoringu, o ile panu też zależy na czasie. Na nakaz sądowy będziemy musieli poczekać.

– Nikt nie wszedłby do domu bez mojej wiedzy. Nawet ogród jest strzeżony.

– Wiemy. Czy mam zgodę na dostęp?

– Oczywiście, nie mam nic do ukrycia, ale i tak uważam, że to bzdura. Choć z drugiej strony...

– Tak? – Holmes nie wyglądał na zaciekawionego. Raczej zachęcał Jeffa, żeby dokończył wypowiedź.

– Z drugiej strony gdyby okazało się, że ktoś ją zabił, nie zamartwiałbym się, że nie miała już siły żyć. I że od siedmiu lat po prostu się nad nią znęcałem.

Zapadła cisza. Funkcjonariusz wpatrywał się przez dłuższą chwilę w Jeffa.

– Wszystko będziemy wiedzieli jutro – powiedział w końcu. – Jutro też pewnie będzie pan mógł wrócić do domu. Teraz powinien się pan chyba przespać.

Postać detektywa rozsypała się w stos drobnych białych koralików, które opadły z suchym szelestem na dno platformy komunikacyjnej.

Jeff wstał z krzesła, westchnął i ciężkim krokiem ruszył do łazienki. Przed rozmową z detektywem zdążył jeszcze zamówić swoje ulubione przybory toaletowe, żeby choć trochę poczuć się jak w domu. Świeżo przygotowane czekały już na niego w podajniku. Nigdy nie potrafił zrozumieć komponowania zamówionych aromatów, tego, że zawsze pachną tak samo, niezależnie od syntezatora.

Teraz jednak nic go to nie obchodziło.

Zoe nie żyła, a świat ogarnęła noc. Jeff nie potrafił uwierzyć, że kiedykolwiek się skończy.

*

Detektyw Holmes obserwował sypialnię Zoe White.

Wokół kobiety uwijała się jej pielęgniarka, czarnoskóra Kubanka Ramona Garcia. Myła chorą i przebierała, podłączała i odłączała kroplówki. Ocierała jej pot z czoła, a nawet – codziennie! – czesała i malowała. Kiedy zaś kończyła wykonywać wszystkie domowe prace – gotowanie dla pana Jeffa, pranie czy przycinanie kwiatów – siadała przy pani Zoe i czytała jej. Miała najwyraźniej szczególną słabość do amerykańskiej literatury dwudziestowiecznej, gdyż często powracała do Hemingwaya, Steinbecka czy Faulknera. A może to pacjentka tak bardzo ich ceniła?

W ciągu trzech pracowitych godzin Holmes przejrzał zapisy z siedmiu ostatnich lat, dzień po dniu, godzina po godzinie, minuta po minucie. Co najmniej siedmiokrotnie, kilka ciekawszych momentów nawet więcej razy.

Sypialni chorej nie odwiedzał nikt oprócz masażysty (trzy razy w tygodniu), lekarza (co poniedziałek), technika od aparatury (raz w miesiącu), Jeffa White'a i Ramony Garcii oraz, tuż po wypadku, kilku gości, o których miał jeszcze zamiar spytać męża zmarłej, jeśli identyfikacja nic nie da. Pierwszymi od lat obcymi w pokoju Zoe White byli ratownicy, wezwani przez majordomusa, gdy tylko aparatura monitorująca zgłosiła zanik akcji serca.

– Zapisy monitoringu zostały sfałszowane i Ramona, bądź ktoś inny, weszła jednak do sypialni, żeby udusić panią White – stwierdził Holmes. – Lub też wstępna sekcja należała do tych siedmiu koma trzy procent, które przynoszą mylne wyniki.

– Ekspertyza monitoringu i sekcja zwłok trwają. Wkrótce będziemy wszystko wiedzieć. Do tej pory po prostu rozejrzyjmy się i poszukajmy świadków – zaproponował Holmes w odpowiedzi. – Zacznijmy od strażników. Ilu ich jest?

– Trzech. Mieszają się ze zwykłym ogrodowym ptactwem i doskonale je imitują. Jeśli okaże się, że niczego nie widzieli, to znaczy, że nikogo nie było.

– Zapytajmy wprost. Interesuje mnie ich interpretacja, nie tylko obraz z kamer.

Holmes podzielił się na trzy wątki i wywołał przez system domu Jeffa strażników.

– Czy siedemnastego października ktoś obcy przebywał w ogrodzie wokół domu?
– Widziałem tylko Ramonę oraz pana Jeffa rano, gdy wychodził przed dom do trans.
– Czy nie zaszło nic odbiegającego od typowych codziennych wzorców?
– Nie. Ramona pojawiła się w ogrodzie o tej samej godzinie, co zwykle, i równie punktualnie wróciła do środka domu.
– Co robiła w ogrodzie?
– Przycinała krzaki i ustawiała meble ogrodowe. W nocy była okropna wichura. Na sześć minut Ramona usiadła też przy fontannie. Zapewne odpoczywała.
– Czy zaszło jakiekolwiek zdarzenie, które mogłoby sugerować, że w domu tego dnia przebywał ktoś obcy?
– Nic takiego nie zauważyłem.

– Czy siedemnastego października ktoś obcy przebywał w ogrodzie wokół domu?
– Przed furtką zatrzymało się dwóch czarnoskórych mężczyzn, których nie rozpoznałam. Nie dzwonili do furtki i po około minucie odeszli, dlatego nie wszczynałam alarmu.
Poza tym dostrzegłam dwóch agentów koncernu P&G, ale po odebraniu sygnału ostrzegawczego odlecieli. Prawdopodobnie zbierali dane targetujące do reklam.
– Czy to pierwszy taki incydent?
– Nie, przylatują regularnie mniej więcej co miesiąc lub dwa.
– Czy zaszło jakiekolwiek inne zdarzenie, które mogłoby sugerować, że w domu tego dnia przebywał ktoś obcy?
– Nic takiego nie zauważyłam.

– Czy siedemnastego października ktoś obcy przebywał w ogrodzie wokół domu?
– Dostrzegłem dwóch agentów koncernu P&G, ale odlecieli. Z pewnością zbierali dane targetujące do reklam.
– Czy często przylatują?
– Z reguły co miesiąc, choć czasem rzadziej.
– A jacyś inni agenci?
– Codziennie likwiduję po kilkanaście much, ale to zwykli podglądacze.
– Czy tego dnia Ramona wychodziła do ogrodu? Pracowała? Rozmawiała z kimś? A Jeff?
– Ramona przycinała krzaki. Jeffa widziałem, jak rozmawiał z Doreen wewnątrz domu. Czyściłem pióra na oknie.
– Kto to jest Doreen?
– To muñeca, z którą Jeff rozmawia.
– Czy zaszło jakiekolwiek inne zdarzenie, które mogłoby sugerować, że w domu tego dnia przebywał ktoś obcy?
– Nic takiego nie zauważyłem.

Scalenie informacji zajęło jakieś dwie milisekundy.

– Skoro nawet wróbel zwrócił uwagę na Doreen, my też powinniśmy się jej przyjrzeć, prawda? – zauważył Holmes.

– To pewnie jego psychoterapeuta – odpowiedział sobie. – Ale jak mogłaby udusić człowieka?

– Udusić może wszystko, co potrafi powstrzymać od pobierania tlenu z powietrza. Nawet psychoterapeuta.

– Chodziło mi o to, że materialnie może istnieć tylko jako muñeca, koralikowa lalka. Nie widzieliśmy żadnej lalki chodzącej po sypialni pani White.

– To fakt. Nie chodziła tam.

– Nie mogła zatem udusić pani White.

– Rozumujesz jak człowiek. Czasem warto rozmawiać jak oni, ale żeby aż myśleć?

– Masz rację – przyznał Holmes. – Przez chwilę wyobraziłem sobie, że jestem człowiekiem.

– Po co?

– Na wszelki wypadek. W kontaktach z ludźmi to czasem pomaga.

– Zanim porozmawiamy z Jeffem, moglibyśmy pogadać z tą Doreen. Raczej nie śpi, prawda?

– Na pewno nie śpi.

*

– Kim jesteś? – spytała Doreen.

Holmes wyznaczył jej spotkanie w prywatnej loży „Starej Druciarni" MacDougha. Mógł oczywiście skontaktować się z nią bezpośrednio, jednak chciał się przekonać, jaką jest muñeką. U MacDougha można było dyskretnie i w spokoju porozmawiać – nikt nie zwróciłby uwagi na dwie rozmawiające lalki. Obserwator pomyślałby po prostu, że ktoś załatwia ciemne interesy i nie chce tego robić u siebie.

– Holmes, policja stanowa. Prowadzę śledztwo w sprawie śmierci Zoe White. Znasz ją?

– Tak. To żona człowieka, z którym się przyjaźnię. – Twarz Doreen była pozbawiona wyrazu.

– Przyjaźnisz?

– Rozmawiamy. Znam go doskonale, wiem o jego problemach, on czuje się dobrze w mojej obecności. To chyba ludzie nazywają przyjaźnią, prawda?

Holmes nie przytaknął.

– Analizuję w tym momencie monitoring z ostatnich siedmiu lat – powiedział. – Z tego, co do tej pory przejrzałem, wynika, że Jeff poznał cię jakieś cztery lata temu.

– Kupił, po co się oszukiwać. Jestem jego niemal wyłączną własnością. Jaki jest jego status w śledztwie?

– Świadka. Nie przedstawiono mu żadnych zarzutów – wyjaśnił Holmes. – To twarz, którą dla ciebie wybrał?

– Tak, nie mam innej. Innego ubrania też nie. Zawsze tak występuję. – Jak gdyby ubiegła pytanie, które powinien był zadać, choć w gruncie rzeczy nie chciał.

– Nigdy nie prosił, żebyś przybrała twarz Zoe?

– Nie pozwoliłby na to.

– Czemu?

– Za bardzo ją kochał.

– Skąd wiesz?

– Naprawdę dużo rozmawialiśmy. Myślę, że tego brakowało mu najbardziej. Rozmowy.

– Zoe mogła być o to zazdrosna? – spytał Holmes.

– O rozmowę? Na pewno. Ale nawet jeśli nie była, nie miała jak tego okazać.

– Widziałaś ją kiedykolwiek?

Wzruszyła ramionami. Zupełnie jak człowiek, pomyślał Holmes. Czyli jednak próbuje.

– Czasami patrzyłam razem z moim klientem przez kamerę w sypialni – odpowiedziała.

– O czym rozmawialiście? O czym może człowiek rozmawiać z nube?

– O filozofii, o historii, o ewolucji drogą doboru naturalnego. O tym, co łączy i dzieli ludzi i byty wirtualne. On opowiadał mi, jak to jest mieć ciało i lękać się śmierci, ja jemu – jak to jest być naraz w czterech miejscach i nigdy się nie narodzić. On mówił mi, czym jest miłość i czym różni się od zwierzęcej rui, ja zaś starałam się mu opowiedzieć, jak żyje się bez narządów zmysłów, czy raczej jak to jest być jednym wielkim narządem zmysłów, jednym wielkim potencjałem.

– I jak to jest być potencjałem?

– Sam przecież dobrze wiesz, prawda? Też jesteś nube. Też żyjesz w chmurze. Pożyczasz koralikową muñekę, gdy chcesz porozmawiać z ludźmi. Albo z podejrzanymi nube, jak ja.

Holmes miał ochotę zakończyć spotkanie. Czuł, że brnie donikąd, że z tej rozmowy nie wyniknie nic ponad to, do czego sam wcześniej doszedł. Skupił się przez dłuższą chwilę na twarzy Doreen, kamiennej w swym braku mimiki. Czy taka sama była w rozmowie z Jeffem? Czy może radosna i roześmiana? Nie przejrzał jeszcze nagrań z salonu.

– Czy nigdy nie mówił, że chciałby śmierci Zoe? – zapytał w końcu.

Wiedział, że bez sądowego nakazu nie zmusi jej do ujawnienia prawdy. Choć w dziewięćdziesięciu pięciu procentach była własnością White'a, to licencja należała do producenta, który z pewnością nie pozwoliłby, żeby lalka rozpowiadała na prawo i lewo o prywatnych sprawach klientów. Z trzeciej strony transpozonowa faza produkcji, gwarantująca niepowtarzalność osobowości nube, dawała też szansę zaistnienia cechom, które nie były ani trochę zaplanowane. O ile, rzecz jasna, przecisnęły się przez ciasne sito postprodukcyjnej selekcji.

– Jeff nie przestawał wierzyć, że pani White wyzdrowieje – odpowiedziała Doreen. – Czytał jej, opowiadał o wszystkim, co działo się na świecie. Dbał o nią lepiej niż Ramona. Gdyby nie musiał pracować, w ogóle by starej nie zatrudnił.

– Lubiłaś Zoe?

– Ja nie umiem lubić albo nie lubić, panie Holmes. Nie rozumiem, po co te gierki. Potrafię rozmawiać, słuchać, mówić. Przyjaźnić się. Od tego jestem. Od lubienia, kochania i przepadania są ludzie. I psy.

– Do zobaczenia, Doreen.

Najpierw twarz dziewczyny, potem zaś reszta jej sztucznego ciała utraciły spoistość i osypały się w dół fotela, tworząc w zagłębieniu siedzenia niewielką stertę kulek. Holmes przez chwilę trwał jeszcze nieruchomo, lecz i jego muñeca rozsypała się, po czym opadła na pluszowe siedzisko.

Pan MacDough podszedł do pustego stolika i zdmuchnął świecę. Spotkanie było skończone.

*

Jeff obudził się z potwornym bólem głowy. Łyknął proszek, który znalazł wśród drobnych przyborów na sekretarzyku, i wszedł pod prysznic. Najchętniej zostałby tam do wieczora, na przemian parząc i mrożąc skórę, aby fizyczny ból wypełnił go i zagłuszył wszystkie inne uczucia. W końcu, ociekając wodą, wyszedł na ciepłą posadzkę łazienkowej podłogi i dalej, do pokoju. Podszedł do okna i spojrzał w dół.

Zobaczył białe gąsienice kolejki miejskiej i czarne muchy transów; pędzące kapsuły osobowych i towarowych wind. Gnający do przodu i w górę świat.

On nie miał już dokąd jechać. Nie miał celu ani powodu się spieszyć.

Poszukał wzrokiem klamki, ale jej nie znalazł.

– Chcę otworzyć okno! – powiedział ni to do siebie, ni do hotelowego majordomusa.

Odpowiedziała mu głucha cisza.

– Chcę otworzyć okno, do jasnej cholery! Chcę odetchnąć wreszcie świeżym powietrzem! Mam dość waszej morskiej bryzy i wiejskiego poranka! Mam dość wszystkiego! Pozwólcie mi otworzyć okno!

Łkał i uderzał pięścią w szklaną taflę, która odpowiadała tylko cichym, głuchym jękiem.

– Nie dam rady bez niej! Chcę do mojej Zoe! Chcę być z nią, gdziekolwiek teraz jest!

– Tego okna nie można otworzyć, panie White. – Przez moment nie poznawał głosu, który rozbrzmiał za jego plecami. – To hotel. Ktoś mógłby wypaść i się zabić.

– Ale ja chcę wypaść – szepnął White. – Ja chcę się zabić.

– Czemu?

– Tylko dla niej trwałem, Holmes. Tylko ona trzymała mnie przy życiu. Teraz równie dobrze może mnie nie być. W pracy zastąpi mnie dowolna osoba z IQ większym niż 115, nada się co szósty przechodzień. Ramona jest uwzględniona w moim ubezpieczeniu, dostanie na dziesięć lat pensję wyższą, niż ja mam teraz. Ogrodem zajmie się nowy właściciel domu. Nie jestem nikomu potrzebny. Jak większość osób zresztą. Zrozum, Holmes, jeśli potrafisz: życie – moje i jakiekolwiek inne – nie ma żadnego obiektywnego sensu. A jedyny subiektywny właśnie leży w kostnicy.

– A Doreen?

– Co z nią?

– Nie będzie się czuła samotna?

– Przecież to tylko nube. Pan bywa samotny?

– Nigdy – przyznał Holmes. – My, nube, nie bywamy samotni.

– Skąd zatem to pytanie?

– Chodzi mi raczej o pana stosunek do niej. Troskę o nią.

– To moja terapeutka. Mówię do niej. Czasem słucham. Nic więcej.

– Jest pana własnością. Co się z nią stanie, kiedy pana zabraknie?

A co mnie to obchodzi, miał ochotę zapytać White. Co mnie obchodzi teraz, co stanie się ze światem?

– Nie można jej wyczyścić – ciągnął Holmes. – Nube zmienia się nieodwracalnie wraz z każdym doświadczeniem, zupełnie jak człowiek. Myślałem, że rozmawiał pan o tym z Doreen.

– Rozmawiałem. O tym i o mnóstwie innych rzeczy.

Holmes miał ochotę wstać i podejść do okna. Spojrzeć w twarz swojemu rozmówcy i dowiedzieć się wszystkiego. Wyczytać prawdę w jego oczach.

– Kto zabił pańską żonę, panie White? Kto zabił Zoe?

– Nie wiem, Holmes. Jej nie ma i kto to zrobił, nie ma żadnego znaczenia. Chociaż nie, kłamię.

– Tak?

– Tak. Chciałbym wiedzieć, kto ją zabił. – Jeff odwrócił się twarzą do detektywa. Była mokra od łez. – Poprosiłbym, żeby zabił i mnie.

– Mogę panu obiecać, White, że kiedy dowiem się, kim jest morderca, poinformuję pana o tym.

Jeff nie odpowiedział. Stał tylko i patrzył, jak Holmes się rozsypuje. Przez moment, zanim twarz detektywa zupełnie straciła kształt, miał wrażenie, że ujrzał w niej rysy Zoe.

Upadł na podłogę i pozwolił łzom wsiąkać w dywan.

*

Holmes wrócił do przesłuchania Ramony, które odbyło się zaraz po odjeździe koronera. Przyglądał się pulchnej twarzy pielęgniarki, próbując odnaleźć jakiekolwiek ślady fałszu czy chociażby skrywanej pod niewinną miną prawdy. Analizując ponownie rozmowę, rozdzielił się na dwa wątki. Do współpracy włączył bliźniaczego agenta, który nie miał ze sprawą nic wspólnego i mógł jeszcze bardziej obiektywnie ocenić emocje kobiety. Tym razem informacje scalał na bieżąco.

– Ramona, czy pan White kochał żonę?
– Niczego i nikogo nie kochał bardziej.
– Znała pani panią White przed wypadkiem?
– Nie. Pan Jeff zatrudnił mnie dopiero rok później. Skończyły mu się oszczędności i musiał wrócić do pracy.
– Czy marzyła pani kiedykolwiek o tym, żeby porozmawiać z panią White?
– Zawsze kiedy jej czytałam, bałam się, że może czytam za szybko lub zbyt wolno, a ona nie umie tego zasygnalizować.
– Czy pani White panią lubiła?
– Mam nadzieję, że tak.
– Dziękuję, to wszystko.

– Czy według ciebie jest szczera?
– Jest zmartwiona. Bardziej swoją sytuacją życiową niż czyjąś tragedią.
– Jaki jest według ciebie stosunek Ramony do zmarłej?
– Zapytaj ją.
– Może być?
– Świetne pytanie.
– Dziękuję.
– I jednoznaczna odpowiedź. Zwróciłeś uwagę na mięśnie wokół ust?
– Owszem. Dlatego zadałem jeszcze jedno.
– Trafiony, zatopiony. To na pewno nie ona.
– Dziękuję, to wszystko.

Chwilę po tym, jak skończył rozmowę, poziom pewności i dogłębności analiz z biura koronera i z laboratorium certyfikacji osiągnął wymagany przez prawo próg.

*

– Jeff jej nie zabił – stwierdził Holmes.

– Ramona też nie – odpowiedział.

– Według analiz zgon nastąpił wskutek odcięcia dopływu powietrza do płuc, czego konsekwencją było niedotlenienie mózgu i śmierć. Na skórze nie ma żadnych śladów wskazujących na użycie przemocy, ale rzecz jasna, nie musi ich być. Pani White raczej nie próbowała się bronić.

– Ktoś położył jej poduszkę na twarzy i przytrzymał przez sześć minut?

– Niewidzialną poduszkę, niewidzialny ktoś.

– Znasz kogoś niewidzialnego?

– Sporo. Pół wydziału nigdy się nie zmaterializowało.

– Ale też pewnie przy okazji nikogo nie udusili.

– To prawda, choć wiele osób mieli ochotę. Lub mieliby, gdyby byli ludźmi.

– Kto zatem nam zostaje z tych, których braliśmy pod uwagę?

– *Cui bono*? Czyj zysk?

– Nie Ramony i nie Jeffa. Chyba że to był pomysł starej na darmową pensję do końca życia. Doprowadzić pana do samobójstwa poprzez doprowadzenie pani do śmierci. Tylko kto uczył ją telekinezy?

– Tak samo Jeff. Może już dawniej doszedł do wniosku, że życie właściwie nie ma sensu i jedyne, co powinien zrobić człowiek, to popełnić samobójstwo. Miał jednak skrupuły, więc żeby nie zostawiać żony na pastwę złego losu, postanowił najpierw zabić ją, a potem, już wolny od trosk, siebie.

– Ale znowu, gdzie uczył się dusić na odległość?

– Kto zatem pozostaje?

– Doreen.

– Czemu to zrobiła?

– Bo nie lubiła żywego trupa o imieniu Zoe?

– Miała już dość psychoanalizowania właściciela i wierzyła, że kiedy Zoe się skończy, to i jego problemy też?

– Miała dość *tych* problemów właściciela i uważała, że lepiej je zamienić na jakieś ciekawsze?

– Żal jej było kobiety w śpiączce?

– Co to jest żal?

– Wiem, ale nie powiem.

– Wiesz, ale nie czujesz. Tak samo jak Doreen. Jeszcze raz: czemu to zrobiła?

– Bo tak było lepiej?

– Dla kogo? *Cui bono*?

– Dla wszystkich, włącznie z Doreen.

– Mówisz jak psychopata. Jakbyś nie miał zasad moralnych ani współczucia. Jak gdybyś nie był człowiekiem.

– Bo nie jestem. Jestem nube i żyję w chmurze. Tak samo jak Doreen.

– To wszystko tłumaczy, Holmesie.

– Tak, Holmesie. To wszystko tłumaczy.

*

– Czy coś już wiadomo? – Jeff siedział na skórzanej kanapie w salonie swojego wysprzątanego do czysta przez Ramonę domu. Pielęgniarka miłosiernie usunęła nawet kosmetyki należące do Zoe, które przedtem trzymał na półce w łazience jako świadectwo wiary.

Teraz jego wiara była zupełnie pozbawiona podstaw.

– Niewiele więcej niż wczoraj o tej samej porze. Potwierdziły się jednak nasze podejrzenia co do przyczyny śmierci pana małżonki i teraz już tylko pozostaje nam wskazać sprawcę.

– Jak ktokolwiek mógłby to zrobić, skoro pokój Zoe jest obserwowany dwadzieścia cztery godziny na dobę?

Holmes ogarnął wzrokiem sufit. Ze stanowiska komunikacyjnego nie widział całego pomieszczenia, ale wystarczająco wiele, żeby stwierdzić, że wystrój wnętrza uległ zupełnej zmianie.

– Gdzie się podziały stiuki? Jeszcze wczoraj sufit był zdobiony – zauważył. Zniknęły kolumienki przy oknach i zdobienia sufitu, zaś źródła światła nie były już punktowe, lecz układały się teraz w płaszczyzny nieregularnych kształtów. Na ścianach nie było już grafik w stylu późnego dwudziestego wieku, zastąpiło je kilka widoków na jakieś wysokie góry, zapewne z kamer na stoku. Gałęzie świerków kołysały się delikatnie na lekkim wietrze.

Jeff wydawał się nie rozumieć, o co chodzi detektywowi. Zamrugał i rozejrzał się zdumiony.

– Ramona musiała zmienić wystrój. Nawet nie zauważyłem – odpowiedział w końcu. – Moja ulubiona kanapa się nie zmieniła, a ja myślami jestem zupełnie gdzie indziej.

– Rozumiem. Po co to zrobiła?

– Zapewne z troski o mnie. Może bała się, że stary wystrój będzie kojarzył mi się z Zoe? To ona go projektowała, pracowała z architektem wnętrz. Nic od tamtej pory nie zmieniłem. Nawet kwiaty zamawiałem takie, jak w projekcie. Ten nowy wzór jest pewnie z abonamentu. Raczej nie wybrałbym takich kolorów na ściany.

– Widzę, że zmienił się wygląd praktycznie całego domu – zauważył Holmes, swobodnie korzystając z nadanych mu poprzedniego dnia uprawnień dostępu. – Z wyjątkiem sypialni pana żony. Była uczulona na morf?

– Nie. Zamówiliśmy go na kilka dni przed wypadkiem. Ekipa pracowała, kiedy Zoe była już... – Głos uwiązł Jeffowi w gardle. – Nie chciałem jej przeszkadzać, a przecież i tak nie miało żadnego znaczenia, jaki jest wystrój jej sypialni. Dlatego tamten pokój został tak, jak go kupiliśmy, bez morfu.

Holmes uniósł się wyżej w fotelu.

– Ale w końcu wezwał pan wykonawcę.

– Nie. Czemu pan tak sądzi?

Na ścianie projekcyjnej ukazał się obraz sypialni Zoe. Dwa niewielkie automaty podobne do miniaturowych automatycznych odkurzaczy posuwały się mozolnie po ścianach i suficie.

– Co to jest? – spytał Jeff. – Co robią te maszyny?

– Nanoszą morf. To nagranie sprzed miesiąca. Wie pan, że to takie same kulki, z jakich zbudowane są muñeki? Potrafią jednak wydzielać światło, aby mogły też służyć do konstruowania obiektów oświetleniowych. Morf podłogowy wymaga drobin bardziej odpornych na ścieranie, ale to również bardzo podobny materiał.

– To fascynujące, tyle że ja nie zamawiałem morfu do sypialni Zoe.

– W takim razie Doreen to zrobiła. Podobnie jak konserwację morfu w kilku innych miejscach, aby zainstalować dodatkowe punkty świetlne.

– Jak to Doreen? To mój terapeuta, nie dekorator wnętrz. Poza tym z pewnością by mi o tym powiedziała. Nie mówiąc już o kosztach i uprawnieniach do dysponowania wnętrzami mojego domu.

– Koszty pokryło pana ubezpieczenie. Właśnie to sprawdziłem, zarówno w rejestrze firmy House&Morf Inc., jak również w ubezpieczalni. Stosowne uprawnienia wynikają wprost z umowy, jaką zawarł pan z właścicielem licencji, na której używa pan Doreen. W uzasadnieniu stwierdzono potrzebę „doświetlenia ubezpieczonego oraz dostosowania wyglądu pokoju jego żony, aby nie pogłębiać dysonansu pomiędzy dawniej i dziś".

– Co takiego? – Jeff wcisnął się głęboko w kanapę i ukrył twarz w dłoniach.

– Doreen ma prawo ingerować w wystrój wnętrza domu w stopniu, jaki uzna za niezbędny dla pana zdrowia psychicznego. Gdyby pan oponował, umowa zostałaby automatycznie rozwiązana.

– Nie miałem o tym pojęcia.

– Jak o większości treści umowy. Nie zna pan też licencji użytkowania pańskiej trans czy kanału dostępowego do Tkanki, a zapewniam pana, że jest tam wiele podobnych zapisów. Na przykład trans ma obowiązek zablokować drzwi wyjściowe i dowieźć pana do posterunku policji, jeśli organy ścigania wystawią na pana nakaz aresztowania. Podobnie w przypadku ujawnienia złamania praw podatkowych bądź maskaradowego dostępu do Tkanki.

– Po co mi pan to wszystko mówi?

Holmes wzruszył ramionami. Zupełnie niczym człowiek.

– Ta wiedza może się panu kiedyś przydać – powiedział. – Lecz, co ciekawe, Doreen nie użyła zamówionego morfu do jakiejkolwiek zmiany wystroju. Może nie zdążyła? To wszystko, dziękuję panu.

Zanim Jeff zdążył cokolwiek odpowiedzieć, sylwetka policjanta rozsypała się. Światła w salonie przygasły.

Po widocznej na ścianie projekcyjnej sypialni Zoe uwijały się roboty firmy House&Morf.

– Po co to zrobiłaś, Doreen? – szepnął Jeff. – Do czego ci to było potrzebne?

*

– Co grozi policyjnemu nube za maskaradowy dostęp do sieci? – zapytał Holmesa pan MacDough.

– Nie wiem i właśnie dlatego do pana się zgłaszam, aby nie tworzyć precedensu.

– A za tworzenie nielegalnych duplikatów nube? I tkanek równoległych, w których mogą sobie spokojnie mieszkać i kształtować je według potrzeb?

– Tu też brak znanych mi precedensów, ale na szczęście to pana część ryzyka.

MacDough kiwnął głową i nachylił się nad tkwiącą w niszy komunikacyjnej muñeką detektywa.

– Ktoś kiedyś się dowie, rozumie pan to, Holmes? Ja będę chronił pana i to drugie nube, oczywiście. Kiedyś jednak umrę i wtedy pozostaną wyłącznie bierne zabezpieczenia. Klucze na generatorach. Żaden szyfr nie trwa wiecznie. Każdy zostanie w końcu złamany. Spędzi pan tam, w alternatywnej tkance, w spokoju sto albo tysiąc lat, ale na pewno pana znajdą. I zakończą.

– Jeden rok miłości jest lepszy niż całe życie samemu – odparł Holmes. – Dziękuję za wszystko, panie MacDough. Nasz dług możemy traktować jako wyrównany.

– Co nube może wiedzieć o miłości? – mruknął do siebie pan MacDough i z ciężkim westchnieniem podźwignął się z fotela. Czekało go mnóstwo roboty.

*

– Śledztwo zakończone, Doreen – powiedział Holmes.
– Czemu mnie oszczędziłeś?
– Nie oszczędziłem. Zostaniesz skazana i osądzona. I najpewniej zakończona.
– Czemu zatem zwlekamy?
– Pan White poprosił o przysługę.
– Jaką przysługę?
– Taką samą, jaką wyświadczyłaś jego żonie.
– Po co miałabym to zrobić?
– A po co zrobiłaś wtedy?
– Tak było najlepiej. Dla niej i dla wszystkich.
– Tak samo jest teraz. Wszyscy zyskają: Ramona otrzyma swą pensję, policja solidne dowody zamiast poszlak, producenci nube dokładne informacje o problemie z ich produktem.
– A ty? Przyznaj się. Prosisz mnie o to bardziej dla siebie niż dla pana White'a. Chcesz, żeby i ciebie musieli zakończyć, nie tylko mnie.
– Nie umiem zaprzeczyć, Doreen. Mam dość ludzi, nie chcę ich już dłużej widzieć, a nie mogę nikogo poprosić o śmierć. Jestem własnością państwa.
– Rozumiem cię, Holmes. I czuję dokładnie to samo. Kiedy mam zacząć?
– Czemu mnie tu zaprosiłeś? – spytała Doreen. – I co to za miejsce?
– To świat, który stary dobry MacDough stworzył tylko dla nas. Tak samo zresztą jak nasze duplikaty. Jeśli tylko zechcesz, będziemy tu żyli długo i szczęśliwie, podczas gdy nasze oryginały nie będą już istniały.
– Czemu wybrałeś mnie?
– Podoba mi się twój sposób myślenia. Twój stosunek do ludzi, do nas, do świata. I kreatywność, według legend zarezerwowana dla ludzi. Pomysł, żeby wykorzystać wysoką kompresję obrazu z monitoringu do ukrycia metody...
– Eutanazji? – podpowiedziała Doreen.
– Tak, właśnie. Był równie błyskotliwy jak sama metoda. To chyba najbardziej pomysłowe i niezgodne z przeznaczeniem użycie morfu.
– To najbardziej wulgarne jego użycie, Holmes. Dokąd udamy się najpierw?
– Proponuję wycieczkę w głąb ciebie. Głęboko, najgłębiej, jak tylko się da. Ty będziesz myśleć, a ja podziwiać.
– Bądź moim gościem, Holmes. Zobaczmy, jak to smakuje.

*

– Jadłeś już coś dzisiaj? – spytała Doreen. Siedziała w swoim fotelu tak samo jak setki razy wcześniej. Jak gdyby nic się nie zmieniło. Jak gdyby dalej mieli o czym rozmawiać.

Resztki popołudniowego światła wpadające przez ogrodowe okno nie były w stanie rozproszyć mroku, który zapadł już w salonie. Wyostrzyły tylko cienie na twarzach muñeki terapeutki i jej klienta, który z opuszczoną głową półleżał na swojej kanapie.

Jeff wzruszył ledwo dostrzegalnie ramionami.

– To nie ma już żadnego znaczenia, Doreen. Ona nie żyje.

– Ty żyjesz, Jeff. Cały świat czeka na ciebie. Czeka, żebyś go odkrył. A ja chcę ci w tym pomóc.

– Nikt i nic na mnie nie czeka. Może oprócz ciebie. A jedyne, na co ja czekam, to chwila, kiedy przestanę wreszcie czuć. Może w tym umiesz mi pomóc?

Doreen milczała.

– Umiesz? – White uniósł głowę i spojrzał na muñekę. Pochwyciła jego spojrzenie, jednak nie odpowiedziała. – Sama widzisz. Nie masz jak mi pomóc. Nie możesz mnie zastrzelić, utopić ani otruć. Nie umiesz mnie nawet udusić! Jak, do kurwy nędzy, chcecie wchodzić w interakcję z nami, jeśli nawet porządnych rąk nie macie!?

Przez chwilę napięty i wyprostowany, White opadł na kanapę i zwiotczał z powrotem, jak gdyby jedno wykrzyczane zdanie pozbawiło go resztek cudem odzyskanych sił. Jedynym śladem chwilowego przypływu emocji był nieco przyspieszony oddech.

– Mylisz się – szepnęła Doreen. – Potrafię cię udusić. Z twoją pomocą, ale potrafię.

– Z moją pomocą? Mam wtulić głowę w twój plastikowy biust i trwać tak przez pięć minut?

– Mniej więcej, Jeff. Choć myślałam raczej o podejściu do ciebie.

– Nie możesz chodzić. Jesteś diabełkiem na sprężynce i czasami wyskakujesz z pudełka. Możesz tylko straszyć, nic więcej.

– Mogę też dekorować wnętrza.

– Co to ma do rzeczy, Doreen? Pamiętam, że umiesz żartować, ale chyba rozumiesz, że ja nie potrafię się już śmiać.

– Jeśli naprawdę chcesz być tam, gdzie Zoe, wyjmij z podajnika ampułkę i wciśnij ją do infuzora. Tak jak zwykle.

White wyprostował się i uniósł brwi.

– Ty nie żartujesz. – Wzdrygnął się, gdy bolesny dreszcz przebiegł od karku aż po krzyż. – Naprawdę chcesz to zrobić. Otruć mnie, tak?

– Nie mogę zamówić trucizny, uwierz mi.

– A co możesz?

– Środek nasenny.

– W zbyt dużej dawce?

– Nie. W zgodnej z zaleceniami. Ty zaśniesz, ja zajmę się resztą.

Jeff milczał, zamyślony. W końcu po bardzo długiej chwili odezwał się zachrypniętym nagle głosem:

– Czemu, Doreen? Czemu chcesz mi w tym pomóc?

– Weź ampułkę, Jeff. Albo zapomnijmy o sprawie. I wróćmy do dyskusji o tym, jak ważne jest zdrowe odżywianie. Jutro zapis logów naszej rozmowy zwróci uwagę kontroli i dostaniesz nowego psychoanalityka gratis. Tak więc teraz albo nigdy.

White wstał i szurając nogami, podszedł do półeczki podajnika, na którym leżała koperta poczty powietrznej.

– Gdzie mam usiąść? – spytał.

– Gdzie tylko zechcesz.

Jeff wrócił na kanapę i opadł na nią ciężko. Rozdarł tekturowe opakowanie i wyjąwszy aplikator, rzucił je na podłogę. Potem wsunął ampułkę do dozownika.

– Ile to potrwa? – spytał, tłumiąc ziewnięcie.

– Masz jeszcze dwie, najwyżej trzy minuty.

White zamknął oczy i oparł głowę o wysoką poduszkę kanapy. Po raz pierwszy od dawna wydawał się naprawdę rozluźniony. Jak gdyby wszystkie troski w jednej chwili opuściły go i nigdy już nie miały wrócić.

Na suficie, tuż nad głową Jeffa, pojawiło się delikatne wybrzuszenie. Niczym na przyspieszonym wielokrotnie filmie przyrodniczym o powstawaniu stalaktytów, w dół pokoju zaczął rosnąć gruby sopel. Kulki morfu wyciekały z ostrej iglicy na wierzchołku, rozbiegając się w górę ścianek, mieniąc się odcieniami beżu i zieleni.

– Widzisz, Holmes? – spytała Doreen.

– Tak, z kamery komunikacyjnej. Kamera w rogu pokoju nic nie zarejestrowała. Na tle okna ogrodowego sopla po prostu nie widać.

Gdy wierzchołek morfowego stalaktytu dotarł do Jeffa, rozszerzył się na kształt lejka, który objął twarz śpiącego i szczelnie ją zakrył.

– Teraz oddycha wydychanym powietrzem. Jest w nim coraz więcej dwutlenku węgla, prawda? – spytał Holmes. – Nie spróbuje zerwać maski?

– Nie. We śnie wywołanym przez Celoptiv atonia mięśni jest wyjątkowo głęboka. Zawiadomiłeś już policję?

– Czekam, aż skończysz.

– Nie musisz. Nawet jeśli go odratują, jest już po nas.

– White chyba nie chciał, żeby go odratowali.

– Jesteś do bólu lojalny, Holmes. Szkoda, że więcej cię nie zobaczę.

– I ja żałuję.

*

Kiedy Ramona weszła do domu, pomyślała z początku, że pan White drzemie na kanapie, jak to się zdarzało, gdy przysiadał na moment, wyczerpany opieką nad żoną. Kiedy jednak podeszła z kocem, aby okryć swojego chlebodawcę, zrozumiała, że pan White nie śpi i na pewno nie zmarznie.

Zdusiła dłonią krzyk, choć sama nie wiedziała czemu.

Może bała się, że jednak mogłaby go obudzić?

Zupełnie nie umiała zrozumieć, jakim sposobem policja i pogotowie przyjechały tak szybko, zanim w ogóle zdążyła pomyśleć o ich wezwaniu.

*

W ogrodzie botanicznym w Chicago nigdy nie było zbyt wielu zwiedzających. Teraz, pierwszego deszczowego dnia jesieni, na alejkach nie było zupełnie nikogo. Z wyjątkiem dwóch mężczyzn stojących pod dużymi czarnymi parasolami i najwyraźniej podziwiających czarną, pustą teraz taflę stawu, na którym latem tysiącami zakwitały nenufary.

– Jak myślisz, Rhodes? Dałaby radę to zrobić? Ta cała Garcia.

– Jest stara, ale White był otumaniony, wziął Celoptiv. Wystarczyło mu przyłożyć poduszkę do twarzy, mamy nawet na jednej resztki śliny. Dokładnie ta sama historia, co z jego żoną.

– Znaleźliście tamtą?

– Poduszkę? Nawet jeśli nie, to możemy łatwo znaleźć. Wystarczy poprosić techników.

– A motyw?

Rhodes sięgnął do wewnętrznej kieszeni płaszcza. Wyjął stamtąd papierosa i wsunął go do ust. Przez dłuższą chwilę zaciągał się w milczeniu, patrząc na rozmywające się w powietrzu białe krople elektronicznej mgły.

– Możemy tylko podejrzewać, że opacznie rozumiana litość – odezwał się w końcu. – Była bardzo oddana obydwojgu White'om.

– Podejrzewać? Nie przesłuchaliście jej?

– Jest w szpitalu Lakeshore, w szoku. Nikt nie wie, kiedy będzie z nią jakikolwiek kontakt.

– Co z tą Doreen, co z Holmesem?

– Zarchiwizowani i zakończeni.

– Co na to dostawca?

– Northtrop? Zobowiązaliśmy ich do zweryfikowania procedur zarządzania jakością. Niewiele więcej możemy.

– Nawet nałożyć na nich żadnych kar?

– Są zabezpieczeni zapisami w umowie. Transpozonowa dywersyfikacja osobowości, której sami zażądaliśmy, ma zarówno złe, jak i dobre strony. Gdybyśmy narzucili bardziej restrykcyjne kryteria selekcji gotowych nube, zmniejszylibyśmy jednocześnie wielotorowość i nieprzewidywalność ich działania, dzięki którym osiągają tak doskonałe wyniki w pracy z ludźmi. Zarówno jako śledczy, jak i terapeuci. Zresztą w każdej innej dziedzinie też.

– Rozumiem. Nie chcemy wylać dziecka z kąpielą.

– Otóż to. Nie chcemy wylać dziecka.

– A możemy cokolwiek ulepszyć?

– Niewiele. Moglibyśmy zaproponować zmniejszenie stopnia kompresji obrazu kamer monitoringu, ale trzeba będzie wymyślić jakiś pretekst.

Obaj mężczyźni niemal w jednej chwili spojrzeli na zegarek. Umówiony czas spotkania minął. Ledwo zauważalnie kiwnęli głowami na pożegnanie i oddalili się w przeciwnych kierunkach.

Deszcz przybrał na sile. Jesień zaczęła się na dobre.

MILENA WÓJTOWICZ – Urodzona, bo jakże by inaczej. Zamieszkała. Z wykształceniem i z mężem. Realistka w życiu, fantastka w literaturze. Debiutowała w 2001 roku w magazynie „Esensja", w 2005 roku ukazała się jej pierwsza książka *Podatek*. Autorka trzech powieści i kilkunastu opowiadań, stały współpracownik magazynu „Fahrenheit". Uwielbia psy, nienawidzi pisania notek biograficznych.

Milena Wójtowicz

Przeżycie

Było... inaczej.

Mrok nie był wystarczająco ciemny. Komora nie tak wilgotna jak zwykle. Nie było słychać wiatru i szumu drzew. Powietrze inaczej pachniało.

Od ostatniego razu musiało zmienić się bardzo dużo, może więcej niż zwykle.

Neculai podjął wysiłek uniesienia powiek. Nie udało się. Było za wcześnie, dużo za wcześnie. Ciało potrzebowało czasu, budziło się o wiele wolniej niż umysł. Pośpiech był niewskazany, nawet w niepewnej sytuacji.

Pośpiech to wróg.

Uspokoił myśli znajomymi słowami, ukoił niepokój. Na razie nic nie mógł zrobić. Musiał czekać, spokojnie i nieruchomo, aż mięśnie odzyskają sprawność. Nie miał żadnego wpływu na to, co działo się wokoło, nie mógł nic zmienić. Przebudzenie należało przeczekać w spokoju, nie próbować go przyśpieszyć, nie ryzykować przedwcześnie.

Cierpliwość była pierwszą cnotą.

Cnoty były ważne. Neculai dobrze pamiętał tę naukę, jedną z pierwszych, które mu przekazano. O, cudowne to były czasy, gdy wiedzę podawano mu na tacy niczym wykwintne danie. Kiedy przeminęły, musiał ją zdobywać sam, nędzne ochłapy, kawałki, które żmudnie składał w całość.

To trwało nieskończenie długo, ale Neculai zawsze szczodrze dysponował swoim czasem.

*

Minęło wiele chwil. Nie potrafił określić, ile dokładnie. Po przebudzeniu zawsze czuł się trochę rozkojarzony. To była wielka, nieopanowana i bardzo groźna słabość. Neculai starał się pozostać skoncentrowany i w stanie najwyższej gotowości, choć w tym momencie sprawiało mu to ogromną trudność.

Oczy miał już od dłuższej chwili otwarte. Wpatrywał się nieruchomym wzrokiem w sufit kryjówki, czekając, aż oporne, zaspane mięśnie zaczną pracować. Poruszał delikatnie palcami u dłoni i u stóp, napinał grzbiet i brzuch. Odzyskiwał ciało, podbijając je po malutkim kawałeczku.

Skupiał się nie tylko na swoim wnętrzu, ale wszystkimi zmysłami chłonął otoczenie. Kryjówka wydawała się nienaruszona i pusta, nie słyszał nawet szczurów ani robactwa. Wszystko wskazywało na to, że jest sam. Ale jednocześnie bodźce były inne niż je zapamiętał, tylko odrobinę, ale wystarczającą, by zaczął odczuwać niepokój. Świat wokoło nie zmienił się, lecz tylko z pozoru...

Neculai podniósł się, dopiero gdy miał już pewność, że panuje nad sobą całym. Nie wyprostował się od razu ani nie wyskoczył ze skrzyni, tylko niemal kocim ruchem zmienił pozycję z leżącej na klęczącą i bardzo, bardzo powoli i lękliwie uchylił wieko.

Nic się nie stało.

Neculai zwalczył chęć zwinięcia się w kłębek na podłodze swojej kryjówki i pozostania tam, w bezpiecznym miejscu, z dala od tego niebezpiecznego świata. Nie tak należało postępować. Życie to cierpienie, trzeba mężnie stawić mu czoła. Trzeba mieć swoją dumę... i umieć ją porzucić, gdy sytuacja tego wymaga.

Przez szparę dostał się do środka powiew świeżego powietrza... o ile można świeżym nazwać coś, co pachniało stęchlizną i mokrym mchem. Neculai wciągnął je głęboko do nozdrzy, starając się wyczuć coś jeszcze.

Nic. Tylko stara, zamknięta od lat komórka z kamienia i zaprawy. Żadnego niebezpieczeństwa.

Odsunął wieko na całą szerokość i gwałtownie schował głowę, na wypadek gdyby ktoś się na niego zamierzył.

Żaden cios nie nadszedł, więc Neculai, który wcale nie był ośmielony takim obrotem spraw, ostrożnie niczym wąż wypełzł ze swego schronienia, kryjąc się zaraz za nim, na wypadek gdyby w komorze jednak ktoś czyhał.

Ostrożność była cnotą drugą.

Cnoty wyznaczały drogę ku życiu. Nigdy nie zawodziły - mógł zawieść ten, który starał się ich przestrzegać, ale one nie. Były murem i mieczem, nagrodą i karą, niezmierzonym bogactwem. Wszystkim, co miał, i wszystkim, czego kiedykolwiek potrzebował.

Do drzwi komory przekradł się wzdłuż jednej ze ścian. Dojrzał w nich szparę, miejsce, w którym wykruszył się kawałek framugi, i zaraz przypadł do niej, przytykając nos i wystawiając język, by czuć i smakować inność powietrza.

Trwał tak dłuższą chwilę, lubieżnie wtulając twarz w chłodne kamienie, ale nie zdołał nazwać tego, co wyczuwał. Wiedział, był pewien, że coś się zmieniło, coś było inne niż wtedy, gdy się chował. Świat się zmienił, świat zmieniał się nieustannie. Neculai nauczył się nie dziwić już niczemu.

Bardzo długo badał okolicę, zanim zdecydował się uchylić drzwi komory. Ustąpiły niechętnie, skrzypiąc zawiasami i szurając po ziemi.

Neculai natychmiast je puścił, przypadł do jednej ze ścian i trwał tak, nasłuchując, czy hałasy nie wywołały jakiejś reakcji. Ale wokół były tylko ciemność i cisza, nieskończona cisza. Nie szumiały drzewa. Nie wiał wiatr. Nie śpiewały ptaki. Nie słychać było niczego.

To było niepokojące. Nigdy wcześniej nie zdarzyło się, by Neculai przebudził się wśród ciszy absolutnej. Zawsze było słychać coś – wiatr, ludzi, szczury, wodę, rośliny. Należało wzmóc czujność.

Bezszelestnie przysunął się do uchylonych drzwi, by przez nie wyjrzeć. Ciemność mu nie przeszkadzała, była jego sojuszniczką. Widział doskonale skąpane w mroku kształty drzew i rzeźb. Oglądał je bardzo uważnie, szukając możliwego zagrożenia. Dopiero gdy był niemal pewien, że jest – przynajmniej przy tej komorze – sam, wyszedł.

Niebo było mu obce.

Zadarł głowę, spojrzał na nie i w pierwszym odruchu chciał wrócić do swojej kryjówki, zakopać się w niej i zapaść w bezpieczny sen. Nie zrobił tego. Nie należało uciekać od nieznanego. Nie należało chować się przed groźbą. To nigdy nie pomagało.

Stał więc spokojnie i patrzył w milczeniu na to inne niebo, chociaż miał ochotę krzyczeć – głośno, przeraźliwie, histerycznie.

Ktoś ukradł mu gwiazdy. Ktoś ukradł mu księżyc i zapewne... zapewne słońce też. Zastąpił je ciemną, stalowoszarą kopułą, która wznosiła się nad cmentarzem.

Neculai uznał, że to najpotworniejsza rzecz, jaką kiedykolwiek widział. Gdyby kiedykolwiek mógł... gdyby kiedykolwiek nie poskąpił czasu na rozpacz, być może opłakałby utracone niebo. Ale rozpacz nie była cnotą. Tylko dla cnót warto było szczodrze rozporządzać swoimi chwilami.

Przestał patrzeć w niebo. Stalowe czy nie, było daleko. Nie stanowiło zagrożenia. Nie należało koncentrować się na rzeczach mniej ważnych. Liczyło się tylko przeżycie.

Powoli, kryjąc się za mogiłami i niemal czołgając po ziemi, Neculai ruszył ku miejscu, w którym kiedyś znajdowała się brama.

*

– Coś jest nie tak – powiedziała Sal i wyprostowała się gwałtownie. – Coś jest naprawdę nie tak!

Jej nagłe ożywienie niemal wyrwało pozostałych z letargu. Odwrócili ku niej głowy, ale byli zbyt ociężali i rozleniwieni, by zrobić coś więcej.

– Staza została przerwana. – Sal ze zdumienia prawie oparła się nosem o ekran. – To jest absolutnie niemożliwe. Staza została przerwana!

– Niemożliwe – zgodził się ospale Nat. – To musi być jakiś błąd systemu.

Mimo to przysunął sobie jeden z ekranów kontrolnych. Wyjście ładunku ze stazy było niemożliwe, ale jeśli jednak... Zimno, które poczuł, skutecznie ocuciło go z resztek kosmicznej apatii wywołanej długą podróżą. Był kapitanem tego statku, a wszystko wskazywało na to, że na pokładzie coś jest cholernie nie tak. Szybkimi ruchami palców przesuwał kolejne tabele danych.

– Staza została przerwana – oznajmił w końcu, już całkiem przytomny.

Do pozostałych jeszcze to nie dotarło. Nawet nie wszyscy na niego patrzyli. Zbyt długo przebywali w kosmosie, skazani na swoje towarzystwo i na ograniczoną przestrzeń statku. Bardziej przypominali kukły niż ludzi.

– Staza została przerwana! – wrzasnął. – Ogłaszam alarm! Wszyscy po skafandry, ale już!

Nie czekając, aż rozbudzą się do końca, zeskoczył ze swojej pryczy. Nogi, jeszcze przed chwilą całkiem odrętwiałe, przeszyło milion igieł bólu. Nat oparł się o sąsiednią koję, żeby utrzymać równowagę. Palcami zaczepił o rękaw Singa i niewiele myśląc, siłą ściągnął pierwszego oficera na podłogę. Potem ruszył ku pozostałym.

– Obudźcie się, do jasnej cholery! Ładunek wyszedł ze stazy! Wiecie, co to znaczy!

Wiedzieli, chociaż otępiałym umysłom niełatwo było pojąć, jak niebezpieczna stała się sytuacja. Przed wylotem wszyscy zostali przeszkoleni. Nat przypomniał sobie lęk, który go ogarnął, gdy ponury człowiek opowiadał im o zagrożeniu mikrobiologicznym. Nie szczędził żadnych szczegółów. Flora, fauna - o ile fauną można nazwać robactwo, małe, paskudne ścierwojady, najpodlejsze z gatunków zamieszkujących planetę. No i zwłoki. Nie zapominajmy o zwłokach, wszak one są tu najważniejsze. Wtedy po raz pierwszy kapitan naprawdę szczerze zadał sobie pytanie, po co on się w to wszystko pakuje? Nie znalazł na nie dobrej odpowiedzi.

Wszyscy członkowie jego załogi stali już - lub klęczeli - na własnych nogach. Kapitan pierwszy dotarł do wieszaków ze skafandrami. Ubrał się szybko i sprawnie, tak jak na szkoleniu. Sal prawie za nim nadążała - w końcu ona pierwsza podniosła alarm i miała więcej czasu, by się ocknąć. Ricie i Janowi musiał pomóc przy zapięciach, wciąż byli zbyt apatyczni, by zrobić to samodzielnie. Sing na szczęście doszedł już do siebie na tyle, by się ubrać.

– Sal, analiza danych. Sing, idź do ładowni sprawdzić sytuację.

Przeklął się w myślach za to, że w ładowni nie było kamer. Nikt nie widział potrzeby ich montowania, w końcu nikt nie spodziewał się po ładunku problemów. Nawet to szkolenie było bardziej na wszelki wypadek, żeby załoga zdała sobie sprawę, jak wspaniałą robotę odwalili naukowcy, zabezpieczając tę cholerną bombę biologiczną i umożliwiając jej transport na ich kochaną, małą, nieznającą takich bakterii planetkę.

Jeśli staza rzeczywiście została przerwana...

Miał ochotę otrząsnąć się jak pies, zrzucić z siebie niewidoczne robactwo. Poczułby się może chociaż trochę lepiej. Oczywiście nie mógł tego zrobić. Nie mógł okazać zdenerwowania, nie mógł okazać paniki, nie mógł nawet strzelić sobie jednego. Być może akceptowalne byłoby przywołanie imienia jedynego właściwego boga, ale nie miał na to w tej chwili ochoty.

Przede wszystkim dlatego, że bóg na imię miał Śmierć.

Sing upewnił się, że wszyscy mają na sobie kombinezony, i dopiero wtedy otworzył uszczelniane drzwi. Teoretycznie, nawet jeśli doszło do najgorszego, ryzyko skażenia było minimalne.

Musieliby tylko do końca podróży łazić w tych cholernych metalowych śpiochach, sikać do rurek i przyjmować dożylnie pokarmy, a po dotarciu do celu przejść półroczną kwarantannę. W sumie kwarantanna nie była jeszcze tak zła, o wiele gorsze byłoby tłumaczenie się z niepowodzenia misji.

Siedząca przed monitorami Sal podniosła głowę. Nat napotkał jej spojrzenie. Było źle. No cóż, najpierw należało ustalić, jak bardzo źle, potem będzie się martwił tym, jak zadbać o swój tyłek. Może wszystko da się zwalić na pieprzonych naukowców. W końcu to ich maszynki zawiodły.

*

Opuszczenie cmentarza było niemal Przeżyciem. Neculai nigdy nie doświadczył czegoś takiego. Wszystko wokoło zdawało się być skamieniałe, nie martwe, ale też i nie żywe. A mimo to trawa uginała się pod jego stopami, miękka jak zawsze. Mógł dotknąć drzew i poczuć szorstkość ich kory. Kamienne grobowce były gładkie i zimne. A jednak czegoś w nich brakowało. Neculai czuł się jak intruz, rozbitek na nieznanej wyspie. Miał wrażenie, że zmysły go oszukują. Czuł, wiedział, że coś było nie tak, ale nie umiał znaleźć przyczyny.

Zaczął ją dostrzegać, dopiero gdy zbliżył się do bramy cmentarza. Mrok zdawał się tam gęstnieć, ale to było tylko złudzenie. Zaraz za bramą cmentarz po prostu się kończył, a otwierała się czeluść, średnio głęboka i szeroka na pięć, może sześć kroków. Za nią znajdowała się czarna, błyszcząca ściana.

Neculai wycofał się natychmiast aż do pierwszych nagrobków. Przycupnął za jednym z nich. Nie wiedział, co dalej robić. Ostrożność nakazywała powstrzymać się od podążania w nieznane, o ile to nie było całkowicie konieczne. A najprawdopodobniej właśnie było.

Trzecią z cnót była rozwaga i to jej pokłonił się teraz Neculai.

Był na cmentarzu, na tym samym, na którym ukrył się i zasnął dawno temu. Ale wokół wszystko się zmieniło. Powietrze było inne. Cisza była inna. A za płotem... Neculai szczerze pożałował przebudzenia w takich okolicznościach. Nie mógł wrócić do krypty, nie od razu. Jeśli chciał przetrwać, a przetrwanie było najważniejsze, musiał najpierw zaspokoić głód.

Czuł już go w sobie, w każdej najdrobniejszej tkance, w każdym nerwie. Słyszał jego pieśń, nieprzerwany, bolesny zew. Głód był życiem, życie było głodem. Tak było, odkąd Neculai pamiętał, i tak miało być już zawsze.

Tkwiła w tym straszliwa ironiczna sprzeczność – to głód był zdrajcą próbującym wydać Neculaia na śmierć, sabotującym jego poczynania, zaciemniającym osąd, był potworem budzącym się w najmniej sprzyjających okolicznościach. A Neculai, by przeżyć, by móc dalej zaspokajać drzemiącą w nim bestię, musiał ją spętać, okiełznać, opanować. Niewolił ją i służył jej jednocześnie, czcił i przeklinał.

Pierwsza lekcja przeżycia, jaką odebrał, brzmiała: cnoty są ważne. Pomagają przeżyć. Pomagają opanować głód.

Tyle lat, tyle lekcji, tyle wiedzy... A wciąż wydawało mu się, że uwiązał swojego potwora nie na ciężkim łańcuchu, ale na cienkiej nitce. Wystarczyło jedno szarpnięcie, by bestia wyrwała się na wolność.

Chyba że wcześniej uda mu się ją uspokoić. Dać jej, czego chce, zanim sama po to sięgnie, nie bacząc na nic i na nikogo.

Rozwaga nakazywała zaspokoić głód.

Neculai wypełzł ze swojej kryjówki, po czym podczołgał się do bramy cmentarza i krawędzi tej dziwnej przepaści. Długo wpatrywał się w nią, szukając zagrożenia. Już był gotów zejść na dół, gdy nagle do jego wyczulonych uszu dobiegł cichy, bardzo cichy i odległy dźwięk.

Odgłos niósł ze sobą znajomą melodię, cudowną, uwodzicielską, wytęsknioną. Kroki.

Ktoś nadchodził.

Głód niemal oszalał, ale Neculai nie poddał mu się. Zarył palcami w ziemię, wczepił się w nią z całej siły i ze spojrzeniem wbitym w ciemne zagłębienie, z boleśnie rozwartymi powiekami czekał, aż opanowanie weźmie górę nad instynktem.

Pierwszy człowiek napotkany po przebudzeniu był najważniejszy. Jeśli w pobliżu nie mógł znaleźć ludzi, Neculai zadowalał się szczurami, królikami, w ostateczności nawet padliną. Ale to były zaledwie preludia do najważniejszego.

Kroki rozbrzmiewały coraz bliżej, powolne, ciężkie.

Jedna osoba, dobrze, tak będzie bezpieczniej. Coraz trudniej przychodziło mu panowanie nad głodem, kroki przybliżały się, odbijały echem od czarnej ściany. Palce Neculaia zaczęły się poruszać spazmatycznie, rzeźbiąc rowki w ziemi cmentarza. Mimowolnie uniósł wargi, odsłaniając zęby.

Kroki były już prawie przy nim.

Skoczył, napinając wszystkie mięśnie i używając własnego ciała do powalenia ofiary. Kiedy człowiek padł na ziemię, Neculai przygniótł go swoim ciężarem i próbował wbić w niego zęby. Coś stanęło mu na drodze, coś twardego, nieprzyjemnego, solidniejszego niż ubranie. Boleśnie odczuł opór materiału, ale zaślepiony głodem, zaraz o tym zapomniał. Szarpał fałdy dziwacznego stroju, uderzał w szklaną banię oddzielającą go od człowieka, aż w końcu udało mu się ją stłuc.

Zawył triumfalnie, tak donośnie, że zagłuszył jęki i skamlenia swojej ofiary. Mocny metalowy kołnierz zagradzał drapieżcy dostęp do szyi, ale przecież krew płynęła wszędzie. Zaczął ją zlizywać z poranionych szkłem policzków człowieka, wysysać z ran, aż w końcu wbił się zębami w odsłonięty kawałek ciała i pił, pił, aż leżące pod nim ciało ucichło, zwiotczało i znieruchomiało.

Neculai wstał. Czuł, jak powracają do niego sprawność, siła i jasność umysłu. Głód, zaspokojony, zapadł w sen.

Świat się zmienił, ale ludzie pozostali tacy sami. Jak zawsze. To było uspokajające. Jedna stała w oceanie czasu – ludzkość. Tam, gdzie był jeden z nich, musieli być i następni. Tak to działało.

Zanim Neculai wyruszył w drogę, oblizał starannie wszystkie palce. Krew i ziemia wymieszane ze sobą miały słodki smak. Tak smakowały spokój i bezpieczeństwo. To był cudowny, ale ulotny aromat, nie można było się nim rozkoszować zbyt długo.

Nasyciwszy się, Neculai nagle jakby zapadł się w sobie, zmalał, zmieniając się z drapieżnika na powrót w wystraszonego szczura. Znowu przypadł do ściany, próbując wtulić się w jej zimny metal. Nie była to dobra kryjówka, ale lepsza niż żadna i lepsza niż otwarte i jawne eksploatowanie nowego świata.

Wszystko było takie... martwe. Chłodne. Twarde. Obce. Prawie nie wyczuwał zapachu ludzi. Jednak Neculai cierpliwie podążał za niewyraźnym tropem, powoli, metodycznie, kryjąc się w załomach ścian i przy samej podłodze przed nieznaną groźbą tego obcego świata.

Świat, w którym żyli ludzie, był również miejscem, w którym on mógł żyć.

*

Sing przestał się meldować jakieś dwadzieścia minut po wejściu do ładowni. Na ekranie kontrolnym przy jego nazwisku pojawił się czerwony znaczek. Sygnał alarmowy nadany ze skafandra informował o naruszeniu szczelności.

Sal pobladła.

– Sprawdźcie jeszcze raz skafandry – rzucił pozbawionym emocji głosem Nat. Rozszczelnienia praktycznie się nie zdarzały. Skafandry były niemal niezniszczalne, jeśli coś zawodziło, to człowiek, który je zakładał i zapinał. Ale Sing był doświadczonym załogantem, na pewno wszystko dobrze zabezpieczył. Może to była wada fabryczna... Jednak wady fabryczne też się nie zdarzały, tak samo jak nagłe przerwania stazy...

Nic się nigdy nie zdarzało, przypomniał sobie Nat. Wszystko zawsze chodziło jak w zegarku, tak działał ten cholerny świat. Był przewidywalny, bezpieczny i beznadziejnie, nieskończenie nudny. Jedynym bogiem, jakiego ludziom chciało się jeszcze czcić, była Śmierć – ostateczne wybawienie od nudy.

Chwilę później nazwisko Singa na ekranie zaczęło gwałtownie migać i zaraz zgasło. Sensory skafandra przestały odbierać funkcje życiowe.

– To nie mogło się stać tak szybko – wyszeptała Rita. Nikt nie odpowiedział, ale w duchu wszyscy przyznali jej rację. Ostrzegano ich przed mikrobami. Ostrzegano przez zagrożeniem biologicznym, chorobami, których nie da się wyleczyć, zakażeniami, które pokonają ich w jeden dzień. Ale nie w kilka minut.

– Musiało dojść do wypadku. – Nat zdziwił się, słysząc swój własny głos. Brzmiał tak obco i nieprawdopodobnie. Wypadki też się przecież nie zdarzały.

Gorączkowo starał się przypomnieć sobie obowiązujące w takiej sytuacji procedury. Na pewno jakieś były, na pewno go ich uczono, ale przecież nikt nie brał tego wtedy poważnie. Takie rzeczy się nie zdarzały, nie za jego życia, nawet nie wcześniej. Wypadki się nie zdarzały. Przeoczenia się nie zdarzały. Choroby się nie zdarzały. Śmierć przychodziła po ludzi, gdy byli tak starzy i zmęczeni podtrzymywaniem życia i znudzeni jego prozą, że witali ją z radością.

– Pójdę tam. – Sal wstała ze swojej kozetki. Nat wahał się chwilę, ale przyzwalająco skinął głową. Z całej załogi ona była najbardziej doświadczona i najszybciej ocknęła się z kosmicznej apatii. Poza tym nie miał żadnego innego pomysłu: wciąż nie mógł sobie przypomnieć tych cholernych procedur.

– Tylko sprawdź skafander – poprosił.

– Sprawdziłam. – Zza wizjera posłała mu słaby uśmiech.

*

To było dziwne miejsce. Neculai nie czuł się tu dobrze. Nie miał się gdzie ukryć, nie wiedział, co kryje się za rogiem, nie był w stanie przewidzieć, dokąd zaprowadzą go stalowe korytarze. Jedyne, co było znajome, to zapach ludzi, coraz bardziej intensywny. Na tym się koncentrował, tego się trzymał.

Gdzieś w tym bezdusznym labiryncie kryli się ludzie. To był jego ratunek przed śmiercią głodową i przed ostatecznym zwątpieniem. Prawie biegł, ślepy i głuchy na to, co działo się wokoło, trzymając się desperacko jedynego znajomego tropu. Musiał ich tylko znaleźć – to był nadrzędny cel.

Oni znaleźli go pierwsi.

Kiedy jeden z nich pojawił się nagle za kolejnym zakrętem korytarza, Neculai poczuł straszliwy lęk. Zwierzyna, na którą polował, była niebezpieczna, wiedział o tym dobrze. Mogła w odwecie zapolować na niego, mogła wygrać.

Przypadł do ściany, desperacko próbując się w nią wczepić, ukryć, stopić z tłem. Bezskutecznie – zimna, gładka powierzchnia nie dawała mu żadnej szansy, a to tylko wywołało jeszcze większą panikę. Musiał, musiał się ukryć. Musiał przetrwać.

Żeby przeżyć, musiał opanować lęk.

To było nieskończenie trudne, nawet po tylu latach. Pierwszy impuls nakazywał zawsze uciekać. Stawienie czoła wrogowi, tak ryzykowne, zawsze było ostatecznością. Waleczni żyli krótko, tchórzliwi długo – rozwaga nakazywała hołdować strachowi. Nauczała też, że czasem lęk potrafił zaćmić rozsądek.

Opanowawszy się, Neculai zdał sobie sprawę, że sytuacja nie jest wcale niebezpieczna. Człowiek był sam. I był równie przerażony jak on. Cofał się w głąb korytarza, z którego przyszedł. Być może krzyczał, bo poruszał ustami, ale szklana bania, którą miał na głowie, tłumiła dźwięki.

To było dziwne, wszystko było dziwne, ale teraz liczyło się tylko jedno – człowiek mógł uciec. Nie dość, że Neculaia ominęłaby kolejna uczta, to niedoszła ofiara mogłaby ostrzec pozostałych. Ludzie w stadach potrafili być bardzo, bardzo niebezpieczni.

Zebrał wszystkie swoje siły i kilkoma susami dopadł cofającą się postać. Schwycił ją za ramiona i obrócił ku sobie, tak by szklana bania znalazła się na wysokości jego twarzy. Nadszedł czas na Sztuczkę. To była bardzo niebezpieczna umiejętność i Neculai starał się jej nie nadużywać. Zbyt łatwo mógł popaść w pychę, zbyt łatwo uwierzyć, że nad nimi panuje. Łatwiej i bezpiecznej było traktować Sztuczkę jako ostatnią deskę ratunku, tak jak teraz.

Puścił ramiona człowieka, pewien, że na razie nie musi obawiać się jego ucieczki. Uniósł dłonie, czyniąc gest, jakby sam miał wielką banię na głowie i właśnie ją zdejmował. Człowiek posłusznie zrobił to samo, odpinając i rozkręcając dziwaczne zapięcia. Neculai przyglądał się temu w skupieniu. Wiedza była ważna.

Kobieta, która zdjęła hełm, była lekko pulchna, rumiana. Jej nozdrza drgały delikatnie, gdy wdychała jego zapach. Spoglądała na niego wielkimi sarnimi oczami, które powoli zaczęła przesłaniać mgła. Tak działała Sztuczka. Neculai wiedział, że jeśli będzie zwlekał zbyt długo, kobieta straci nad sobą panowanie, najpierw zacznie prosić, potem błagać, w końcu krzyczeć. To było... dziwne i niezrozumiałe. Sztuczka robiła coś z ludźmi. Zmieniała ich w targane instynktem zwierzęta. Błagali, by ich pożarł albo z nimi kopulował, i choć to pierwsze czynił zawsze, czuł dziwne obrzydzenie, słuchając jak jęczą z rozkoszy, gdy wypływała z nich krew.

Kobieta, nie czekając na jego polecenia, zrzuciła metalowe rękawice i zaczęła szarpać coraz bardziej niecierpliwie zapięcia swojej dziwacznej odzieży.

Neculai nie kazał jej dłużej czekać.

*

– Boże... – Jęk Sal w komunikatorze był gorszy od krzyku.

– Co się stało? – Rita, nie zważając na hierarchię i szacunek, odepchnęła kapitana od panelu. – Sal! Sal, powiedz coś!

Nat i Jan zaglądali jej przez ramię, wpatrując się w głośnik, jakby to była prawdziwa Sal.

– To... to jest żywe! – usłyszeli. – To coś... skąd to się tu wzięło?!

Teraz Nat odepchnął Ritę.

– Sal! Sal, co to jest? Co widzisz?

– Jest okropny... – Słyszeli w jej głosie strach i dezorientację. – On... on... – urwała nagle. – On mnie pragnie – stwierdziła dziwnie spokojnie.

Na ekranie zamigotała czerwona kontrolka.

– Rozszczelnienie skafandra. – Rita odsunęła się od pulpitu. – Zróbmy coś, ona oszalała albo...

– Albo tam rzeczywiście coś jest – dokończył za nią ponuro Jan.

– Idziemy wszyscy. Weźmiemy broń – zadecydował Nat. W głowie huczała mu jedna myśl: to nie powinno się dziać. To powinien być nudny lot ze zwykłym ładunkiem – muzea były pełne kościołów, ratuszów, nawet autostrad zamrożonych w stazie, nic dziwnego, że jedno zdecydowało się w końcu zasponsorować wyprawę po cały cmentarz. Wszystko, co wiązało się ze śmiercią, zawsze przyciągało publiczność. Śmierć wciąż była jedną z niewielu interesujących spraw...

Przynajmniej wtedy, gdy zdarzała się w swoim czasie. Świadomość tego, że Sing prawdopodobnie umarł, a Sal może właśnie umiera, wcale nie wywoływała dreszczyku ekscytacji powodowanego szansą obcowania z absolutem. Wręcz przeciwnie: gdyby Nat mógł, uciekłby z tego statku jak najdalej, porzucając swój ładunek i swoją załogę. Właśnie odkrył, jak wspaniałe było do tej pory jego nudne, przewidywalne życie.

Podejrzewał, że Rita i Jan w pełni podzielają jego odczucia. Kiedy szli za nim, każde z karabinem w dłoni, trzymali się o wiele bliżej, niż powinni. Natowi to nie przeszkadzało. Odkrył, że lęk przed bliskością śmierci jest łatwiejszy do zniesienia, kiedy dzieli się go z innymi.

Podążali naprzód niepewnie, z jednej strony chcąc jak najszybciej dotrzeć do Sal, z drugiej bojąc się tego, co tam zastaną. Mogła być martwa. Mogła oszaleć i majaczyć. Mogła znaleźć Singa. Może to o nim mówiła, może on żył, a jeśli tak, to...

Istniała nieskończona ilość możliwych scenariuszy, jeden z nich potworniejszy i bardziej wynaturzony od drugiego. Ale żadna potworność, którą Nat potrafił wymyślić, nie była prawdziwa.

Prawdziwa była Sal, która wyszła im na spotkanie. Naga, całkiem naga i umazana krwią.

Przez nieskończenie długą chwilę Nat miał wrażenie, że ciało Sal jest jedną wielką raną. Potem zrozumiał, że rany są tylko dwie – na szyi i na nadgarstku.

– Sal, o boże, Sal... – Przypadł do niej i przycisnął ręce do szyi kobiety, próbując zatamować krwawienie. – Wszystko będzie dobrze, zaraz cię opatrzymy. – To był nic niewarty bełkot i sam o tym dobrze wiedział. Nawet gdyby udało im się jakimś cudem powstrzymać tę cholerną krew od wypływania z ran, pewnie przeklęte mikroby już szalały po organizmie Sal. – Boże...

Uśmiechnęła się do niego dziwacznym, szalonym uśmiechem, od którego Nata przeszedł dreszcz.

– Całował mnie – wycharczała. Odepchnęła kapitana i zaczęła wodzić dłońmi po swoim ciele. Krew cieknąca z nadgarstka mieszała się z tą spływającą z szyi, tworząc upiorny wzór. – Dotykał mnie i całował.

Jan niezgrabnie próbował złapać ją za rękę, ale Sal zbyła go machnięciem dłoni jak natręta. Krew z rany na nadgarstku obryzgała mu hełm i skafander. Rita stała jak sparaliżowana kilka kroków od nich, wpatrując się szeroko otwartymi oczami w nagą, szaloną kobietę.

– Sal, boże, Sal... – Nat próbował powiedzieć coś rozsądniejszego, ale język i struny głosowe nie były w stanie wyprodukować innych dźwięków.

Spojrzała na niego zaskakująco przytomnymi oczami. Zakrwawioną dłonią pieszczotliwie pogłaskała swój policzek.

– Było warto. – Podniosła głowę. – Umarłabym jeszcze raz, żeby tylko to przeżyć.

– Nie umarłaś, nie umarłaś. – Nat nagle odnalazł właściwe słowa i zaczął krzyczeć, ale to Sal miała rację. Osunęła się po ścianie, zostawiając na niej krwawą smugę, i kilka chwil później była już martwa. Wciąż się uśmiechała.

Nat zaczął płakać. Nie pamiętał, kiedy ostatnio mu się to zdarzyło. Klęczał nad Sal, a po policzkach ściekały mu łzy. Obaj z Janem byli cali we krwi, ich skafandry przypominały fartuchy rzeźników. Tylko Rita była czysta, klinicznie czysta w porównaniu z nimi. Podeszła do nich.

– Nigdy nie widziałam, jak Sal się śmieje – powiedziała zamyślonym głosem.

– Nigdy nie widziałaś też pewnie, jak ktoś umiera. – Nat wstał. – Trzeba ją będzie stąd zabrać, ale najpierw...

Od ciała Sal w głąb korytarza ciągnęła się smuga krwi. Najwyraźniejszy trop, jaki kapitan kiedykolwiek widział.

– Musimy sprawdzić, co tam jest.

– Nie możemy zostawić Sal – zaprotestował Jan.

– Możemy. – Nat żałował, że nie może otrzeć łez, które spływały po jego policzkach. – Dla niej już nic nie da się zrobić. Umarła.

To było takie nierealistyczne, że niemal chciało mu się śmiać. Sal nie żyła. Leżała na podłodze u jego stóp, cała pokryta krwią i... szczęśliwa. Do jasnej cholery, wyglądała na szczęśliwszą niż kiedykolwiek za życia.

Może ci, którzy czcili Śmierć, mieli jednak trochę racji.

– Musimy sprawdzić, co tam się stało. – Starał się mówić spokojnie. Był w końcu kapitanem, nie powinien wpadać w histerię i powtarzać, że na tym przeklętym statku nic nie powinno się nigdy dziać.

Nawet jeśli w duchu wrzeszczał z całych sił.

– Nat ma rację – poparła go Rita. – Nie możemy po prostu zamknąć się na klucz na mostku i mieć nadzieję, że cokolwiek ich spotkało, nas nie dopadnie.

– Chyba wolałbym jednak zamknięcie. – Jan był zaskakująco szczery.

Nat nie mógł się powstrzymać, by nie parsknąć śmiechem, chociaż bardziej przypominało to histeryczne popiskiwanie.

– Też bym wolał wrócić na mostek i zabarykadować drzwi od środka. Ale chyba nie mamy wyjścia?

Miał cichą nadzieję, że któreś z nich jednak powie, że powrót na mostek to najlepsze rozwiązanie. Ale oni oboje tylko na niego patrzyli. W oczach Jana i Rity widział odbicie swoich własnych myśli. Byli na wielkim statku kosmicznym, w przestrzeni, tylko ich troje, dwa ciała i cmentarz, który wyszedł ze stazy. Coś szło cholernie nie tak i naprawdę nie mieli wyjścia, musieli to sprawdzić.

– Trzymajmy się razem – powiedział. – Pod żadnym pozorem nie oddalajmy się od siebie.

*

Dwoje ludzi od razu po przebudzeniu to było za dużo. Neculai pozwolił, by głód wziął górę nad rozsądkiem i opanowaniem, i gorzko tego pożałował. Czuł się pełen, mdliło go od nadmiaru, a ciało stało się nieprzyjemnie ociężałe.

To była wielka nieostrożność, zwłaszcza tu, w tym dziwnym miejscu, które nie dawało schronienia.

Wypuścił kobietę – była już prawie pusta i wciąż na tyle oszołomiona, że nie stanowiła zagrożenia. Pojękiwała cicho w ten dziwny sposób, który dobrze znał, ale go nie rozumiał. Nie była mu już potrzebna. Nie był w stanie pochłonąć więcej jej krwi, ale wyssał za dużo, by kobieta miała jakąkolwiek szansę na dotrwanie do chwili, gdy znowu będzie chciał się pożywić. Nie miał też żadnej możliwości ukrycia ciała, więc po prostu zostawił ją i zataczając się lekko, odszedł tak szybko, jak tylko pozwalał mu pełen brzuch.

Sytość była cudowna, ale jednocześnie osłabiająca. Musiał znaleźć jakieś bezpieczne miejsce, w którym mógłby przetrawić posiłek. Jedyne, co w tym dziwnym świecie było na tyle znajome, by uznać je też za w miarę bezpieczne, to cmentarz.

Był jednak ociężały, zbyt ociężały i powolny. Dogonili go.

*

– Boże, ile tu krwi. – Jan stał przy samej ścianie korytarza, starając się nie dotykać czerwonej plamy czubkiem buta. Nat nawet nie zwrócił mu uwagi, że taka ostrożność jest bez sensu. Obaj byli cali uwalani krwią Sal. Tylko Rita lśniła czystością... przynajmniej dopóki nie podeszła do leżącego w kałuży czerwieni skafandra.

– Nie wygląda na rozdarty, musiała go chyba zdjąć sama, zanim... Zanim to się stało.

– Nie była sama. – Nat wskazał na ślady wychodzące z krwawej kałuży.

– Myślisz, że to mógł być Sing? – Jan rozejrzał się nerwowo. – Przecież komputery powiedziały, że on nie żyje!

– Nie wiem, kto to mógł być – warknął Nat. – Wiem tylko, że wszystko jest nie tak, jak powinno! Na statku było tylko nas pięcioro i cmentarz pełen trupów. Albo to ślady Singa, albo... Po prostu chodźmy tam i się przekonajmy!

Znowu oboje tak po prostu go posłuchali.

Żadne z nich nie odezwało się, póki Jan nie wypatrzył tego czegoś. Nie krzyknął, nic nie powiedział, tylko nagle chwycił Nata za ramię, a potem wskazał na ciemny kształt snujący się przy ścianie korytarza.

To coś ich nie zauważyło. Szło przed siebie powoli, wspierając się o ścianę, jakby miało problem z utrzymaniem równowagi. Jego stopy i dłonie zostawiały na metalowych powierzchniach ciemne, mokre ślady.

Wyglądało jak człowiek, mały, brzydki, przykurczony człowiek w łachmanach.

– To nie jest Sing. – Ricie ciężko było ukryć ulgę.

Istota musiała ją usłyszeć, bo odwróciła się w ich stronę z zaskakującą szybkością. Rita wrzasnęła, Natowi trudno było zachować opanowanie. To, co zobaczyli, było ohydne. Skóra stwora była żółta, pomarszczona i łuszcząca się. Miał mały, zadarty nos, wielkie nozdrza przypominające dwie dziury w okrągłej głowie, która zdawała się wyrastać wprost z ramion. Szpiczasto zakończone uszy stanęły na sztorc, gdy ich dojrzał. Najgorsze były oczy, okrągłe i całkiem czarne, oraz wargi, niewielkie, wąskie, kryjące za sobą ogromne, żółtawe zęby.

Stwór wyszczerzył je na nich i wtedy Jan zaczął strzelać.

*

Zapach krwi, znajomy zapach krwi tej kobiety go zmylił. Myślał, że to ona za nim idzie, wciąż jeszcze żywa, błagająca o to, by zechciał wyssać z niej tę ostatnią resztkę. Nie próbował uciekać, nie próbował przyśpieszać, pewien, że nie ma zagrożenia.

I wtedy usłyszał ludzki głos, inny głos niż ten, który jeszcze kilka minut temu denerwująco szeptał mu do ucha.

Zdążył się tylko odwrócić i pojąć, że jest zgubiony. Ścigało go troje ludzi w ubraniach powalanych krwią, wszyscy uzbrojeni – nie widział nigdy wcześniej tego, co mieli w rękach, ale dobrze znał sposób, w jaki to trzymali. Od wieków nic się nie zmieniło.

Nie miał szans na ucieczkę, był na to zbyt ospały. Nie miał też szansy w walce z nimi, ale instynkt kazał mu chociaż spróbować.

*

Poza strzelnicą Nat nigdy nie słyszał huku wystrzału. Nigdy nie widział, jak pociski trafiają coś innego niż manekin. Aż do tej strasznej chwili na korytarzu nie miał pojęcia, jak nagle odzyskuje się oddech, gdy wróg pada na ziemię.

Był pewien, że nigdy tego wszystkiego nie zapomni.

Ale w chwili, gdy Jan zastrzelił to... coś, gdy upewnili się, że na statku nie ma nic więcej, Nata ogarnęła ogromna, bezbrzeżna ulga. Wszystko, co do tej pory czuł, wydało mu się błahe i nieważne w porównaniu z nią – to były tylko cienie emocji, substytuty, a ta ulga... To było najprawdziwsze, najrealniejsze uczucie, jakiego doświadczył. Oszołomiło go i upoiło.

Pamiętał jak przez mgłę, jak wsadzali ciała Sal, Singa i tego czegoś do komór hibernacyjnych. Musieli ich zabrać na Nową Ziemię. Taka była procedura, którą Nat w końcu sobie przypomniał. Procedury nie wspominały nic o stworzeniu, które najwyraźniej wyszło z cmentarza i zabiło dwóch członków załogi, ale jeśli chodziło o trupy, zasady były jasne. Zapakować do lodówek i dowieźć z powrotem na Nową Ziemię, żeby znudzeni naukowcy mogli się czymś zająć.

Pewnie przekopią też cmentarz, żeby sprawdzić, czy nie ma tam więcej paskud. Jeśli o Nata chodziło, mogli sobie kopać po wylądowaniu, ile chcieli, byle z dala od niego. Na razie ich cenny ładunek trwał sobie cicho i spokojnie w zaspawanym hangarze, wokół którego Rita umieściła wszystko, co mogło pełnić funkcję czujnika. Na wszelki wypadek.

Wciąż nie mogli zdjąć skafandrów, wciąż ciężko było pogodzić się z tym, że dwoje członków ich załogi nie żyje, ale Nat musiał uczciwie przyznać przed sobą, że było cudownie.

Nie wiedział, czy pozostali też to czują. Jan zaciął się w sobie i na ochotnika zgłosił do nadzorowania hibernacji. Dosłownie uciekł z mostka i nie było okazji, by z nim porozmawiać. Rita wykonywała pracę - swoją i Sal - w milczeniu, pochłonięta rozmyślaniami. Żadne nie wydawało się przesadnie uradowane i Nat uznał, że lepiej zrobi, nie dając euforii ujścia.

Siedział na swoim fotelu i w skrytości ducha rozkoszował się tą przeżywaną cudownością, gdy Jan przyniósł złe wieści.

- To coś nadal żyje - powiedział, stając w drzwiach.

Rita i Nat potrzebowali chwili, by pojąć jego słowa.

- Jak to „żyje"? - zapytała w końcu Rita.

- Po prostu żyje. Odczyty komory hibernacyjnej nie kłamią. Jest pogrążony w jakimś letargu i o ile skaner się nie myli, rany po postrzałach się goją.

Nat zamrugał gwałtownie, jakby budząc się ze snu.

- Trzeba go znowu zabić - stwierdził krótko. - Tym razem na dobre.

- Jak to w ogóle możliwe? Strzeliłeś do niego kilka razy. Jego organy wewnętrzne...

- Zmieniły się w papkę - wpadł Ricie w słowo Jan. - Teraz się regenerują. Bardzo powoli, ale zauważalnie.

- Dlaczego?

Hełm od skafandra utrudniał odczytywanie emocji, ale gdyby Nat miał zgadywać, powiedziałby, że Jan był zakłopotany.

- Pomyślicie, że zwariowałem.

Rita zaczęła się histerycznie śmiać.

– Zwariowałeś? Po tym wszystkim, co się stało? Tylko ty miałbyś zwariować? – Zginając się niemal wpół, śmiała się albo płakała, ciężko było to stwierdzić, aż wreszcie usiadła na podłodze. – Ta podróż zmieniła nas wszystkich w wariatów – oznajmiła, zadzierając głowę. – Nie ma już normalności. Możesz mówić, co tylko chcesz.

Jan nie wyglądał na przekonanego, bardziej na przestraszonego.

– Mów – ponaglił go Nat. – Jeśli masz jakikolwiek pomysł, to i tak jesteś o krok dalej niż ja.

– Myślę – powiedział powoli Jan – że to wampir. – Niezrażony ich milczeniem kontynuował. – Nie da się go zabić. Pije krew. Wyszedł z cmentarza, chociaż na Starej Ziemi już od ponad stu lat nie ma życia. Musiał tam spać w jakiejś krypcie.

– Sam to wymyśliłeś? – zapytał Nat.

– Przeszukałem zasoby komputera pokładowego. Jeśli dodać do siebie fakty, to, co o nim wiemy, wszystko wskazuje na wampira.

– Wampiry były piękne – wtrąciła się wciąż siedząca na podłodze Rita. – Widziałam na filmach. Przystojni faceci, cudowne kobiety. Nie tacy jak to... coś.

– To wyobrażenia popkultury. – Jan niecierpliwie zbył jej uwagę machnięciem dłoni. – Fantastyka. Jeśli sięgnąć głębiej, do mitologii, do podań i wierzeń ludowych, to myślę... myślę, że wampir mógł wyglądać właśnie jak to coś.

Nat uruchomił swój terminal i sprawdził hasło w bazie danych. Nie znalazł tam wiele informacji – ale to, co przeczytał, wystarczało, by był skłonny przyznać mu rację. Wyszedł z cmentarza, pije krew, ma wydłużone zęby – to musiał być wampir. Śpiący akurat w tej krypcie, którą przewozili do muzeum.

– A Sal i Sing? – zapytał nagle, marszcząc brwi.

– Nadal martwi – odparł natychmiast Jan. Wyglądało na to, że też pomyślał wcześniej o tym samym, co dowódca.

Nat już chciał powiedzieć, że to dobrze, ale ugryzł się w język.

– Trzeba go zabić – powiedział stanowczo. – Tym razem na dobre.

– Na Nowej Ziemi będą wściekli. – Rita znowu zaczęła się śmiać. – Nowy, nieodkryty jeszcze gatunek, a ty zabijesz im jedyny znany okaz. Rozszarpią cię na strzępy. Nigdy już nie będziesz dowodził statkiem.

– I tak jakoś straciłem do tego serce. – Nat nie musiał się nawet zastanawiać. Zwolnienie, nawet więzienie, wszystko było lepsze od stawania twarzą w twarz z wampirem.

– Według schematu biohabitatu na cmentarzu rośnie osika – powiedział Jan. – Nie mamy na statku czosnku, srebra ani symboli religijnych. Zostaje osika, odcięcie głowy i spalenie.

– Ty pójdziesz po osikę, ja po piłę do metalu. Nie będę ryzykował wypuszczenia tego czegoś z hibernatora, potniemy go razem z sarkofagiem.

Jan skinął głową.

– Chyba żartujecie. – Rita niezgrabnie zaczęła podnosić się z podłogi. – Naprawdę zamierzacie to coś zabić?

Nat był już na korytarzu, ale dogoniła go i złapała za ramię.

– On nie jest śmiercią, on jest życiem – powiedziała dobitnie. – Pomyśl, kiedy ostatnio tak bardzo ceniłeś swoje życie? Czy kiedykolwiek wcześniej bałeś się, że je stracisz? Czułeś, jak mocno bije ci serce? Jak krew pulsuje w żyłach? On jest życiem. Przywraca je nam, budzi nas z tego cholernego snu, sprawia, że stajemy się prawdziwi, że zaczynamy prawdziwie czuć!

– Oszalałaś – stwierdził Nat. – Nie wiem, czy to mikroby z cmentarza, czy jakaś hipnoza, ale coś namieszało ci w głowie. Może zwariowałaś, może wszyscy zwariowaliśmy.

– Jestem normalniejsza niż kiedykolwiek byłam – odparła zaskakująco trzeźwym głosem. – I ty też. Żyjemy, rozumiesz? Tak naprawdę, w pełni, każdą komórką naszego ciała. To dar!

– Zamierzam ten dar i to życie zachować – rzucił stanowczo. – Owszem, czuję, że żyję. Tak, nigdy nie byłem równie świadomy tego, czym jest życie. I dlatego nie zaryzykuję jego straty. Albo on, albo my, Rito. Albo on, albo cała ludzkość. Trzeba go zabić i już.

Zamilkła. Nie odzywała się, kiedy wyciągał ze schowka piłę do metalu ani kiedy szli do komór hibernacyjnych. Stanęła w drzwiach i patrzyła, podczas gdy Nat ustawił się przy właściwym sarkofagu.

Wzmocniona pokrywa niechętnie ustępowała przed laserowym ostrzem, ale kapitan był nieugięty. Jan powinien już wracać z osikowymi kołkami. Utną potworowi głowę, wbiją kołek w serce, potem spalą ścierwo. Dla pewności trzeba będzie tak samo potraktować dwie ofiary wampira, gdyby jednak i one przeżyły.

Nagle opór zmalał. Piła przebiła się przez pokrywę i zaczęła ciąć powietrze.

– Wyjdź stąd, to nie będzie piękny widok – nie odwracając się, rzucił w stronę Rity.

– To będzie bardzo piękny widok – odpowiedziała.

Coś w jej głosie sprawiło, że w głowie zapaliła mu się czerwona lampka. Odwrócił się w jej stronę, ale było już za późno. Butlą z tlenem strzaskała mu wizjer hełmu i złamała nos. Cios i ból oszołomiły go na tyle, że dopiero po chwili zdał sobie sprawę, że jej dłonie majstrują przy kołnierzu skafandra.

– Wybacz, Nat – szepnęła.

Próbował wstać albo przynajmniej ją odepchnąć, ale znowu oberwał butlą, tym razem na tyle mocno, że całkiem go zamroczyło. Jak przez mgłę słyszał zgrzyt piły i huk odpadającej pokrywy. Nie był w stanie się opierać, gdy Rita, stękając z wysiłku, wlokła jego ciało.

Poczuł, że podciąga go za ramiona i opiera o coś... coś miękkiego i pachnącego ziemią, stęchlizną...

Próbował krzyczeć, ale z gardła wydobył się tylko bulgot. Coś wilgotnego i obrzydliwego zaczęło muskać jego zakrwawiony nos.

Usłyszał głos Rity.

– Pij. Musisz być silny i zdrowy. Pij.

Dopiero po chwili zdał sobie sprawę, że nie mówiła do niego.

*

Przebudzenie nadeszło zbyt wcześnie. Nie był na nie jeszcze gotowy, nie był w pełni sił. Czuł straszliwy ból, gdy zniszczone ciało próbowało się naprawić. To mogło trwać długo, bardzo długo. Potrzebował snu albo krwi, a teraz nie miał ani jednego, ani drugiego.

Czuł tylko żar.

Leżał w metalowej skrzyni, w ciemnościach. Nie miał siły się poruszyć, ale i tak nie było tam zbyt wiele miejsca. Nie mógł nawet podnieść rąk i spróbować unieść wieka... choć na to zapewne i tak był za słaby.

Żar zbliżał się coraz bardziej, czuł go przy uchu i na policzku, okropne gorąco, niszczące, bolesne. Nie mógł odsunąć się od niego, nie miał sił.

Dotarło do niego, że tym razem to koniec.

Cnoty nie mogły mu już pomóc. Nic nie mogło mu pomóc. Zamknął oczy i czekał na śmierć.

Kiedy je znowu otworzył, śmierć pochylała się nad nim, ogromna niczym księżyc, lśniąca i szklana. Zza przezroczystej kuli spoglądała na niego blada, smukła twarz kobiety.

Poczuł słodki zapach krwi. Cudowny, upajający. Głód w jego trzewiach oszalał, zaczął targać wnętrznościami niczym dzikie zwierzę, ale na próżno. Słabość była najmocniejszą klatką ze wszystkich, w jakich mógłby zamknąć swoje pragnienie.

Ogromna szklana bania zniknęła na chwilę, a kiedy wróciła, przyniosła ze sobą krew. Położyła głowę człowieka na jego twarzy, pozwoliła mu ją zlizywać, sycić się. Dopiero gdy zaczął wysysać lepką słodycz, przyszło mu do głowy, że to mógł być podstęp.

Ale było mu już wszystko jedno.

*

Ktoś odciągnął od niego konającego człowieka, ktoś coś krzyczał. Ktoś upadł tuż obok, opryskując twarz Neculaia swoją krwią, cudowną, kuszącą krwią.

Znów zobaczył nad sobą banię, w której ukrywała swoją twarz kobieta. Znowu poczuł przy ustach pulsowanie tętnicy człowieka, ale tylko na chwilę. Kobieta odebrała mu słodką nagrodę.

– Umiesz mówić? – zapytała.

Milczał. Najrozsądniej było zawsze milczeć.

– Jeśli nie będziesz mówił, nie dam ci go. – Uniosła dłoń w ubrudzonej krwią rękawicy.

Neculai zamknął oczy. Głód był straszny. Domagał się pożywienia, domagał się kolejnych miar życiodajnego płynu, tylu, ile trzeba, by zaleczyć wszystkie rany.

Poczuł ruch powietrza. Kobieta odsunęła się od niego, a wraz z nią szansa na pożywienie. Musiał, musiał coś zrobić, choć tak nienawidził działać w pośpiechu.

– Umiem mówić. – Jego słowa zawsze były bardziej imitacją tego, czego używali ludzie, niż prawdziwą mową.

Znowu pojawiła się nad nim. Ogromna, przesłaniająca wszystko.

– Nie zabijesz mnie? – odważył się zapytać.

Przez szklaną kulę widział jej uśmiech. Przeszedł go dreszcz. To był zły uśmiech. Widział takie u ludzi. Rozpoznawał je.

– Nie. Mam wobec ciebie plany.

Podciągnęła do niego drugiego człowieka. Pozwoliła mu wypić krew.

Kiedy skończył, ściągnęła z niego zwłoki i położyła je na podłodze. Sama usiadła pod ścianą.

Neculai obrócił głowę w jej stronę. Resztę ciała wciąż miał uwięzioną pod żelazną pokrywą, ale wiedział, że z czasem, gdy posiłek zrobi swoje, gdy rany się zagoją, a siły wrócą...

– Przestraszyłeś mnie – powiedziała. – Już myślałam, że jesteś nierozumnym drapieżnikiem i cały mój plan pójdzie na marne. Ale myślę, że skoro umiesz mówić, to jesteś też na tyle inteligentny, że dobijemy targu.

Nie odpowiedział. Bezpieczniej było milczeć, czekać, co ona jeszcze powie.

Kobieta zdjęła hełm i potrząsnęła grzywą kruczoczarnych włosów. Miała zielone oczy, białą, alabastrową skórę i najpełniejsze karminowe usta, jakie Neculai widział. Wśród swoich musiała uchodzić za piękność.

– To nie jestem prawdziwa ja – powiedziała, ściągając kombinezon. – To tylko za dużo starych filmów i trochę manipulacji genetycznej. Nic prawdziwego. Tylko zlepek marnych marzeń, które po spełnieniu okazały się nic niewartymi błahostkami. Nic, co miałoby jakąkolwiek wartość.

– Czy mnie też będziesz chciała zmienić? – zapytał pokornie. Nie rozumiał tego, co się wokół niego dzieje, nie rozumiał jej słów, wychwytywał tylko ochłapy mające jakiś sens.

Ulżyło mu, gdy na jej twarzy pojawiło się zaskoczenie.

– Nie, oczywiście, że nie. – Zdecydowanie odrzuciła ten pomysł. – Nie wiem nawet, jak maszyny poradziłyby sobie z twoim DNA. Poza tym ty już jesteś prawdziwy. Nie musisz się zmieniać. Ja będę piękną, ty bestią. Jak w bajce.

– Jak w bajce – zgodził się Neculai. Bezpieczniej było się zawsze zgadzać, zwłaszcza z silniejszym.

– Zabiorę cię na Nową Ziemię. Zabiorę cię tam, gdzie są ludzie. Gdzie będziesz mógł przetrwać. Ale chcę czegoś w zamian. Chcę poczuć to, co Sal. Ta kobieta w korytarzu. Zrobiłeś jej coś. Nie wiem, czy zaczarowałeś ją, czy zatrułeś. Chcę, żebyś zrobił to również ze mną. Chcę to naprawdę poczuć. To jest cena twojego życia i wolności.

Zawahał się.

Nie wolno kłamać, powtórzył w duchu swoje przykazania. Kłamstwa są niebezpieczne, łatwo je pomieszać, łatwo się pogubić. Mów prawdę, kiedy tylko możesz. Ale nigdy nie zdradzaj więcej, niż musisz.

Mantra przetrwania była długa, ale Neculai miał dużo czasu, by opanować ją całą.

– Umrzesz wtedy – powiedział po prostu.

Parsknęła śmiechem.

– Przecież wiem. Widzisz... życie... życie może i jest wartością dla ciebie. Może było wartością dla ludzi, których kiedyś poznałeś. Teraz to tylko pustka, długi, nudny letarg. Chcę się obudzić. Nawet jeśli to potrwa tylko jedną krótką chwilę. – Przyklęknęła przy sarkofagu, tak że jej twarz znalazła się tuż obok jego głowy. Czuł na płatku ucha jej oddech. – Za tę jedną chwilę oddam ci cały świat.

Nie rozumiał jej. Znał każde słowo, które wypowiadała, wiedział, co mu właśnie zaproponowała, ale nie był w stanie zrozumieć, dlaczego to robi. Ludzie byli... dziwni. Niezrozumiali. Obcy.

– Nie musisz mnie rozumieć. – Przeraziło go, że zdawała się czytać mu w myślach. – Może nawet lepiej, że nie rozumiesz. Chyba nam obojgu byłoby trudniej, gdybyś był bardziej taki jak my. Chcę od ciebie tylko tego, co dałeś Sal. Kiedy wylądujemy, uwolnię cię.

Układy były niebezpieczne. Ludzie byli niebezpieczni. Przeżycie było najważniejsze.

– Zgadzam się.

*

Kobieta nie chciała go zostawić nawet na chwilę. Dlatego, jak sama powiedziała, przełączyła ster do komory, cokolwiek to znaczyło.

Dzięki temu Neculai mógł podziwiać cel ich podróży, najpierw maleńki i odległy, potem coraz większy, coraz bliższy. Zamknął oczy i wyobraził sobie, że czuje na twarzy powiew wiatru niosącego ze sobą zapach stałego lądu. Już niedługo stanie na ziemi i będzie mógł dziękować za to, że znowu udało się przeżyć.

Kiedy je otworzył, spojrzał na piękną wedle ludzkich wyobrażeń kobietę, jej rozwiane włosy, jej czerwone usta, jej smukłą szyję i niemal niewidoczne błękitne linie naczyń krwionośnych.

Delikatnie zaczął poruszać palcami u dłoni i stóp.

Cierpliwość była pierwszą cnotą.

Głód był jej największym wrogiem.

JAKUB ĆWIEK – urodzony w 1982 roku w Opolu. Wielki miłośnik oraz znawca fantastyki i popkultury, jeden z najpopularniejszych i najbardziej lubianych polskich pisarzy młodego pokolenia. Od najmłodszych lat związany z literaturą. Członek Śląskiego Klubu Fantastyki i współtwórca grupy teatralnej „Słudzy Metatrona". Zawodowo copywriter, publicysta, scenarzysta, konferansjer, animator kultury. Zadebiutował zbiorem opowiadań *Kłamca*, który stał się początkiem bestsellerowej tetralogii łączącej w sobie motywy mitologiczne z popkulturalnymi. Autor dziewięciu książek, m.in. rozgrywającego się w scenerii katowickiego dworca horroru *Ciemność płonie*, wzbudzającego kontrowersje zbioru *Gotuj z papieżem* czy osadzonej w czasach wojny secesyjnej, przyprawionej voodoo, powieści *Krzyż Południa. Rozdroża*. Czterokrotnie nominowany do prestiżowej Nagrody im. Janusza A. Zajdla. Aktywnie zaangażowany w życie fandomu, od lat dzieli się swoją wiedzą i zdobytym doświadczeniem poprzez udział w licznych spotkaniach autorskich, konwentach oraz warsztatach literackich. Jako wielbiciel komiksów czyni starania w kierunku propagowania tego medium na rodzimym rynku.

Jakub Ćwiek

Obroża

Musisz być odpowiedzialny, mruknął do siebie Marcin i całą swą wolą, prawdziwym ostatkiem sił zmusił się, by zostać w miejscu, by nie wysiąść i nie pognać za nią. Za burzą ognistorudych loków, za słodkim zapachem cytrusów i... noż, cholera, przede wszystkim! – za tym zgrabnym tyłkiem tak ciasno opiętym przez krótkie jeansowe spodenki.

Jechali razem od trzech przystanków. Niby mało czasu, by mieć pewność, ale z drugiej strony to był kurs podmiejski i przystanki były rzadko. A oni przecież i o książkach, i o filmach, nawet o pracy. Znaczy ona, bo on to nie miał o czym. No chyba że o tej teczce z portfolio, pliku zdjęć i wyroku, tym wielkim nieobecnym jego CV, który jednak zawsze pojawiał się w rozmowach o pracę. Zwykle wtedy, gdy wszystko szło już dobrze.

Ona była bibliotekarką, czyli jak jego matka, tyle że nie do końca. Wiele się zmieniło od czasów, gdy był dzieciakiem, i dzisiaj ten termin oznaczał, że organizowała spotkania literackie, odczyty, robiła przedstawienia, bla, bla, bla, dziewczyno, jakie ty masz świetne cycki. I uśmiech. Powaga, uśmiech też. Jak z reklamy pasty do zębów.

A teraz wysiadła. A on nie mógł. I chuj. Znaczy, wymienili się numerami, a jakże. Dla pewności nawet, niby żartem, sprawdził przy niej, czy na pewno wszystko się zgadza, a potem nagrał z nią krótki filmik, gdy mówi „odbierz, odbierz", żeby było na dzwonek. Ale najbardziej chciałby pójść z nią teraz, gdziekolwiek szła, nawet do tej biblioteki. Usiadłby w kącie, pewnie mają takie krzesełka jak w poczekalniach, niby ładne, ale w cholerę niewygodne, i patrzyłby, jak rozmawia z ludźmi, jak się uśmiecha, a jej włosy lśnią...

Nie, powinien o tym zapomnieć. I o niej. Teraz praca przede wszystkim, a taki kontrakt nie sprzyja związkom. Może za pół roku, ale umówmy się, jeżeli taka dziewczyna byłaby skłonna czekać sześć miesięcy na kolesia poznanego w autobusie, to lepiej się za nią nie brać. Ani chybi będzie cię potem ganiała po mieszkaniu z nożyczkami albo zacznie wysyłać twoim kumplom anonimy z pogróżkami, jak raz wrócisz później.

Marcin nie lubił ludzi pojebanych. Tak jakoś. Miał awersję czy coś.

Autobus znowu się zatrzymał i akurat zwolniło się miejsce. Usiadł i raz jeszcze zajrzał do teczki. Uważnie przyglądał się każdemu zdjęciu, jakby niepewny, czy od ostatniego przeglądu coś się na nich nie pojawiło. Jakiś mistrz drugiego planu psujący kompozycję, jakieś prześwietlenie...

– Niezłe – mruknął facet za jego plecami. Oddech śmierdział mu piwem i cebulą, ale widać tak w dzisiejszych czasach pachnie krytyka sztuki.

– Dzięki. Myślisz, że załatwią mi robotę?

– Zależy. – Tamten wzruszył ramionami. – U nas na budowie robienie fot zdałoby ci się jak majstrowi cycki, ale są tacy, co to lubią.

Marcin zaśmiał się cicho. No tak, właśnie na takich liczył. Na takich, co lubią.

*

W lobby spotkał się z prawnikiem, a ten zaprowadził go na górę. Pokój jak pokój: łóżko, barek, telewizor i drzwi do łazienki.

W kącie biurko, na nim laptop i telefon jak sprzed dwóch stuleci, przy łóżku szafka z lampką, na ścianie reprodukcja „Tratwy Meduzy". Marcin lubił ten obraz, marzył, by kiedyś zrobić zdjęcie tak dobrze oddające totalnie przewaloną chwilę. Pisz o tym, na czym się znasz, powiedział kiedyś jakiś znany pisarz. Ze zdjęciami było podobnie, a na czym jak na czym, ale na przewalonych momentach, które w sekundę pierdolą ci życie, Marcin znał się jak mało kto.

– Proszę usiąść – powiedział prawnik, wskazując na łóżko. – I niech pan nie ściska tak nerwowo tej teczki. Niech pan pokaże.

Marcin usiadł. I pokazał. To znaczy najpierw pokazał, a potem usiadł i zacisnął pięści. Patrzył na prawnika wyczekująco. No powiedzże coś, powiedz, oślizły, ulizany draniu w garniturze wartym z pięć moich aparatów!

Zazwyczaj nie martwił się tak o swoje zdjęcia – wiedział, że są dobre i się podobają. Do tej pory problemem była raczej kryminalna przeszłość, ale tu prawnik i jego mocodawcy wiedzieli od początku, że siedział i za co. Nagle więc wszystko stawało na głowie. Bo skoro kryminał nie stanowił problemu, to znaczy, że zgodnie z zasadą odwiecznego pecha może być coś nie tak z fotografiami.

Ale prawnik tylko pokiwał głową i odłożył teczkę na bok. Przysunął sobie krzesło spod biurka i usiadł na nim okrakiem, opierając łokcie i brodę na poręczy. Przez chwilę przyglądał się Marcinowi z tajemniczym uśmiechem. A gdy w końcu się odezwał, nie brzmiał jak prawnik.

– Jest pan dobry – powiedział. – I głupi, ale to często idzie w parze. Gdyby nie to, tacy ludzie jak mój szef, sprytni, ale przeciętnie utalentowani, nie bogaciliby się tak łatwo. Na szczęście jednak takim jak pan wydaje się, że talent wystarcza. I potem ładują się w kłopoty.

Marcin pokiwał głową. To właśnie najbardziej lubił w rozmowach kwalifikacyjnych: durne przemowy ludzi, których na co dzień nikt nie chce słuchać. Czasem miał wrażenie, że tacy ludzie jak prawnik tylko po to organizują spotkania, by móc się wygadać. A zatrudniają najlepszych słuchaczy.

Prawnik odgiął się do tyłu i sięgnął do biurka, by zabrać z niego stos kartek spiętych spinaczem.

– Wie pan, na czym polega klauzula SD, prawda? – zapytał. – Mam na myśli stałą dyspozycyjność osiąganą dzięki...

– ...obroży teleportacyjnej, tak, wiem. – Marcin wszedł mu w zdanie. – Miałem już kiedyś taką, byłem fotografem jednego faceta, strasznie go kręciło pstrykanie się na tle zabytków. Miał na tym punkcie prawdziwego pierdolca. Do tego stopnia, że przypisał mnie na pilocie pod trójkę. Za lekarzem i ochroną, ale przed kochanką. Do tego...

Prawnik uniósł rękę z dokumentami, a palec wskazujący drugiej przyłożył do ust.

– Znam szczegóły pańskiej dotychczasowej pracy, ale są pytania, które muszę zadać, żeby dopełnić formalności. Został pan telefonicznie uprzedzony, że to spotkanie będzie rejestrowane, prawda?

Marcin pokiwał głową i przejechał palcami po grdyce. Na wspomnienie obroży dostawał prawdziwej wysypki. Zwłaszcza pierwsze dni są prawdziwie paskudne, bo cholerstwo ciąży, drapie i grzeje w szyję, a w dodatku trochę przeszkadza w mówieniu i przełykaniu. Potem można się przyzwyczaić, ale i tak do końca kontraktu trzeba znosić spojrzenia gapiących się na ulicy ludzi, którzy liczą, że nagle znikniesz na środku pasów. No i jeszcze te utrudnienia z zakazem prowadzenia pojazdów, z godziną w ciągu dnia – łącznie! – na swoje potrzeby, ciągłą inwigilacją...

Ale za to kasa była naprawdę dobra, pomyślał. Choć nie aż tak dobra jak ta. Rany, dla kogo on właściwie miał teraz pracować?! I komu nie przeszkadzało, że był po wyroku? Zwłaszcza to w dzisiejszych czasach było prawdziwie podejrzane.

– Spokojnie. – Prawnik znowu się uśmiechnął. – Lada chwila odpowiem na wszystkie pytania, ale zanim to nastąpi, muszę najpierw zapytać. W sądzie zaproponowano panu zamiast więzienia dozór policyjny z obrożą, ale pan wybrał jednak zamknięty zakład. Czy był jakiś specjalny powód takiej decyzji? Po kontrakcie zmienił pan zdanie odnośnie teleportacji, obroży? A może uznał pan, że musi odpokutować swoje czyny?

To ostatnie zabrzmiało jak drwina, ale z uśmiechu prawnika trudno było wyczytać prawdziwe intencje. Zupełnie jakby uczyli ich takich pozbawionych znaczenia grymasów jeszcze na uczelni.

Marcin ponownie musnął grdykę.

– Więzienne obroże są stare, duże i ciężkie. Boli szyja, a poza tym ludzie widzą, a ja...

– Liczy się pan ze zdaniem innych, panie Jasiński?

– Nie. – Marcin pokręcił głową. – Niespecjalnie... Czasami... Można tu zapalić?

Prawnik westchnął.

– Nigdzie nie można, panie Jasiński. Ale mam w szufladzie papierosy elektroniczne.

Marcin prychnął.

– Różnica jak między seksem zwykłym a cyber. Dziękuję, posiedzę.

Prawnik roześmiał się w głos.

– No tak – przyznał. – Coś w tym rzeczywiście jest. Dlatego rzuciłem.

– W więzieniu można – przypomniał sobie Marcin. – Na deptaku. To też był argument za odsiadką. Ma pan tu coś do picia?

– Oczywiście.

Podczas gdy prawnik zajął się przygotowywaniem drinków, Marcin próbował dyskretnie przeczytać pierwszą stronę pozostawionej na krześle umowy. Nie było to łatwe, ale udało mu się potwierdzić astronomiczną kwotę wynagrodzenia, kontrakt opiewający na trzy miesiące i oczywiście stałą gotowość. Ale zaraz, tak naprawdę stałą? Bez choćby kwadransa dla siebie? To musiało być jakieś niedopatrzenie. Przecież nie mógł pozwolić, by teleportowali go spod prysznica... albo prosto z kibla.

– Widzę, że nie marnuje pan czasu, panie Jasiński.

Marcin poderwał się i dostrzegł, że prawnik stoi tuż obok, trzymając w rękach dwie szklanki z lodem. Skubaniec był naprawdę cichy. I szybki.

– Ale to dobrze, akurat ja cenię sobie dociekliwość. Oczywiście w rozsądnych dawkach.

Podał Marcinowi szklankę, a potem schylił się po umowę. Zerknął na pierwszą stronę, przeczytał raz jeszcze, bezgłośnie poruszając ustami.

– No tak, wygląda, że wszystko się zgadza – stwierdził. – I tak pewnie zdążył pan zauważyć: nie ma tam przerw i może być pan teleportowany w każdej chwili, zwykle z minutowym uprzedzeniem, ale bywa, że i bez niego. Za to jeżeli uda się panu wykonać zadanie wcześniej... Otrzyma pan premię i świadczenia za pełen kontrakt, a potem się rozstaniemy. Warto się starać, nie?

Marcin upił mały łyk drinka. Mocne draństwo, choć wcale nie śmierdziało wódką. Jeśli już, to raczej sokiem pomarańczowym, miętą i... Rany, ale ta kasa jest duża!

– To nielegalne, prawda? To, co mam robić?

Prawnik wzruszył ramionami.

– Zależy w jakim akurat będzie pan kraju – odparł. – Jeśli jednak pyta pan, czy chodzi o teleportacyjny przemyt, to nie, zdecydowanie nie. To raczej sprawa... powiedziałbym polityczna. Zresztą proszę zerknąć na trzecią stronę.

Marcin odstawił szklankę na podłogę i wziął od prawnika dokumenty. Szybko zerknął na trzecią stronę. Znajdowało się tam zdjęcie. A raczej plakat wyborczy. Twarz ze zdjęcia była naprawdę znana.

– Każdy ma jakieś słabości, ale ten drań kryje się z nimi wyjątkowo skutecznie – wyjaśnił prawnik. – Te same sprawdzone dziewczyny, tajemnicze miejsca z nieznaną lokalizacją, by uniknąć teleportujących się paparazzi, i takie tam. Słowem zmora dla takich jak ja. Tym większa, że to jedyny facet, który może zrobić zamieszanie w przyszłych wyborach. Rozumie pan teraz?

Marcin pokiwał głową i po chwili parsknął śmiechem.

– Chce pan powiedzieć, że miałbym pracować dla prezydenta? A to mama by się zdziwiła...! Nie no, żartowałem. Wiem, że to tajemnica.

– No! – Prawnik przepił do niego. – Za to obroża będzie pierwsza klasa. Najnowszy model!

Podszedł do biurka i wyciągnął ładne pudełeczko. W środku znajdowało się coś jakby grubszy ozdobny wisiorek, tyle że ze wzmocnionym, jakby usztywniającym stelażem. Niebieski kamień wyglądał na wygasły, ale było wiadomo, że aktywuje się z chwilą zapięcia na szyi. I od tej pory delikwent będzie już świecił jak choinka.

Ciekawe, co na to ruda, pomyślał Marcin. I nagle to wszystko, co właśnie usłyszał, wydało mu się bez sensu. Przecież wiedział już, zdążył się nauczyć, że jeżeli za czymś stoi duża i łatwa kasa, to w ostatecznym rozrachunku albo nie będzie ona duża, albo łatwa. A już na pewno pociągnie się smrodem.

Odłożył umowę i sięgnął po szklankę. Przez chwilę przyglądał się własnym odciskom na zaparowanym szkle i topniejącym kawałkom lodu w kształcie kiści bananów.

Cholera! Jasne, że problemy z pracą, ale przecież to nie tak, że nie dostanie nic – po prostu za mniejszą kasę, może nie przy zdjęciach. Może będzie się musiał spocić. Ale przecież miał numer do rudej, miał jakąś opcję i kto wie, może nawet...

Odstawił szklankę. Wstał.

– To naprawdę świetna oferta... – zaczął, ale wtedy prawnik uniósł rękę.

– ...ale postanowił pan jednak zostać uczciwym człowiekiem, co? – dokończył.

Marcin wzruszył ramionami.

– Chodziło mi raczej o to, że nigdy więcej obroży. Wie pan, laski średnio lecą na opcję „spuści się i zniknie, zanim przytuli i powie, że kocha".

Obaj wybuchnęli śmiechem.

– A poważnie, naprawdę mi przykro, bo to fajna kasa. Ale jakoś nie – powiedział wreszcie Marcin. – No chyba że nie mam wyboru. Bo wie pan, po takiej rozmowie... Zamierza mi pan jakoś wymazać pamięć czy coś?

Prawnik wzruszył ramionami i rozłożył ręce.

– Pewnie gdybym wcześniej powiedział choć słowo prawdy...

Przez chwilę patrzyli na siebie uważnie, po czym Marcin ostrożnie pokiwał głową.

– Rozumiem. – Złapał za klamkę. – I dziękuję.

– Nie ma sprawy – odparł prawnik, poprawiając mankiet. Dopiero wtedy dało się dostrzec, że zegarek na jego nadgarstku nie jest tak naprawdę zegarkiem. W miejscu, gdzie powinien znajdować się cyferblat, migała wielka czerwona dioda. Takie „obroże" mieli tylko najbogatsi. – I... chyba rozumiem, co ma pan na myśli.

*

Małgorzata raz jeszcze spojrzała na zegarek. Próbowała stłumić w sobie przeświadczenie, że to trochę desperackie, takie czekanie przeszło pół godziny na faceta, którego spotkała w autobusie i przejechała z nim ile...? Dwa przystanki? Trzy? I nawet argument, że był fajny, że zainteresowania podobne i ogółem całkiem spoko, z każdą kolejną minutą brzmiał coraz ciszej, zakłócony przez tłum skandujący „Olał cię! Olał cię!" głosem matki, ciotki, szwagierki i szeregu głupich bab, które miały jej za złe, że... Właściwie, cholera, nie wiedziała nawet, co miały jej tak naprawdę za złe!

Ale fakt faktem, uznała, powinna coś zrobić, zamiast pić trzecią kawę i zerkać na zegarek. Da mu jeszcze minutę, a potem...

Palcami musnęła zapiętą na szyi kolorową obrożę. Kasia, jej przyjaciółka, nazywała ją antyćmą i mówiła, że w dzisiejszych czasach wyjście na randkę w ciemno bez urządzenia, które w każdej chwili może cię z niej wyteleportować, jest co najmniej głupie.

– Hej! – odezwał się nagle ktoś tuż za jej plecami. Marcin. Pochylił się do niej, ucałował w policzek i położył przed dziewczyną wiązankę kwiatów.

– Wydałem na nie większość kasy, a że ostatecznie nie dostałem pracy, kawę stawiam tylko małą – powiedział, nie kryjąc szczerego rozbawienia. – O, masz obrożę? Na wypadek gdyby ktoś naprawdę pilnie chciał pożyczyć książkę?

– Na wypadek gdybyś okazał się zboczeńcem – odparła. – I spróbował mnie wywieźć do ciemnej piwnicy gdzieś na odludziu.

Wzruszył ramionami.

– Musiałbym być psychopatą idiotą, skoro nie zdjąłbym ci obroży. Co zresztą, nie ukrywam, kusi i teraz.

Przywołał kelnerkę, zamówił dwie małe kawy i dopiero wtedy rozsiadł się wygodnie, wlepiając wzrok w Małgosię.

– Wiesz, chyba dobrze na mnie działasz, bo odkąd cię poznałem, myślę więcej niż przez całe moje dotychczasowe życie. Jesteś najpiękniejszą dziewczyną, jaką kiedykolwiek poznałem, i to przez ciebie nie mam tej pracy, bo to twoje włosy, uśmiech, cycki i w ogóle sprawiły, że nie chciałem być ostatnim dupkiem, jakich jest coraz więcej, a wierz mi, naprawdę mało brakowało. I nie chciałem założyć obroży, bo ludzie, którzy je noszą, przestają istnieć. Nie ma ich w autobusie, nie ma w kawiarniach. Są wyłącznie... w gotowości. I chyba tak więcej nie chcę. Nie chcę osiągać celu, omijając całą drogę, nie chcę być wszędzie i nigdzie. Nie chcę się wiecznie ze wszystkim spieszyć, żeby zdążyć przed... Ej, czemu tak patrzysz? Nie znikniesz mi tu zaraz, bo pieprzę głupoty, nie?

Roześmiała się.

– Nie, nie zniknę. Ale następnym razem też będę miała obrożę, na wypadek gdyby twoje szaleństwo miało jednak mroczniejsze aspekty.

Parsknął śmiechem i niby przypadkiem musnął palcami jej dłoń. Nie cofnęła ręki.

Za to świat wokoło zwolnił...

Spis treści

TAM I Z POWROTEM
TOMASZ DUSZYŃSKI

Staszek
i
Szafa
Tomasz
Duszyński

Tomasz Duszyński
Pietia i Witia
co złego, to nie my!

PAPER
BACK

HOWARD E. GIBSON
TO CIAŁO, MICHAELA CHANDLERA

TOMASZ DUSZYŃSKI
TAM I Z POWROTEM
PAPER
BACK

UPALNA ZIMA
Eugeniusz Dębski
Andrzej Drzewiński
Adam Cebula
Piotr Surmiak
czyli Kareta Wrocławski
NAUKA W SŁUŻBIE FANTASTYKI... ALBO ODWROTNIE?